Les Errances Druon

CLAUDE LOUIS-COMBET

Les Errances Druon

JOSÉ CORTI

Le programme des parutions et le catalogue général
sont envoyés sur simple demande adressée à :
LIBRAIRIE JOSÉ CORTI, 11 RUE DE MÉDICIS, 75006 PARIS
www.jose-corti.fr

© Librairie José Corti, 2005
N° d'édition : 1822
ISBN 2-7143-0904-6

LES ANNÉES PRÉALABLES

Il y avait eu des signes au cours des semaines précédentes, à Épinoy-en-Artois. On avait noté qu'une gargouille de l'église s'était brusquement effondrée, sans cause apparente, un dimanche de mars, à l'heure de la messe chantée. Elle était tombée contre un groupe d'enfants. Une petite fille avait été choquée et sur place avait fait des convulsions. Les bonnes gens s'étaient attroupées autour d'elle. Le prêtre l'avait aspergée d'eau bénite. Elle gisait à terre, toute secouée de soubresauts. Elle avait relevé sa jupe par-dessus la tête et personne ne pouvait la lui faire abaisser. On voyait donc son ventre nu, avec son entaille au bas clairement tracée dans le relief. Les jeunes garçons riaient en se poussant du coude et leurs mères levaient les bras au ciel. Cependant l'étrangeté de la scène tenait moins à la fillette, crispée dans l'exhibition de sa petite nudité, qu'à la présence au sol de la gargouille. Car celle-ci figurait ni plus ni moins une diablesse en gésine. Entre ses cuisses écartées, magnifiées d'une plantureuse vulve, surgissait la face pointue d'un diablotin. Plantée à la base du clocher dont elle recueillait les eaux de pluie, cette gargouille n'avait jamais attiré le regard de personne. Mais à présent elle était là, grotesque et impudique. Et les malins, voyant tout ce que montrait la petite fille, dépitée de toute ingénuité, s'attendaient à voir sortir de l'ornière un visage anguleux ou un pied lutin, par goût de la réplique et plaisir de la symétrie. Mais rien ne parut. L'enfant finit par baisser son jupon. Elle s'assit sur son séant et regarda le monde en souriant.

Un métayer, du hameau de La Poudroye, fut le témoin d'une scène étrange qu'il narra par la suite à tout venant jusqu'à la fin de ses jours. Le 19 mars, jour de saint Joseph, une vache mit bas sur la paille au petit matin. Tout se passa bien d'abord. Mais lorsqu'il fut sur ses pattes, le veau, au lieu de chercher le pis de sa mère, comme font tous les veaux, pour se désaltérer et se nourrir, chercha la *cougne*, c'est-à-dire la grosse fente encore toute congestionnée et dolente d'où on l'avait extirpé à grand renfort de bras. Le métayer avait beau le pousser sous le ventre de la vache, le petit animal, tout humide et tout tremblant, revenait au sexe qu'il humait et léchait. On vit alors cette chose étonnante : le veau, debout sur ses pattes arrière qui fléchissaient, au point qu'il dut s'y appliquer à maintes reprises et maladroitement, finit par appuyer son museau tout entier contre la vulve et à l'y introduire. Le pauvre débile faisait pitié mais il persévéra. La vache mugissait doucement, presque tendrement, en une vaste complicité de chair qui défiait les lois ordinaires de la nature. Et l'homme, là-devant, était tellement surpris, avait tellement conscience d'assister à un phénomène exceptionnel et quasiment miraculeux, qu'il était incapable d'intervenir et se contentait de regarder, laissant faire les bêtes entre elles. Il put donc voir le veau pousser lentement sa tête dans le vagin, tandis que tout le petit corps, surmené d'appétit indicible, bien au-delà de ses forces, s'agitait comme une chiffe, de plus en plus faiblement. À la fin, lorsque le museau fut enfoncé jusqu'aux yeux, le veau d'un jour cessa tout mouvement et resta pendu à l'arrière-train de sa mère – appendice fantasque et fantastique, suffoqué, pensera-t-on, par son bonheur et sa performance singulière, autant que par l'inévitable asphyxie, aucune mère ne s'offrant jusqu'au bout comme un objet respirable.

À quelques jours de là, un événement tout à fait extraordinaire impressionna la communauté villageoise, les hameaux et les bourgs alentour. L'église d'Épinoy possédait une très ancienne et très honorée Vierge noire installée dans une niche que l'on avait creusée dans l'un des gros piliers qui délimitaient le chœur, du côté de l'évangile. Cette Vierge que l'on honorait sous le nom de Notre-Dame de la Pile était une statue de bois revêtue d'un riche manteau de brocart doré, sous lequel elle portait une robe de fine toile blanche qui lui descendait jusqu'aux pieds. Ainsi affublée, assise sur un trône, Notre-Dame de la Pile tenant ses deux mains ouvertes appuyées sur ses genoux, paraissait en

attente et en offrande – et qu'offrait-elle sinon son corps,
peut-être pour rien, peut-être pour le moment d'un refuge
des pécheurs (*Refugium peccatorum*) et comme la voie
obligée d'un passage vers le paradis final (*Janua cœli*).
Dans l'échancrure de son manteau accablé de dorure, la
modeste et candide étoffe de sa robe laissait s'engouffrer
toutes les plaintes de la vie, toutes les détresses, toutes les
plus humbles aspirations. Cette Vierge se trouvait mise de
telle façon que le priant, au pied de sa pile, n'éprouvait pas
de désir plus impérieux encore qu'irréalisable que de poser
son front sur les genoux et dans les mains de la toute miséricordieuse Mère de Dieu et Mère de tous les pécheurs
(*Mater peccatorum*). Or voici : ce matin-là, le prêtre desservant de la paroisse se préparant à assurer l'office du
dimanche, s'arrêta un instant, juste le temps de se recueillir
par dévotion, devant la statue. À cette heure, dans cette saison, l'église était encore plongée dans l'obscurité. Cependant, levant les yeux vers la Mère de Dieu et parcourant
lentement de son regard, plein de lassitude et d'habitude,
la totalité du corps assis, et hiératique, il remarqua à la
courbure du tronc et des jambes, dans l'exact creux des
cuisses, une tache étoilée, faiblement lumineuse, que l'on
eût dite la respiration légère de l'obscurité. Cela brillait
d'insolite façon et captait le regard et le captivait à tel point
que le brave homme soudainement inspiré et bousculé
dans ses manières ne put se retenir d'aller chercher une
échelle qu'il appliqua contre le pilier afin de voir de plus
près quel genre de phénomène se produisait là. Alors, pour
ainsi dire, le visage dans le creux du corps de la Vierge, il
put constater que celui-ci saignait, sourdement, et que ce
qui lui avait semblé, d'en bas, pure effusion de lumière,
était, vu de face, une macule sanguinolente qui trempait le
vêtement. Le prêtre n'osa pas toucher la chose. Il n'osa pas
porter la main sur la robe de la Vierge. Encore moins n'osa-
t-il, il n'y songea pas, la soulever afin de découvrir ce qu'elle
voilait. Il était lui-même un simple prêtre, nullement un
esprit fort. De tels esprits ne se rencontraient, en ce temps-
là, que dans les marges extrêmes de l'hérésie. Tandis que

le jour se levait et que le jeune soleil se répandait à travers les vitraux, le curé d'Épinoy se contenta humblement de saluer le miracle auquel il était le premier homme à assister. La statue de la Vierge saignait, c'était manifeste, et il était manifeste aussi qu'elle saignait en un point du corps que la pudeur sacrée interdisait de nommer. Cependant l'heure de la messe était arrivée et une poignée de fidèles, des bonnes femmes surtout, serrées de petits enfants, se tenait agenouillée sur la dalle. Or étrangement, au moment de l'élévation du calice et de l'hostie, les regards qui auraient dû s'abaisser et se recueillir en direction de l'événement sacré qui se déroulait sur l'autel, s'ouvrirent et se tournèrent vers le pilier de la Vierge, comme si une force magnétique les avait captés, et bientôt, tandis que le prêtre s'efforçait de poursuivre sa cérémonie, les fidèles se levèrent, s'agitèrent, se rassemblèrent au pied de la statue et montrèrent du doigt ce qui éclatait, de toute évidence : la robe de la Vierge trempée de sang.

Alors, le jour même, surgit sur la place, devant l'église, un moine mendiant – sa face barbue enfoncée dans l'ombre de sa capuce. Debout – violemment, passionnément dressé, avec une force de conviction prodigieuse, il commença à ameuter les passants, et bientôt il y eut une petite foule à ses pieds, à peu près tout le village, qu'il se mit à haranguer :

« Chrétiens, mes frères, et surtout mes sœurs, vous avez vu ce que vous ne méritiez pas de voir, ce que vous n'auriez même jamais osé imaginer. Femmes et filles, vous savez à présent que la Vierge Notre-Dame saigne comme vous saignez. Vous savez à présent que son corps ne diffère en rien du vôtre et qu'il est, comme le vôtre, une saleté. Une belle saleté, peut-être, mais une vraie saleté, un amas d'immondices, un dépotoir d'humeurs innommables, d'écoulements honteux, d'odeurs fétides. Comme vous le voyez, la Mère de Dieu elle-même est atteinte de cette maladie insidieuse et insurmontable qu'est la féminité. On la croyait à l'abri de votre turpitude physique parce qu'elle avait conçu un fils hors de tout apport séminal d'un homme. On la disait aussi

intacte après la naissance de l'enfant qu'avant l'accouchement – je vous le dis, aussi vierge, aussi close, aussi innocente. On pensait qu'elle était par-delà la division du masculin et du féminin – entité supérieure, exceptionnelle, non
soumise aux pesanteurs du genre et de l'espèce. Et maintenant, vous voyez, elle saigne, elle saigne par en bas,
pareille à la dernière des filles, elle est dotée d'une *cougne*
toute semblable à celle de n'importe qui. Mais de cette évidence vous n'avez aucune suffisance à tirer pour vous-
mêmes, car je vais vous dire, moi, ce que vous ne savez pas
encore : ce sont vos péchés qui font saigner la Vierge Marie.
Elle saigne dans l'accablement de la monstrueuse accu-
mulation de vos infamies, depuis le commencement. C'est
comme si vous aviez emporté la place, comme si la satisfaction de vos immondes concupiscences avait fini par faire
trembler sur ses bases l'exception divine. Vous avez infecté
le lieu du corps immaculé par lequel la femme démontre sa
féminité. Si la Vierge qui saigne aujourd'hui sur vos péchés
saigne par son sexe, c'est parce que les péchés sexuels sont
les plus abominables de tous et ceux par lesquels, vous
autres femmes, manifestez toute votre malice et votre
démoniaque génie. L'homme aussi est un pécheur, un
pécheur par le sexe et le désir, mais comprenez-moi : il
pèche par faiblesse, tandis que vous autres, femmes, vous
péchez par puissance. Et l'homme ne serait pas devenu ce
qu'il est, votre frère en turpitude, si vous ne l'aviez constamment soumis à vos exécrables tentations qui dépassent ses
capacités ordinaires de résistance. Alors, je vous le dis,
hommes et femmes ici présents, le sang de la Vierge ne cessera de couler, pour vous accuser et vous confondre, aussi
longtemps que vous n'aurez pas fait pénitence. Les temps
sont venus. Cet écoulement miraculeux signifie que la fin
est proche. Cela est dit quelque part, en secret, chez les prophètes et chez les apocryphes que l'Église commune a reje-
tés parce qu'ils dénonçaient ses vices et ses faiblesses. Or, en
vérité, le jugement se prépare et il ne tardera pas à éclater.
Aussi bien, si vous ne voulez que l'enfer vous dévore pour
l'éternité, hâtez-vous de vous convertir. Faites pénitence.

Matez votre corps, réprimez vos désirs, pressez-vous à la douleur avec la même détermination qui vous a pressés, jusqu'à présent, au plaisir. Allégez le châtiment qui vous attend en vous infligeant dès maintenant sévices corporels et humiliations de chair selon le modèle des saints martyrs que nous honorons. Voyez : d'un côté je vous tends la main qui vous bénira et vous extirpera de l'ornière, et de l'autre je vous tends le fouet qui vous massacrera, si vous savez vous en servir, le fléau qui vous purifiera dans la douleur. Armez-vous donc de cordes et de lanières, dépouillez-vous de vos vêtements comme fut dépouillé Notre-Seigneur Christ, et entièrement pour votre honte et votre humiliation, rassemblez-vous ici même, dès aujourd'hui, à la tombée du jour, soyez nus comme les vers de convoitise et de fornication que vous êtes, frappez-vous les uns les autres, ne ménagez pas vos forces, tournez autour de cette place et de cette église, tournez autour de ce village comme il faudrait que les chrétiens tournent autour de la terre entière, frappez-vous, frappez-moi, nous sommes des pécheurs, nous accablons la patience et la bonté de Dieu. Finissons-en avec le désir, écrasons la concupiscence dans le sang. Mais écoutez-moi encore avant de mettre en œuvre le supplice : comprenez bien que la chair est infiniment plus vaste que le sexe. Si elle tenait entièrement dans la malice de vos organes générateurs, je vous dirais : supprimez-les. Je dirais aux femmes : vous avez des aiguilles et du fil de crin, cousez-moi cette fente amère et fangeuse que le diable vous a révélée pour le malheur de l'humanité. Et je dirais aux hommes : coupez-moi ce membre arrogant et tapageur qui fait de l'ombre au ciel. Hélas ! la concupiscence ne gît pas à la périphérie du corps, elle naît du cœur de votre cœur. C'est votre volonté qui est pervertie. Alors, humiliez-vous, renoncez-vous, cessez de vous rechercher et de vous dominer, hommes et femmes, femmes et hommes, cessez de copuler, cessez d'engendrer, si le feu vous brûle, jetez plutôt votre semence aux orties. Arrêtez de faire des enfants qui seront encore de plus grands pécheurs que leurs parents. Ah ! si j'avais la moindre parcelle de la puissance de Dieu, j'assècherais les femmes, je purgerais de leur fruit celles qui sont grosses, je viderais jusqu'au sang les bourses viriles et les remplirais de sel et de fiel. Hommes et femmes se fuiraient et chacun s'enfermerait à double tour dans la solitude de ses prières et de ses gémissements. Mais déjà le monde est en train de crever, comme un chien malade sur le bord de son univers. Finissons-en avec lui. Finissons-en avec nous-mêmes. »

Sur le soir, une bise glaciale soufflait par les ruelles du village. Cependant, comme le frère bégard l'avait commandé, hommes et femmes, vieillards et enfants, sortirent des maisons complètement nus et se rassemblèrent sur la place, devant l'église dont la cloche la plus grave sonnait lourdement, continûment. Tous tenaient en main qui un fouet d'attelage, qui une corde ou une lanière, qui une baguette flexible d'osier ou de noisetier. Le froid poussait les corps à se rechercher, à se serrer les uns contre les autres. Les mères enveloppaient de leurs bras les enfants qui tremblaient. Les hommes se collaient dans le dos des femmes. Les vieux et les vieilles s'étreignaient face à face comme au bal, s'efforçant de dissimuler leurs loques de chair. Il fallut un long moment pour qu'une procession cohérente se formât. Le Bégard marchait en tête, il était nu mais avait gardé sa capuce qui lui couvrait le crâne. Il portait sur ses épaules une lourde croix de bois plus grande que lui. Deux hommes, armés de fouets, l'encadraient. Derrière, la foule s'était formée, en long ruban, au hasard des proximités et des affinités. Tous ces chrétiens connaissaient à peu près leurs prières et se mirent à psalmodier les chants d'affliction et de pénitence de la messe des Morts et de la Semaine sainte. Chacun à son rythme et selon l'économie de sa vigueur frappait les corps qui se trouvaient dans son champ. Les femmes violentaient plus ou moins sévèrement les petits enfants qui se trouvaient à leur portée. Les enfants entre eux se meurtrissaient comme de jeunes bêtes sauvages jetées à la limite de leurs moyens. Hommes et femmes y allaient avec violence jusqu'à la démesure. L'état de nudité exerçait une énorme emprise sur la brutalité latente des couples. Les épaules, les reins, les fesses, l'arrière des cuisses attiraient les coups redoublés, les grêles de fouets, le tranchant cinglant des cordes et des lanières. La chaleur des chairs agitées et meurtries montait, empourprait tout le volume des corps, le sang crevait ses canaux et ses digues et se répandait en larges flaques excitantes et stimulantes. Alors le désir que le froid extérieur aurait dû maîtriser et réduire s'exaltait, s'exhibait, les hommes soufflaient comme des bêtes, leur mentule tendue, dans le dos des femmes. Une magnifique énergie d'éros, étrangère à tous les discours et à tous les cantiques, commençait à parcourir la foule, dans ses fonds, à la presser, à déchaîner ses appétits. Et tandis que, tout au-dessus de la confuse mêlée des halètements de chair, des voix de tête s'élevaient à perte de psaumes, chantant *Miserere*, chantant *De profundis*, chantant *Domine, ne in furore tuo*, et que la basse continue des manants perdus de désir et de faute bourdonnait dans l'inintelligible matière des mots, les corps excédant toute chrétienté abondaient en quête d'étreinte, et le Bégard halluciné de voix intérieures portait la foule au-delà de toute limite, en sorte qu'une énorme conjonction se préparait, se précipitait vers son issue de violence partagée et d'extase magnifiée : hommes à femmes liés, femmes à hommes pressées et déchaînées, enfants et vieillards noués dans leur impuissance libidineuse. Le sifflement des fouets excitait des âmes épaisses qui ne s'étaient jamais aventurées au-dessus d'elles-mêmes et qui se découvraient agitées, torturées, fringantes et capables du pire. Et sans doute y avait-il dans la masse quelques esprits de plus haute volée, quelques fidèles que la piété envoûtait et dont le regard n'avait jamais eu d'autre point d'appui que le ciel. À présent, ils étaient, comme n'importe qui, entraînés par l'enthousiasme collectif et exaltés par le débordement de puissance de leur désir. Mise en commun, aux dimensions des aspirations obscures de la foule villageoise, leur hauteur de sensibilité religieuse les portait à la pointe de l'excès : vertu, renoncement, sagesse, modération, le profane du bon sens et le sacré de la ferveur craquaient dans leur carcan formel,

sous leur façade convenante. Aussi les plus modestes
s'avançaient-ils à présent le plus loin dans l'exhibition et
les plus chastes l'emportaient-ils en fougue de chair. Chacun cependant y allait de son verset et de son psaume, de
son invocation litanique, de ses gémissements mélodiques
et des soupirs qui l'encombraient. *Miserere mei, Deus,
secundum magnam misericordiam tuam.* Les voix mon-
tent et descendent, faisant leurs les émotions charriées du
fond de la foi chrétienne, mais comme la douleur des âmes
se conjugue avec les cinglements des verges et des fouets,
l'ardeur du sexe crève toutes les lignes et entraîne tout le
mouvement vers sa fin. Ils sont trois cents, hommes et
femmes, peut-être cinq cents, tous âges mêlés, une poignée
de rien dans le vaste monde, mais une puissance totale à
l'échelle du lieu. Ils processionnent à redoublement de
coups, de l'église qui occupe le centre, jusqu'aux extrémi-
tés du village, avec des avancées parmi les prés et les
champs. Et la déambulation, sans que personne en soit
conscient, prend forme de cercle et de spirale, ayant son
point de départ pour point de retour : la masse trapue et
ténébreuse de l'église, toutes portes ouvertes, avec sa générosité inlassable de vulve maternelle. La Vierge de la sainte
Pile n'a pas cessé de saigner. Le curé est allongé dans la
nef, le visage contre le sol, les bras en croix. Jamais l'édifice n'a retenu autant de monde. Les fidèles sont serrés les
uns contre les autres, écrasés entre eux comme des fruits
dans le tonneau des fermentations. Il n'y a plus d'espace
pour les fouets et les coups. La nudité collective dégage le
bain de ses odeurs âcres et chaudes qui excitent le désir.
Le Bégard s'est appuyé le dos contre l'autel où se consu-
ment des cierges fichés sur des chandeliers. Il ôte la capuce
qui lui couvrait, depuis le commencement, la tête, la poitrine et les épaules jusqu'au milieu du dos. Alors sa chevelure, libérée, descend, très noire et fastueusement ondulée
et bouclée, une vraie crinière de femme. En même temps,
à la lumière tremblante de la cire, il expose une paire de
seins tendus et gonflés, d'une beauté puissante, mais striés
de coups et maculés de sang. Il a les hanches larges et son

pubis abondant dissimule son membre si bien que, n'étaient sa forte barbe et sa voix de stentor, on douterait de sa nature virile. Mais enfin il est là, il est le Maître, le conducteur de la ronde et le manipulateur irrésistible des esprits et des sens. Comme dans l'une de ces représentations sculptées au tympan des églises, figurant le Jugement dernier, il forme tout seul, l'étrave du bien et du mal contre laquelle se presse le flux moutonnant des humains ramenés à leur nudité première. Il a dressé près de lui la grande croix de bois qu'il a traînée tout le long du chemin, et il la désigne aux fidèles d'un geste autoritaire lancé dans le vide. Des queues de psaumes bourdonnent encore dans le fond de l'église, *ne in æternum irascaris nobis*, puis le silence s'établit, gros de souffles et de halètements. Le moine cherche à dire à son peuple qu'humilité et douleur forcent l'absolution de tous les péchés et qu'au terme de la pénitence qui vient de s'accomplir chacun est libre de son corps, jusqu'à l'aube, et libre de satisfaire tous ses désirs, car le Seigneur a pitié de ses enfants et il leur accorde un moment de retour dans le paradis d'avant la chute, et il les rend à leur commencement exempt de loi, de règle et de faute, aussi longtemps que la nuit est encore la nuit – car la nuit est la mère du temps, elle porte en elle-même un principe de douceur qui rappelle à qui peut l'entendre qu'elle est la substance dont sont faites les entrailles de la création. La grande pitié de Dieu accorde aux pauvres pécheurs de forniquer avec leur mère – la Nuit – à la seule condition qu'ils s'accordent à la plus profonde part de leur ténèbre intérieure. Qu'ils entendent donc bien que, seuls, excès, démesure, illimitation du désir valent pour cette autre sainteté. Et il achève son discours par cette objurgation : Frères et sœurs de péché comme de grâce, donnez et prenez, jouissez et surjouissez, mais prenez garde de ne pas procréer. Il faut en finir avec la génération. Usez entre vous des voies qui ne sont pas naturelles et des moyens qui ne fécondent pas. Le mal, c'est de perpétuer la vie, car vous ne pouvez mettre au monde que des pécheurs promis à l'enfer. La race des hommes est condamnée. Or vous autres femmes qui vous trouvez grosses en ce moment, je prie pour que votre fruit se dessèche et meure avant de naître. Et mieux vaudrait encore, pour vous, de mourir avec lui – lui dans votre sein, confisqué à la vie et interdit d'avenir. Que vous mouriez donc ensemble, gros l'un de l'autre. Car je vous le dis, femmes, ce n'est pas d'un enfant que vous êtes grosses, mais du péché d'Adam et Ève, et je vous le dis, enfants qui devez naître, vous êtes gros de la mère qui vous porte et qui suce votre âme dans la jouissance de son péché.

Or le Bégard continua longtemps de jeter ses phrases dans le vide. Personne n'avait plus besoin de l'écouter car depuis longtemps chacun avait compris. Jamais vérité n'avait été plus claire et, en même temps, plus stimulante : chacun est seul, tenu au pied de son désir comme au pied d'une montagne avec pour vocation d'aller toujours plus haut – plus haut, plus loin, plus profond. Nus, sans fard, sans ornement, étroitement serrés les uns contre les autres, possédés d'une chaleur violente qui les sauvait de la froidure du temps et du lieu, hommes et femmes, jeunes et vieux, se frottaient les uns les autres, s'enlaçaient, portaient leurs mains de suppliants et leurs bouches animales vers les organes et zones charnelles de désir et de plaisir, en grandes rumeurs haletantes et gémissantes, tandis que, amants de rencontre et de passage, hommes et femmes, jeunes et vieux, s'égrappaient par-devant et par-derrière, foraient les terrains de caresse, enlisaient leurs doigts dans les mouillures, s'engageaient comme des démons en des coïts debout qui les nouaient brutalement, *more sodomico*, les femmes alors glapissaient, des enfants mi-ébahis mi-affolés leur agrippaient les cuisses – agglomérats de corps tremblants, en action, déchaînés, dévoyés, cependant que les femmes étant beaucoup plus nombreuses que les hommes, étaient poussées à s'occuper entre elles ou, tout aussi frénétiques que solitaires à s'acharner sans vergogne sur leur plaisir particulier : certaines le faisaient sans cesse de marmonner leur psalmodie de *Miserere mei Deus*, et ce bruit de fond de paroles égarées se mêlait à la dominante des essoufflements et des plaintes et, en vérité, en son berceau, en ses bas-côtés, en ses absidioles, l'église était le lieu des confusions de chair et des véhémences de toutes les aspirations, tandis qu'engoncée dans sa niche de pile, la statue de la Vierge continuait de saigner entre ses cuisses, et sa robe était trempée et le sang ruisselait et tombait goutte à goutte sur la dalle, là où le prêtre, desservant de la petite paroisse d'Épinoy-en-Artois, était toujours allongé, bras en croix, sous sa chasuble et son étole, et maintenant la petite rigole du sang virginal, miraculeux, venait glisser contre sa tête, poissant ses cheveux, imprégnant sa barbe, humectant ses lèvres et précipitant le serviteur de Dieu dans les abîmes du rêve. Accablé du sentiment de son existence d'homme et de prêtre, désarçonné de toutes ses habitudes de vivre et de penser face à l'évidence du saignement de la Sainte Mère de Dieu, il se voyait, en lui-même, dans la pénombre de sa conscience somnambulique, s'avancer tout seul dans l'immense plaine, qui était tout son pays, dépourvue d'obstacle naturel si ce n'était celui de son infinitude en raison de laquelle marcher n'était pas différent de piétiner, progresser n'était pas autre chose que demeurer immobile. Quand il s'était mis en route, il était vêtu de ses habits d'officiant et il tenait dans ses mains un ciboire, avec l'intention de porter la sainte eucharistie à une femme en grand danger de mourir. Cependant, sans avoir jamais eu conscience de se dévêtir, il se trouvait à présent entièrement nu sur un sentier qui filait en droite ligne vers l'horizon à travers des champs de blé en herbe et de rases prairies. Un énorme désir le poussait dans sa course et il sentait fortement la puissance de son sexe dressé mais comme, à un certain moment, il n'en pouvait plus d'éprouver une tension de chair aussi violente, il ne put se retenir de jeter un regard sur son organe de désir qui ardait si démesurément. Mais ce qu'il vit, ce ne fut pas son phalle, c'était un crucifix d'ivoire et d'argent, portant sanglante effigie, qui jaillissait littéralement hors du buisson de son ventre et pointait vers le haut – un crucifix, incontestablement, mais incarné, mais charnel toutefois, car il était engainé dans la hampe du sexe dont il doublait la longueur. Un sexe en croix, voilà ce qu'il put voir. Et plus haut, très au-dessus, dans la lumière du jour, le ciboire entre ses mains, et plus haut encore, détachée du saint vase et soustraite à son propre poids, l'hostie radieuse et irradiante, comme un raccourci du soleil, guidant la marche stagnante du prêtre, pour lors chevalier de Phallencroix, gardien du Saint-Graal.

À la ligne d'horizon, parfaitement rectiligne, en la zone tremblée où ciel et terre se délimitaient réciproquement dans la confusion d'un échange incessant, se tenait Marie, nichée dans la Pile. Si loin qu'il fût d'elle et bien incapable de la rejoindre et de se faire entendre d'elle, le prêtre-chevalier la voyait très distinctement. Elle avait ouvert son manteau et retroussé sa robe. Elle offrait au regard du voyageur le ventre tendu d'une grossesse avancée mais, entre ses cuisses ouvertes, du profond de la ténèbre de chair, le sang coulait et c'était sans remède. Et le chevalier, à l'autre bout de la plaine, portant son membre cruciforme comme à la tête de la procession dont il était, tout seul, à la fois le célébrant et le cortège, clamait de toute sa voix, mais d'une voix inaudible : Marie, attends-moi, aie pitié de moi, je ne veux pas ta mort, mais ta vie. Que l'enfant périsse plutôt que toi. Garde-toi, Marie, garde-toi bien. Garde-toi pour moi.

Puis, sans cesser de rêver, dans l'accablement total d'un sommeil aussi rond et aussi clos que peut l'être le fruit de la solitude, mais toutefois soulevant ses paupières, les entrouvrant, et observant comme à travers un soupirail, le monde alentour, la fête qui se poursuivait en débordements, le prêtre vit ou crut voir des scènes totalement extravagantes et d'une indécence telle qu'il put croire, un instant, qu'il voyageait seulement en esprit sur les parvis de l'enfer ainsi que cela lui était arrivé dans des cauchemars dont il avait perdu le souvenir précis mais dont il avait gardé l'impression générale. Il put donc deviner plutôt que seulement apercevoir, car il manquait de l'énergie nécessaire pour fixer son regard, l'emportement des corps, houleux, frénétique et dramatique, l'énorme capacité d'étreinte charnelle chez des hommes et des femmes subjugués par leur nudité. Les couples roulés en eux-mêmes ne se lâchaient plus. Ils ahanaient, ils exultaient, la vigueur des mâles n'avait pas de faiblesse, l'ardeur des femelles répandait sa contagion de beauté inlassable. La nef de l'église offrait le spectacle insensé d'un agglutinement de transes amoureuses auquel personne ne semblait échapper, ni les vieillards, ni les infirmes, ni les enfants : c'était une vaste cocagne sexuelle où chacun recevait au centuple ce qu'il avait donné. Aussi bien, se croyant transporté au sabbat, le prêtre desservant de la petite paroisse d'Épinoy-en-Artois, toujours allongé, bras en croix, au pied de la Pile à la Vierge saignante, cherchait-il d'un œil atone, perdu d'épuisement, le cortège des dignitaires de diablerie, Satan lui-même, Belzébuth et son chat noir, Béhémoth et son bouc. Ce fut alors, dans l'effort auquel il s'appliquait pour associer la réalité dont il était témoin à toute l'épaisseur de croyances qui pouvaient lui donner un sens, qu'il aperçut, à défaut du souverain de l'Enfer, assis sur l'autel, le Bégard à la longue chevelure et à la poitrine opulente. Il tenait dans ses bras tout un chapelet de petits enfants – des nourrissons auxquels il donnait le sein. Prenez et buvez mon lait, qui tient lieu de semence, vous êtes la dernière race, la douce tribu des derniers-nés. Avec vous, la vie ira en s'éteignant car le lait du père réduit le désir, le corrompt, le détourne de ses fins. Celui qui aura bu de mon lait n'aura que sa bouche pour organe de jouissance. Il n'engendrera pas. Il mettra toute sa vertu et tout son génie dans la succion – buvant les paroles du père qu'il régurgitera, assimilant la virilité du père jusqu'à en faire une chose flasque qui n'aura plus de nom, en sorte que le règne de la pureté s'installera le temps d'un instant sur la déroute de la fécondité. Tel sera le Fils à venir réduit à soi-même, après que sa mère sera morte de l'avoir conçu dans le péché. Tel sera le Fils après que la source du désir sera tarie. L'humanité tient en lui son modèle d'accomplissement et son principe d'achèvement.

L'aube n'allait pas tarder à blanchir l'horizon. Le Bégard fit sonner les cloches. Quelques spasmes secouèrent la masse des corps noués et encastrés et vinrent crever à la surface du vieux rêve de confusion et d'innocence, à présent périmé. Hommes et femmes, vieillards et enfants s'aperçurent qu'ils étaient nus. Ils sortirent de l'église en silence, cachant leur honte dans le creux de leur main.

Quant à la Vierge de la Pile, elle continuait de perdre son sang. Le prêtre au membre crucifié ne rêvait plus que de noyer son visage dans la flaque grandissante, jusqu'à effacement de ses traits. Il entendait, comme s'il les avait prononcés contre son propre sentiment, les derniers mots du Bégard : il faut que meure la Mère pour que le Fils soit sauvé.

Miserere mei, Deus, secundum magnam misericordiam tuam. Ayez pitié de moi, mon Dieu, selon votre grande miséricorde, car je suis Guillaume, prêtre phallophore, desservant de la modeste église d'Épinoy-en-Artois et de quelques autres, semblablement médiocres, effacées dans les plaines de prairies et de bois, et aussi chapelain du château d'Épinoy et, par ce fait, serviteur de monseigneur Gilles qui, à cette heure, guerroie aux côtés de Baudoin, roi de Jérusalem, cependant que moi, Guillaume, serviteur servant de dame Marie d'Épinoy, j'ai guerroyé sans combat et chassé sans escorte sur la terre conjugale de mon seigneur et maître, j'ai traqué la douce bête dans ses draps, je l'ai serrée dans les buissons fleuris de nos chairs éprises et l'ai passée au soc de la grande charrue phallique, à présent crucifiée en mémoire de mon péché. *Miserere mei*, car je suis Guillaume, votre prêtre, homme de désir dans le troupeau des femmes. Hélas! Le diable n'a pas fait de moi un loup-garou propre à effrayer brebis et bergères. Il a pris possession des dons que vous m'aviez accordés en promesse dès ma naissance : un visage de paladin, un cœur courtois, une voix de ménestrel, des mains de jongleur, une âme sensitive infusant sa rêverie jusque dans les saintes paroles que mon ministère me commande. Combien rustre et mal taillé, monseigneur Gilles, en regard de son chapelain ? Vous m'avez donné la grâce de l'esprit dans la grâce du corps, le diable a fait le reste. Il a brassé à sa façon toutes mes qualités de nature, que je tenais de votre seule bonté, il en a fait un mixte de corruption et de perversité sous une enveloppe avenante et un badigeon de vertu. *Miserere mei*, car j'ai appris à lire pour faire dire aux mots de la foi le sens obstiné de tous mes désirs – prêchant amour et charité pour dissimuler mes visées libidineuses, et renoncement et pénitence, moi qui ne vivais que pour posséder les êtres de mes prédilections. Et j'ai lu les livres qui sont la nourriture des clercs et je me suis gavé des saintes Écritures et de théologie selon la voie indicible et inavouable de mon désir : dispensant assez de lumière et assez de ténèbre pour m'ouvrir le lieu des âmes et m'emparer des corps à mon gré. Seigneur Dieu à qui rien ne peut être caché, vous connaissez exactement le nombre de mes fautes et le détail des circonstances et vous savez ce que furent, chaque fois, mes pensées et ce que fut l'état de mon âme, à chaque instant, dans le mouvement de mes passions. De toutes les femmes que j'ai séduites parce que j'étais votre représentant sur terre et parce que j'étais ici le seul homme à me soucier de leur intérêt spirituel, à pouvoir leur rapporter vos paroles, vos promesses, vos bénédictions, vous connaissez tous les noms, aucun n'a pu vous échapper. Aussi bien, comme moi-même, mais dans les abysses de votre absolue et infinie connaissance, vous savez ce qu'il en est de mon cœur charnel et qu'un seul nom, à jamais le dernier, a balayé tous les autres pour occuper à présent toute la place, jusqu'à m'en damner s'il le faut. Il y a eu, il y a, il y aura une seule femme au-dessus de toutes les femmes, et son nom qui me remplit s'effuse hors de moi sitôt que j'ouvre la bouche. Laissez-moi vous le faire entendre tel que je l'entends chaque fois que je respire – o doux nom de Marie, o Marie d'Épinoy. Seigneur Dieu, je croyais avoir aimé les femmes que j'avais aimées, avant de rencontrer Marie, mais en vérité, je n'avais aimé personne, je ne savais rien de la femme, avant d'avoir serré entre mes bras cette Marie de tendresse et d'ardente braise. Vous qui de toute éternité tracez le chemin des humains, vous m'êtes témoin que je ne l'ai conquise ni par ruse ni par violence. Je n'ai pas abusé de ma force, je n'ai pas cherché à la séduire par paroles cléricales ni par mâles manières. Mais comme une fleur nocturne s'il en est, qui attend pour s'ouvrir la nuit la plus obscure, Marie est née à la chair comme si je l'avais portée en moi depuis toujours. Elle s'est éveillée en moi comme si mon âme sombre l'avait enfantée entièrement et comme si elle me revenait, dans l'amour, avec son regard de licorne et son odeur d'humus, sans qu'elle m'eût jamais quitté. Assurément, mon Dieu, cette Marie est un énorme péché, moins, peut-être, parce qu'elle appartient comme légitime épouse à monseigneur Gilles, que parce que, de ma fille spirituelle qu'elle était, elle est devenue ma fille charnelle, et nous avons commis ensemble cet inceste du cœur pour l'absolution duquel, je ne réciterai jamais assez de *Miserere*. *Miserere, Deus, secundum magnam misericordiam tuam. Miserere* sur la douceur de sa peau. *Miserere* sur ses lèvres, sur ses seins, sur son ventre. *Miserere* sur cette ornière de ténèbre et de feu que la mère des commencements, Ève du jardin d'Éden, avait creusée entre ses cuisses, pour tout bonheur et tout malheur. *Miserere* sur sa beauté. Vous le voyez, Seigneur Dieu, ce n'est pas pour moi que j'implore votre pitié. J'ai trop besoin de la désolation de mon âme pour m'assurer que je suis encore vivant. Je ne vous demande rien si ce n'est que je sois assez fort pour aimer Marie jusque dans la mort. Vous la tiendrez auprès de vous dans votre paradis, tandis qu'au fond de votre enfer où vous m'aurez précipité, je penserai à elle sans penser à vous, et la désirerai éternellement sans que jamais mon âme ait souci de votre gloire. Car vous vous suffisez à vous-même, o mon Dieu, et n'avez nul besoin de moi, cependant que Marie, douce femme, pauvre amour, sera pour toujours la part manquante de mon être. Tel sera mon supplice : non d'être privé de vous, mais d'être séparé de Marie. *Miserere* sur le lien que la mort aura arraché sans le rompre. J'aurai pour moi, en manière de feu dévastateur, le désir d'amour, croissant à longueur d'éternité, sans répit, sans issue, en sorte que le Phallophore que j'étais de mon vivant ne cessera de se cramponner à son axe, moi toujours plus réduit et insignifiant, lui toujours plus vaste et plus puissant dans la totale inutilité de sa fièvre. Les anciens peuples de votre Nord, bienheureux d'être nés avant que votre Fils nous ait enseigné le baptême, avaient fait du frêne le pivot phallique du cosmos tout entier et ils l'adoraient et l'ornaient de couronnes de fleurs et de guirlandes, en échange de quoi, le dieu entretenait leur potentiel de virilité et leur capacité conquérante. Mais moi, Seigneur, l'arbre de désir qui poussera de mon ventre dans le vide de l'éternité s'allongera sans recours, se haussera sans aucune chance de projeter sa semence, se dressera sans fin vers l'impossible Marie, vers l'inatteignable, insaisissable, impossédable Marie, je ne conçois pas d'autre châtiment que celui-là, à la hauteur de ma faim, de ma soif et de ma nostalgie : inépuisable épuisement de mon être dans la constante tension du désir sans soulagement. Voyez, Seigneur, le phalle porte-croix planté comme une borne infranchissable entre mon bonheur et moi. Il me rappelle que quand bien même, ce que je vous supplie humblement d'accorder à nous autres pauvres pécheurs, vous pardonneriez à Marie son adultère, vous n'avez pas à m'absoudre de mon sacrilège. Cette faute est sans pardon. Elle est mienne et fait que je suis ce que je suis devant vous. Il est nécessaire que la mort m'enferme, le moment venu, dans mon péché, puisque c'est par lui que j'aurai atteint le plus haut degré de mon existence, serrant Marie entre mes bras jusqu'au point où son essence de féminité s'est transfusée en moi, et par là j'ai outrepassé non seulement ma condition de prêtre, que j'avais choisie, mais ma condition d'homme que vous m'aviez imposée. Mon sacrilège m'a procuré un surcroît d'être et m'a rangé, du coup, dans la tribu des démesurés que depuis toujours, depuis Babel en tout cas, vous n'avez cessé de foudroyer. Je suis allé trop loin dans mon amour, trop loin dans la quête et la possession d'un être amené à remplir de lui-même tout ce que je n'étais pas, tout ce que je ne possédais pas, faisant de moi cette entité de chair et d'esprit, homme et femme en un seul, que vous abhorrez par-dessus toutes les aberrations de l'espèce. Ce fut ainsi, mon histoire est écrite, il n'est pas un iota à changer. Ne faites rien pour moi, Seigneur Dieu, penchez-vous plutôt sur Marie, *miserere, miserere* sur elle, sur sa douceur et son ardeur, sur sa forme de beauté par-dessus toute forme. Voyez comme elle gît, à cette heure, grosse au dernier point de ma semence d'amour. Voyez comme elle est seule, dans sa faute, sous votre regard. La honte est descendue sur elle depuis que l'évidence de son état s'est imposée à son entourage de parents et de serviteurs, car depuis plus de deux ans notre seigneur Gilles s'est mêlé avec ses hommes, à la croisade du roi Baudoin, et à présent sa femme est tout près d'enfanter. Personne ne sait des œuvres de qui l'enfant qui se prépare à naître est le produit. Mais il est certain que le péché est dans la maison et moi, le seul prêtre en ces lieux, on ne cesse de m'appeler pour bénir et réconforter, pour repousser le démon et rendre les âmes à leur simplicité. Seigneur Dieu, jamais autant mon ministère ne m'a accablé. Cette femme que j'aime et dont le fruit est le précipité de mon péché, comment pourrais-je l'absoudre d'une faute qui m'appartient, et comment la délivrerais-je d'une opprobre que sa position justifie ? Vous qui lisez dans son cœur, vous voyez bien que sa contrition est impossible. Elle ne parvient pas à regretter le mal qu'elle a commis, même en considération des souffrances de votre divin Fils. Elle peut pleurer sur le spectacle du Christ des mille douleurs, mais elle ne trouve pas de larmes pour marquer la perte de sa vertu et l'offense qu'elle vous a faite. La grande jubilation de l'amour charnel se poursuit en elle, elle n'a pas souvenir d'un plus grand bonheur ni d'une plus entière plénitude que du jour où nous nous sommes connus selon le poids de nos sexes. Cependant, elle éprouve une grande angoisse à la pensée de mettre au monde un enfant qui est déjà et sera, toute sa vie, un enfant du péché. Il est certain qu'elle eût aimé, pour celui-ci, dans l'ordre surnaturel comme dans l'ordre du monde, un tout autre destin. Elle a pitié de cette chose de vie qu'elle porte en elle et à laquelle elle ne trouve à promettre que honte et mépris. Si c'est un fils, me dit-elle, il devra ou bien se couvrir de gloire comme les plus grands, ou bien s'abolir dans la pénitence et dans le silence d'un cloître. Si c'est une fille, il lui faudra renoncer à toute beauté en ce monde et à tout plaisir de chair, car il appartient aux enfants d'expier les fautes de leurs parents et c'est là la seule nécessité qui donne raison à leur existence. *Miserere,* mon Dieu, *miserere* sur la mère dont la joie se transforme à tout moment en souffrance, et sur l'enfant qui entre dans la vie chargé du poids d'un insoluble péché. Quant à moi, je le répète, je ne demande ni pitié ni pardon car voyez plutôt à quel point je persévère dans ma conduite d'amant, prêtre phallophore, promis à damnation : lorsque je me rends auprès de Marie, c'est en tant que chapelain et confesseur, voué à lui indiquer la voie, à la consoler, à l'encourager, à l'aider à supporter sa condition de mère pécheresse et à affronter, dès à présent, la réprobation de la parentèle et de la domesticité. Je me tiens d'abord auprès d'elle comme votre représentant sur terre, o mon Dieu, votre ministre détenteur du pouvoir d'absoudre et chargé des paroles bienfaisantes qui donnent un sens à tous les événements de la vie. C'est la raison pour laquelle je suis le seul homme autorisé à rester, un moment, auprès de la plus belle des femmes. Mais aussi, dans ces entrevues parfaitement régulières et réglementées, vient toujours l'instant où le trouble l'emporte sur la fonction. Alors le prêtre s'efface et rend raison à l'amant. Je vois alors mon visage se pencher sur le visage, mes lèvres se poser sur les lèvres. Et ensuite ma main de bénisseur et consécrateur s'élève hors de l'ombre et s'avance comme une chose de lumière que nul ne pourrait contester. Mon pouce, dès lors qu'il s'appuie, trace le signe de la croix qui chasse les démons. Mais ici, le geste sacerdotal est comme englobé dans le geste amoureux. Celui qui agit, prêtre-amant, qu'exalte suprêmement l'esprit de sacrilège, imprime, de tout le poids de son désir, la signature chrétienne successivement sur le

front qui a pensé, sur les yeux qui ont regardé, sur les
oreilles qui ont écouté, sur les narines qui ont respiré les
odeurs, sur la bouche qui a goûté, qui est entrée dans toutes
les intimités, qui a retenu les mots et les a mêlés à la salive
des baisers – c'est une maîtresse pécheresse et un excessif
organe d'adoration ; et ensuite, c'est sur le creux de la gorge
détentrice de toutes les capacités du souffle, du chant et du
cri, que le signe de croix est tracé, de main fervente, de
main appuyée, patiente et impatiente ; ensuite le globe gonflé des seins et leur pointe qui jaillit, proie du rêve phallo-
phorique qui pousse la nature vers ses sommets ; et l'ombilic, ensuite, si mystérieux de nouer, en son secret, le
dehors et le dedans, la part altière et spirituelle du corps
et sa part basse et animale, et si replié dans son creux, qu'il
faut, pour l'apprivoiser et l'exorciser, multiplier les signes
cruciformes et les entrelacer en ondes de caresses ; enfin,
tremblante de bonheur, infaillible de désir, mais lourde
aussi de tout le poids de sa détermination blasphématoire,
la main consacrée – ma main, Seigneur Dieu, que vous avez
placée au-dessus de toutes choses en ce monde, comme
figure de chair levée pour dominer toute chair, la bénir,
l'absoudre et lui indiquer la voie – se tient à l'orée du sexe
de l'amante, au point le plus sensible de tous les points du
corps, et signe d'une croix qui ne semble plus rien avoir de
chrétien, mais évoque plutôt l'axe cosmique de la rose des
vents, la longue fente et large fleur et l'abysse jouissif et
damnateur de la femme éternelle, parvenue, le temps d'une
passion, en cette femme singulière, en cette Marie que
j'aime et que je vous demande de sauver au prix de ma
damnation. Rien ne peut vous être caché, Seigneur Dieu,
vous avez l'œil sur mon émoi et vous voyez jusqu'où ma
main amoureuse vient enfouir le signe de votre croix,
faisant de la marque de votre douleur un geste souverain de
possession et de plaisir. Mais vous voyez aussi que cette
approche inépuisable d'un plaisir infini est aussitôt abolie
dans mon extrême angoisse : car tandis que je caresse
le sexe de Marie, prononçant sur lui les mots de pardon,
ego te absolvo, à la façon d'un magicien, en apparence

outrecuidant, et phallophore de surcroît, plutôt que de
l'humble prêtre que je devrais être, pétri de contrition, et
qui pour lors n'en serait jamais arrivé là, je sais que
l'amante se trouve aujourd'hui, physiquement, dans une
situation désespérée et que son âme est en péril à moins
que vous ne lui dispensiez sans compter – peut-être au
regard de sa beauté ou de l'absolu de son amour – le
miracle de votre indulgence. Voyez-la bien, cette Marie.
L'infinie puissance de votre regard vous la montrera pleinement, bien au-delà de ce que j'essaie d'exprimer. Elle est
là, couchée dans la haute chambre, allongée sur cet étrange
lit rond que ses lointains pères de Bretagne, familiers du roi
Arthur, lui ont légué, comme un rêve d'unité et de totalité
transmis de génération en génération : un lit circulaire, à
l'image de la roue du temps, dont la femme est le rayon et
dont son sexe pose le moyeu. Elle est là dans cette chambre
close dont un vitrail éclaire parcimonieusement la profondeur – femme dont l'époux guerroie dans la croisade, et
elle amante d'un prêtre dont elle a croisé le silence et la
grandeur. Voyez, Seigneur, elle n'est pas simplement couchée, comme elle le fut lorsqu'elle ouvrit ses bras à son
amour qui déferlait, mais gisante vraiment, sous la menace
de la mort, dont j'aperçois la forme blanche et la faulx
qu'elle tient – Marie, immobile et crispée. Voyez son ventre
plein, tel que je le vois dans ma centuple angoisse : énorme,
durci comme une carapace, mais aussi continuant d'irra-
dier sa douceur – cette plénitude de tendresse qui ne cessera jamais de bouleverser mon cœur dans le souvenir que
j'en garderai, que je pourrais en garder, l'éternité durant.
Et voyez ses formes belles, sur le point d'être laissées et
perdues, le somptueux vallonnement de ses seins et cette
longue avenue de chair jusqu'à la toison, jusqu'au secret
de sombres lèvres qui s'y tient caché. Voyez cette femme
que vous avez créée et que je vous ai prise. À quoi la desti-
niez-vous ? À une vie soumise et sage dans son donjon,
entre un mari chargé d'armure et une portée d'enfants-
loups ? À une vie sainte et annulée dans un moustier de
chants suaves et de prières effilées ? Vous lui promettiez la

paix et je lui ai apporté l'alerte, le conflit et le saccage – et à présent, la mort qui se profile à l'horizon, la honte qui pèse sur l'enfant, la consommation d'une passion sans issue. Vous l'aviez préparée pour votre jardin. Elle est venue fleurir dans mon désert, le temps de son embrasement et de sa perte. Elle est très malade, Seigneur, cela passe tous les discours et toutes les métaphores. Depuis plusieurs jours, elle saigne entre ses cuisses. Elle ne rend pas de l'eau comme pour un enfant qui se prépare à naître, mais du sang, noir, inexorable – de la même lenteur et de la même densité implacable que celui que j'ai vu, de mes yeux, s'écouler sous la robe de la Vierge Mère. Moi qui fus le premier témoin d'une telle effusion, j'ai compris aussitôt que votre Marie ne faisait que se substituer à la mienne pour me délivrer un message d'angoisse. Or voyez, mon Dieu, ce filet de sang qui ruisselle, pour tous mes péchés et tous ceux de l'amante, de la fente trop aimée. C'est d'un calice dont j'aurais besoin pour le recueillir, à l'égal du vin que les mots de la consécration transforment en votre sang. Pourquoi faut-il que le sang sexuel de la femme – sang de sa douleur d'être et de son infamie – se perde hors de sens et hors de rédemption ? Je le retiendrai dans le creux de ma main, je prononcerai sur lui les paroles : *Hic est enim calix sanguinis mei, novi et æterni testamenti – mysterium fidei – qui pro vobis et pro multis effundetur in remissionem peccatorum.* Car, puisque le sang du sexe est bien le sang du péché, c'est lui, par-dessus toute autre substance, qu'il convient de consacrer et de transformer en votre sang salvateur. Négligez pour une fois, mon Dieu, le vin des hommes, et acceptez pour symbole le sang de la femme, son sang le plus charnel et le plus sensuel, en rémission de nos péchés, à tous, en rémission de nos pensées, de nos rêveries et de nos désirs. Voyez, Seigneur Christ, la toison de Marie et son massif de lèvres noires. N'est-ce pas là le raisin de votre vigne ? Et lorsque celui-ci est pressé dans la douleur, n'est-ce pas là le sang semblable à celui que vous avez versé pour le baptême de tous les pécheurs ? Il suffit d'un geste et d'un mot, dont vous m'avez conféré la puissance, pour changer cette substance de femme en votre substance de Dieu. Et vous consentirez, je dois le croire, au mystère de cette transsubstantiation, puisque vous portez, dans votre chair crucifiée, à hauteur du cœur, une plaie toute semblable à celle qui coule sous le ventre de Marie. Reconnaissez que le sexe de la femme est la dernière blessure dont vous avez reçu l'empreinte. Voici : elle s'ouvre en vous comme la bouche insatiable d'un être – un enfant peut-être – qui serait mort de sa trop parfaite beauté. Ce qui demeure d'une telle grâce au fond de l'horreur, voilà ce qui me fascine et ne cessera de fasciner les amants. C'est pourquoi je vous supplie d'excuser mon audace, qui n'a d'autre raison que mon désespoir. Puisque aucun remède humain n'a pu tarir le sang de Marie et retenir sa vie qui s'en va, je prendrai, de mes doigts consacrés, *in æternum, secundum ordinem Melchisedech*, votre divine hostie, et la glisserai entre les lèvres adorées, dans la ténèbre du sexe et dans sa déréliction, car ce sexe est, en vérité, un visage – la face oubliée d'un ange que vous avez abandonné dans l'agitation de votre création, et qui est venu marquer, de sa beauté toute seule, ce qui n'était, dans votre imagination démiurgique, qu'un lieu organique propre à la reproduction. L'Ange égaré a apporté là l'essence de son sourire. Moi, le prêtre phallophore tout aussi égaré, j'y déposerai le pain de vie. À chaque blessure son onguent. À la blessure d'être, l'hostie d'amour, à la bouche ténébreuse et sans voix la forme pure, abstraite et toute blanche devenue Dieu entre les mains du prêtre. Mes doigts fervents la pousseraient jusqu'à absorption et dissolution, dans l'interstice des chairs molles, brûlées et condamnées, à partir desquelles le corps et l'âme de la femme – et de l'amante – se sont édifiés. *Miserere, Deus.* Cet extrême lieu de chair – en toute pauvreté et sublimité – appelle rédemption pour excès d'amour. Qu'il soit pardonné jusqu'à la racine de sa forme et l'essence de sa beauté, car il a beaucoup aimé – et s'il a précipité la femme en abysses de perdition, il l'a aussi amenée au don d'elle-même sans réserve ni calcul. Que le plaisir hors la loi soit donc remis, en mémoire de sa générosité. Moi, Seigneur, je suis votre prêtre, ni révolté, ni apostat, ni renégat. Je suis votre main indigente mais consacrée, éprise de femme, rêvant de reporter sur le corps de l'amante les intimations liturgiques infuses en mon désir, en sorte que le corps de Marie s'instaure en tabernacle au-dessus de toutes les vicissitudes de la vie. Alors moi, le Phallophore, plus prêtre que jamais, ce serait à pointe virile que je pousserais votre hostie dans le lieu des régénérations. Vous le savez mieux que moi, et bien au-delà de ce que peut entendre votre cour de Rome : le sacrilège est l'expression ultime du sacré. Encore faut-il qu'il échappe à la monotonie de l'habitude. Qu'il demeure l'exception forte, au-dessus d'aspirations irréalisables. À vous qui lisez le fond du cœur comme une page d'écriture, je n'ai pas à avouer le rêve qui m'a poursuivi longuement et que mon amour pour Marie m'amène au point de le concrétiser. Je ne parle pas d'une rêverie ébahie en morose délectation, mais d'un vrai rêve dans mon sommeil de prêtre nocturne, mélancolique et somnambulique : combien de fois n'ai-je pas rêvé que le groupe des femmes de la paroisse, au moment de venir communier, s'étant levé, ayant marché sur la tête, à la manière des saltimbanques, venait présenter à la table sainte, pour recevoir l'hostie, non le visage, non la bouche ouverte, non la langue tendue, mais l'entrejambe, cuisses écartées comme des bras de suppliantes, vulve offerte et avenue, et moi donc, penché sur chacune, officiant, introduisant de mes doigts sacrés et appliqués, en chaque fente, le divin corps – nourriture, pardon, réconciliation ! Et lorsque je me réveillais haletant, extasié et érigé, mauvais prêtre mais prêtre authentique, je poursuivais de longues cogitations, au terme desquelles se dessinait, comme voie à suivre, la mission de traiter le sexe de la femme comme l'organe du salut – comprenant que pour l'avoir toujours tenu en mépris et abomination, l'homme en général, l'Église en particulier, avait perpétué la violence, la faute et l'échec. Je voyais très bien, était-ce l'inspiration venue de la part la plus sombre de votre Esprit-Saint ? qu'il restait à absoudre la chair, en sa toute

fleur sexuelle féminine, à grand renfort de prières, de bénédictions, d'attouchements liturgiques et de rites sacra-
mentaux, afin que la femme soit réintégrée en innocence
première et que son corps soit reconstitué en Éden : alors,
l'homme pourrait aimer sans pécher et la paix règnerait
sur la terre. Telle est la mission à laquelle il m'a semblé que
j'étais réservé mais que je n'aurai pas réussi à accomplir
parce que, quelque lumière dont j'ai été comblé, je n'en suis
pas moins resté un être obscur et pusillanime, dépourvu
de génie. Appelé à œuvrer à la rédemption du genre humain
par la réhabilitation spirituelle du sexe de la femme, je me
suis d'abord englué dans de mesquines aventures sensuelles, comme n'importe quel prêtre d'aujourd'hui, et
ensuite, alors que Marie m'a aidé à découvrir le fond de
mon cœur et à saisir le sens de mes aspirations, je comprends qu'elle est la femme unique et ultime que je ne
dépasserai jamais. En elle et avec elle s'achève mon rêve
messianique de salut. Je ne suis pas sorti de moi. Ma vocation ne sera pas allée au-delà de ce duo amoureux, sans
que rien au monde puisse changer. Enceinte par accident
du désir et non par accomplissement et exaltation, voici
qu'elle est, à présent, si mal en point, qu'elle pourrait bien
perdre la vie, elle et son fruit. Alors, je vous le demande
encore, o mon Dieu, *miserere*, ayez pitié. Prenez ma vie en
échange de la sienne, ou du moins si elle doit mourir,
acceptez ma damnation pour prix de son salut éternel.
Quant à l'enfant, mieux vaudrait qu'il ne soit pas. Le ciel est
trop noir.

Le desservant et chapelain d'Épinoy-en-Artois est allongé,
bras en croix, face contre terre, au pied de Notre-Dame de la
Pile. Ce qu'il nomme *ciel*, en sa prière, n'est rien de plus que
la dalle à l'infini, et noire absolument – la coulure du sang,
sous la robe, indécente et tragique, inépuisablement ruisselante et montante, singulière et universelle.

Tandis que les fouets de fortune – cordes, lanières, ramures arrachées aux fagots – sifflaient et cinglaient, marquant de zébrures sanglantes épaules et reins ; tandis que les échines se creusaient sous les coups ; tandis que les jambes fléchissaient ; tandis que les ventres portés en avant résistaient à la douleur en bombant toutes leurs puissances, et cela donnait des saccades de pets et des écoulements foireux ; tandis que les enfants hurlaient de découvrir soudain l'horreur et la terreur : nudité des pères et mères, prise des spasmes d'une violence totalement inédite ; tandis que les mêmes enfants, entre cris et sanglots se reprenaient à chanter *Miserere mei, Deus*, d'une voix dont la pureté défaillait, versée dans l'ornière de sens hors de gonds ; tandis que les souffles chargés de raucité s'arrachaient de la ténèbre pectorale ; tandis que les femmes en proie à une impudeur transcendante gémissaient à pleine gorge ; tandis que les hommes, harnachés de désir et tenant à pleine main leur instrument de discipline, ahanaient comme s'ils étaient partis pour posséder la terre femelle tout entière ; tandis que les sexes brûlaient dans leur broussaille ; tandis que les vieillards au-dessus de leurs vieillardes reniflaient leurs odeurs de boucs ; tandis que les gauchis, les perclus, les malbâtis tendaient à se redresser avec des allures de carnassiers soudain libérés du piège ; tandis que les corps charnels entraient dans la pénitence comme dans une nouvelle passion ; tandis que le désir de souffrir se fortifiait du désir de faire mal ; tandis que la foule se poussait en troupeau serré sur la voie lunaire ; tandis que le frère bégard, en tête de la procession, tirait sa croix dans les meurtrissures de ses épaules ; tandis que les cinq ou six béguines de la paroisse, serrées entre sœurs comme des brebis et effarées d'être nues, se déchiraient les seins avec leurs ongles, car leur Règle leur interdisait de frapper ; tandis que le glas sonnait sans interruption au clocher de l'église ; tandis que les *miserere*

succédaient aux *miserere* en pitoyables accents; tandis que
dans les âmes tremblantes d'inassouvissement s'éveillait
le désir de voir les morts se lever, sortir de leurs tombes, se
mêler au cortège des vivants, frapper autour d'eux avec
leurs os en sifflant; tandis que les hiboux s'enfuyaient au
passage vers des ombres plus noires; tandis que les cra-
pauds, modulant la note unique de leur chant, paraphra-
saient, sans le savoir, les versets des psaumes; tandis que
les buissons et les haies se remplissaient de présences haletantes; tandis qu'un chien commençait à aboyer à la mort
et qu'un autre lui répondait et que bientôt dix chiens, partout dans le village, hurlaient vers le ciel; tandis que le sang
bouillait dans les veines avant de sourdre sous les coups
de fouet; tandis que la terre germinale ruminait en son
fond, car le printemps se faisait pressant; tandis que les
eaux mortes des marais, qui ne furent mortes, jamais, qu'en
apparence, savouraient leurs couvaisons de larves; tandis
qu'une fille, échappée d'un cauchemar pour tomber dans
un autre, se cinglait l'entrejambe d'une brassée d'orties;
tandis que les poules, comme si une horde de renards se
mettait à déferler, s'agitaient sur leurs perchoirs et caque-
taient anxieusement; tandis que, portés par le troupeau
des fidèles, les hagards et les hagardes, marchaient à l'avant
d'eux-mêmes sans savoir ce qu'ils faisaient, sans savoir qui
ils étaient, et parmi qui, et sans voir où ils posaient le pied;
tandis que les obèses s'exposaient en suffoquant; tandis
que les enfants écarquillés en avaient plein la vue de la
verge de leur père et de la toison de leur mère et, en deçà,
au-delà, de toutes parts, de tant de choses dépassant leur
imagination; tandis qu'une matrone, transportée de véhémence, se mordait les seins de ne pouvoir s'acharner sur un
point plus sensible et de se faire souffrir davantage; tandis
que dans l'écurie du château, la jument de la dame
s'ébrouait comme si un incube d'étalon se préparait à l'approcher, et elle s'excitait elle-même sur elle-même et s'af-
folait de ne pouvoir soulager le prurit qui ravageait sa fente
noire; tandis que le seul aveugle du village, tenu et guidé
par des femmes, laissait pleuvoir les coups sur son dos nu;

tandis que le seul nain d'Épinoy, immergé dans les *mise-rere*, travaillait ses génitoires à grands moulinets de rameau d'osier; tandis que le frère idiot y allait d'une trique épineuse sur les puissantes fesses de sa sœur idiote, comme au labour, avec les bœufs, mais c'était la vie qui les tenait; tandis que celui qui n'avait jusqu'ici jamais vu de femme nue se mettait à tourner sur lui-même en glapissant des versets de psaumes dont il ne saisissait pas un mot; tandis que les chauves-souris, de leur vol velouté et silencieux, environnaient le cortège comme si elles devaient, à l'aube, apaiser la brûlure des blessures; tandis que des serpents qu'on ne voyait pas rampaient dans l'ombre, en direction du Jugement dernier; tandis qu'un chant de chair débon-dée faisait monter sa sourdine dans le chant de pénitence; tandis que les enfants de chœur tout nus serraient entre leurs cuisses les longs cierges blancs que le premier cou-rant d'air avait éteints au sortir de l'église; tandis qu'une nonne se flagellait avec son chapelet; tandis qu'une truie, quelque part vautrée, grognait à petites gorgées, simple-ment d'être ce qu'elle était, ici; tandis que surgissaient, sans autre épaisseur que celle de la nuit, des fantômes de sexes, hors de corps, là où ni hommes ni femmes ne se tenaient, et blanchâtres et languides, comme des poissons crevés dans l'océan du temps; tandis que les fleurs molles bâillaient à tout vent; tandis que les boiteux s'échinaient à suivre le courant; tandis qu'un monstrueux enfant tout en tête sur un corps de moineau se labourait le ventre avec un tesson de pot; tandis que les genévriers fourbissaient leurs épines; tandis que les vers ripaillaient dans les ordures et les fumiers; tandis qu'un taureau solitaire, attaché à la roue du temps, et saisi d'un désir mélancolique, bandait au pas-sage du troupeau humain; tandis qu'un vol de sorcières fuyant à contre-courant, se perdait dans les nuages, à l'orient; tandis que les cloches sonnaient toujours le même glas; tandis que la Vierge de la Pile continuait de saigner; tandis que le prêtre rompu gisait au pied de l'arbre à mens-trues; tandis que de violentes bourrasques, nulle part ailleurs senties, secouaient les portes du château; tandis qu'un pied fourchu tapait au carreau; tandis qu'une horde de souris traversait la salle; tandis que l'effroi d'exister en solitude sans appel prenait forme de loup hurlant famine; tandis que des yeux fixes, toutefois dénués de regard hormis leur inquiétante fixité, occupaient les coins reculés d'ombre et d'inutilité, et l'on ne pouvait dire s'ils étaient d'humains ou d'animaux; tandis qu'une femme, postée dans l'escalier, seule gardienne du château et, tout aussi bien, surveillante du déroulement du temps, oisive et hébétée, se frottait à un balai; tandis qu'une petite fille accroupie, nue, dans son jardin, s'entraînait à mâcher les tiges des rosiers, et le souffle même se déchirait dans sa bouche ensanglantée; tandis que le vent essaimait, en brassées d'échos, les *miserere, miserere, miserere* de la procession lointaine; tandis que la nuit s'ouvrait comme un puits sans fond propice à la chute de toutes les espérances du jour; tandis que toute pensée miséricordieuse et même toute pensée chrétienne ajoutaient leur part de vide au vide de la pensée; tandis que dans le silence de la distance la voix du frère bégard s'élevait, réclamant la mort pour les enfants à naître; tandis qu'une odeur de sang corrompu refluée des profondeurs des marais, envahissait la chambre, à présent, avec l'insistance d'un rêve sans issue; tandis que la fièvre battait la breloque dans tous les membres épars, et qu'une plainte suppliante, mais sans mots, appelait la main de l'homme, prêtre phallophore et amant pour l'éternité, afin qu'il les ramasse et les rassemble autour de leur centre en déroute et en absence; tandis que la petite fille, encore elle, se jetait sous les roues d'un char à bœufs, se jetait dans la fosse aux lions, se précipitait du haut de la plus haute tour, tombant dans le vide au fil d'un long *miserere*; tandis qu'un ange perdait ses ailes et s'écrasait sur le sol en trait de feu; tandis que la tête, serrée dans un élan invisible, se préparait à craquer comme une noix; tandis que la bouche, fiévreuse et assoiffée, gonflait au-dedans, avec une consistance de cuir bouilli, et que la langue, toute semblable à celle d'une vache, râpait; tandis que les seins que leur blancheur d'albâtre n'apaisait pas, avaient mal, à leur sommet, d'être si tendus et si pleins ; tandis que la respiration de la foule, toute de huées et de nuées, arrivait jusque-là, troublant l'impression d'absence et secouant l'espace inerte du lieu ; tandis que de *miserere* en *miserere*, ciel et terre montaient et descendaient, s'approchaient et s'éloignaient l'un de l'autre, et le cœur discord était pris de nausée ; tandis que le ventre, dilaté par neuf mois de grossesse, écrasait la femme qui le portait ; tandis que dans la douleur qui montait du centre, les épaules déliées et relativement innocentes cherchaient en vain à prendre appui sur les hanches et sur le bas du corps, comme s'il s'agissait, pour la presque parturiente, de s'approcher, autant que possible, de la forme de l'œuf ; tandis que les clercs flagellants et les clergesses flagellées clamaient dans l'agitation du vide : venez et ne venez pas, voyez et ne voyez pas, prenez et ne prenez pas ; tandis que le prêtre-amant-phallophore, enfoui dans son rêve comme un crapaud dans la terre consumée, n'avait plus même de tige à porter sur l'autel, pour l'ornement de Dieu, et étalait ses mains en bouquets d'épines ; tandis qu'une brûlure énorme irradiait depuis le plexus jusque dans le dedans de la fente sexuelle ; tandis que l'enfant à venir s'agitait dans les eaux nocturnes, frappait du poing ou du pied les parois de la citerne charnelle où il croupissait ; tandis que la femme dépêchait ses propres mains vers son sexe, dans le désir de le libérer de son faix ; tandis qu'elle arc-boutait ses reins ; tandis qu'elle écartait vastement ses cuisses sous l'ample robe de dame seigneuresse qui la gardait habillée, jour et nuit ; tandis que la procession frappante, suppliante, plaintive, parfois hurlante, affluait dans les lointains, envahissait l'espace entier, dehors et dedans, avec la charge toujours renouvelée de ses *miserere mei, Deus* ; tandis qu'une sueur nauséabonde trempait sa face, son dos, son ventre, tous ses membres, et qu'elle gémissait ; tandis qu'elle cherchait d'une main folle et pour l'embrasser la croix du Sauveur, exactement celle qu'elle eût voulu extirper du phalle de l'amant tout-puissant qui l'engainait et la tenait plantée, à l'horizon, à la frontière du Ciel et de l'Enfer, et elle, amoureuse à mourir, luttait contre sa

fascination et criait à la délivrance, car elle était trop jeune
et trop faible et trop femme et l'enfant qu'elle portait était
un péché démesuré par rapport aux proportions de son
âme, elle était envahie, étouffée, et elle ne voulait pas mourir, elle avait trop peur, elle appelait le salut au nom de son
humilité ; tandis qu'au loin, ailleurs, partout, des femmes
flagellaient des femmes, à grands mouvements de bras de
lavandières, de faneuses et moissonneuses ; tandis que des
corps sculpturaux, évadés de leurs vêtements, affichaient
sans frein leurs parties honteuses face à un ciel dénué de
tendresse et il fallait croire que l'exhibition entrait dans
l'économie de la pénitence ; tandis que la chair flambait en
l'attente de sa résurrection finale ; tandis que les mots des
psaumes se délivraient de leur pesanteur par l'application
rythmée des fouets ; tandis que du fond du passé surgissait
une petite fille, la même, toujours la même, qui jetait son
miroir dans les flammes car le péché l'avait surprise et elle
ne savait pas comment se délivrer du mal ; tandis que les
membres se tordent ; tandis qu'elle tire sur sa chevelure
comme si elle avait besoin d'une douleur de son cru, distincte de toutes les autres qu'elle n'avait jamais appelées, et
qu'elle sût, de ce fait, qu'elle avait encore pouvoir sur elle-
même ; tandis que des coliques furibondes travaillent ses
entrailles : tandis qu'une chatte margotte voluptueusement
à contresens des événements : tandis que l'ornière du sexe
brûle douloureusement comme si elle l'avait injectée de
saumure, comme si elle l'avait frottée d'orties, ainsi que
font les saintes, elle le sait, mais elle n'est pas une sainte et
n'a jamais rien fait de pareil, cette douleur est d'avant-
garde, l'enfant se prépare à descendre dans le bas et la porte
grince sur ses gonds ; tandis que l'air qu'elle respire la travaille au-dedans dans les racines du cri ; tandis qu'elle suf-
foque de chaleur et de suée et que, aussitôt dégagée de la
couverture qui l'accable, elle se met à grelotter ; tandis
qu'elle essaie avec ses mains, dans le trou de son sexe,
de quérir l'enfant, de l'expulser de son paradis de chair,
de l'amener au monde ainsi que ce fut pour tout un chacun ; tandis que du fond de son souvenir et de son désir elle

soupire après la main amante et compatissante; tandis qu'elle tremble à la pensée que la nuit est entièrement l'ombre de Gilles, son seigneur et époux, qui la surplombe, l'écrase, la juge et la condamne; tandis qu'un chat-huant prononça son arrêt de mort; tandis que le prêtre phallophore, son amant et père de l'enfant, tient la porte de l'enfer entre ses mains, et que son sexe crucifié pousse l'hostie dans son repaire de lèvres noires pour une éternité de damnation; alors, tandis que tout son corps est secoué de fièvre et vanné et démis; alors, tandis que ses membres, saisis de crampes, se contractent insupportablement; alors, tandis qu'elle remonte sa robe sur son ventre jusqu'aux seins et qu'elle s'écartèle; alors, tandis que la procession clame de plus en plus fort et jusqu'à l'extase du hurlement ses *miserere mei Deus*; alors, tandis que le Bégard de tête, couronné d'épines, et maintenant cloué sur la croix, est porté au-dessus de la foule priante et hurlante, jusqu'à sa fenêtre, jusqu'à la porte verrouillée de sa chambre, jusqu'au pied de son lit où il s'ébroue à grands frissons, son vaste corps dépouillé, flagellé, lacéré, et elle a soudain devant les yeux, le gros buisson terminal, si épais et hirsute qu'elle ne peut distinguer s'il est d'homme ou de femme : c'est une colline ravagée et incendiée de ronces et de toutes plantes épineuses concevables – et elle comprend que le sexe est, pour son dépit et son accablement, le lieu condamné de la blessure et du déchirement, pour l'éternité, songe-t-elle; alors...

C'est alors que Marie d'Épinoy commence à saigner. Elle a senti une douleur comme un éclair lui vriller le basventre, dans l'inaccessible fond de son corps, et une chaleur énorme incendier sa chair jusque dans ses poumons et dans sa gorge. Comme elle avait l'impression de se liquéfier dans la brûlure du sexe, elle a glissé sa main entre ses cuisses et quand elle l'a retirée, quand elle l'a regardée, elle dégoulinait de sang. Autour d'elle, à proximité de la chambre, il n'y avait personne. Toutes les servantes étaient sorties se joindre à la procession. Quand les cloches de l'église avaient commencé de sonner, elles s'étaient mises nues là, soudain, où elles se trouvaient, ôtant leurs jupes et leurs caracos, sur place, en petits tas indécents et démunis. Une seule était restée, une vieille sourde, absente d'esprit, en compagnie des balais et des serpillières, à mi-hauteur de la tour. Partout ailleurs, le château était désert. Marie était seule, allongée sur sa couche, n'ayant que sa tête pour comprendre et ses mains pour agir. Quelquefois, elle caressait son ventre à travers sa robe. Elle ne l'avait jamais fait par plaisir. Elle le faisait, depuis que sa grossesse s'affichait si énormément, avec inquiétude. Elle posait ses mains sur ses flancs, murmurant elle aussi, d'innombrables *miserere mei, Deus*. Quand elle sentait bouger l'enfant, son cœur s'immergeait aussitôt dans la honte et l'angoisse. Car cet enfant était bien le fruit manifeste du péché. Jamais elle n'avait souhaité sa venue. Elle aimait le prêtre, elle s'était donnée à lui pleinement, sans mesurer les risques de son amour. Il l'avait prise, ici même, sur cette couche où elle gisait, il l'avait transportée au septième ciel du plaisir, à mille longueurs de ce que son époux lui avait fait connaître, il l'avait possédée comme elle avait entendu dire que font les démons, dans la lande, il l'avait travaillée dans une épaisseur de chair et avait allumé en elle un tel feu de désir qu'elle avait répudié hors de sa conscience tout ce qui aurait dû l'attacher à la vie : le souci de son âme, l'honneur de son mari, la dignité de son rang, l'exemple en son domaine. Elle n'avait pas fauté insolemment. Elle n'avait pas connu l'orgueil du sacrilège. Simplement elle avait aimé, avec bonheur et terreur, avec exaltation et humilité, elle avait suspendu le sort de son âme au don sans réserve de son corps. Elle avait rencontré dans son chapelain, une magnifique puissance spirituelle, débordante de générosité car chez lui le théologien, le philosophe, le lettré, le poète ne s'enfermait pas dans son savoir, mais il savait se mettre à la portée de son entendement de femme, l'élever, la ravir – et cette puissance était superbement incarnée dans un corps d'amant infatigable et merveilleusement fertile en inventions d'amour. Ce prêtre, *sacerdos in æternum secundum ordinem Melchisedech*, offrait, pour le scandale des âmes moyennes, une singulière unité – une unité supérieure –

dans la dualité de son être car, assurément, il était tout rempli sinon de Dieu lui-même (qui eût pu en juger?) du moins de sa parole évangélique, accessible aux pauvres, aux simples, aux cœurs fidèles, aux pécheurs humbles et malheureux, mais en même temps il avait un usage réellement extraordinaire des mots qui disent et le désir et la tendresse et l'amour et la rêverie et qui, lorsqu'elle les entend, bouleversent la femme jusqu'en ses réduits surveillés de pudeur, de convenance et de conformité. Et les gestes aussi, l'usage consacré des lèvres et des mains dont il semblait qu'il ne se défaisait jamais si bien que, lorsqu'il dénouait la ceinture de l'amante et la délivrait de ses vêtements, c'était toujours comme pour une célébration et comme s'il inventait une liturgie du désir et amenait le corps bien-aimé à la solennité de l'offrande. Nulle vulgarité en cela, nulle hâte captative, cet homme possédait à un degré éminent le sens de la contemplation. Très souvent, sans qu'il n'y eût rien de plus entre eux, Marie totalement exposée – offerte et déjà au sommet du don d'elle-même – avait éprouvé un sentiment de plénitude extrême, tel qu'elle n'eût jamais pu le concevoir avant cette rencontre : celui d'exister enfin, pour elle-même, et par-dessus tous les principes, toutes les habitudes de sentir et de penser, et toutes les conventions.

Aussi, à partir du moment fulgurant où elle s'était donnée à lui et pendant le temps incommensurable des commencements de leur amour, elle n'avait jamais songé qu'elle pourrait bientôt se trouver grosse. Elle passait du reste pour une épouse stérile. Au bout de cinq années de mariage, elle n'avait pas eu d'enfant, et son époux, le baron Gilles d'Épinoy, songeait à la répudier lorsqu'il était parti avec une petite troupe rejoindre ce qui restait de la croisade du roi Baudoin de Jérusalem.

Ce fut à la Noël de cette année-là que sa destinée se noua à celle du prêtre phallophore tout juste nommé à la tête de la paroisse. Entourée des quelques dames et servantes du château, elle assistait à la longue cérémonie de l'office de minuit, laquelle s'achevait toujours en liesse des corps et âmes car la petite communauté chrétienne villageoise se trouvait alors en proie à l'évidence jubilatoire du recommencement du monde, de sa renaissance dans la lumineuse ténèbre de l'Incarnation. La fête de la naissance du Sauveur renouvelait le temps, le délivrait du mal, tout au moins par la promesse reconduite de l'absolution : c'était une lueur, l'espérance du sens et du salut. Aussi bien, à minuit, lorsque le prêtre se tournait vers la foule et proclamait dans un latin que chacun comprenait : *Hodie, Christus natus est*, tout le monde s'embrassait, sans distinction de rang ni de fortune, pendant que les cloches carillonnaient et que cierges, torches, flambeaux et lanternes étaient allumés sur-le-champ. Or, cette nuit de Noël de cette année-là, au vif de la joie collective qui faisait grincer les vieux gonds rouillés des âmes closes et des cœurs épaissis, tandis que la nuit de la terre s'ouvrait à la lumière nouvelle du ciel, Marie, dame d'Épinoy, avait le visage tout ruisselant de larmes. Entre amertume et douceur, entre douleur et béatitude, une ondée silencieuse, continue et irrépressible lui trempait la face. Elle portait un voile de lin fin par-dessus sa coiffe et s'en servait pour s'éponger, mais la source était intarissable. Marie avait conscience de l'inconvenance de ses manières. Elle aurait voulu sinon sortir de l'église du moins se mettre à l'écart, se réfugier toute seule à l'ombre de la pile de la Vierge afin de pouvoir pleurer tout son saoul et sans témoin. Car son regard avait rencontré le regard du prêtre – et ils s'étaient l'un en l'autre tenus. Ce n'était pas un éclair fulgurant qui l'avait traversée, comme on dit qu'il arrive lorsqu'un ange, ou plus simplement un aigle, fixe ses yeux dans les yeux d'un humain mais ce fut un jaillissement de tendre violence, une pénétration extasiante de l'être tout entier, l'ouverture soudaine et vertigineuse d'un abîme d'intelligence et de compassion. Le regard du prêtre, arrêté sur le visage de la femme s'était comme lové, avait appuyé sa pression et sans qu'aucun signe de connivence ait été échangé, avait pris possession du cœur et du corps comme de sa terre et de son bien. L'instant n'avait duré qu'un infime fragment de temps, juste ce qu'il fallait pour que Marie eût soudain accès à elle-même, à la femme en elle qui se cachait dans la femme et ne s'était jamais révélée. C'était Noël et quelque chose – une ténébreuse illumination de vérité – était né en elle, le monde avait changé, le corps avait changé, le sentiment d'existence, tout ramassé qu'il était dans les habitudes de soumission et d'effacement s'était transformé dans l'exaltation d'une violence interne toute tournée en désir de vivre autrement, abondamment, excessivement, et en consentement intrépide à la perdition. Ainsi bousculée dans ses repères ordinaires et ravagée dans les assises profondes de ses sentiments chrétiens et de son habitus féminin – et comme le prêtre à l'autel, sans plus s'occuper d'elle, officiait – Marie, contemplant en elle-même l'énormité de son secret et la métamorphose de la femme au-dedans de la femme, désormais sans espoir de rémission, avait commencé doucement à pleurer.

Les larmes avaient duré. Elles avaient coulé sans convulsion, sans agitation de crise, dans le silence très contemplatif d'une vie désormais vouée à un amour non seulement coupable mais sacrilège. Elles avaient imprégné d'une suavité infinie les moments de joie – ou ce qu'il en restait dans l'économie de la mémoire – et les moments d'angoisse. Pendant les trois années de sa liaison avec le prêtre, avant qu'elle fût enceinte, et naturellement tout au long de sa grossesse, le flux des larmes débordait, à toute heure, issu, elle le voyait bien, non de la sensibilité de ses organes, mais du fond de son âme, désormais indissociablement amoureuse et pécheresse, partagée, blessée, rompue, écartelée, à l'image ou plutôt à la source de cette longue fente de sexe dont la ferveur du prêtre lui avait révélé l'épaisseur de présence et l'ambiguïté de grâce comme de maléfice. L'amant l'avait amenée à voir dans le dessin apparent de sa vulve et dans son arborescence interne, hors de vue, l'expression figurée de son âme de femme – cette âme pour laquelle le Sauveur s'était immolé. Le corps tout entier et chaque partie du corps considérée en elle-même, lui avait-il fait comprendre, s'énoncent comme la forme plastique d'une réalité spirituelle. Le visage, les mains, les seins, le rythme des courbes, l'équilibre des massifs, la configuration du sexe et sa physionomie renvoient à l'essence particulière et invisible de l'être, tout comme la graphie des mots inscrits sur une page traduit une pensée. C'était donc, avait pu songer Marie, dans son amoureuse rêverie, la même source de componction qui crée les larmes et aussi les écoulements de volupté, les unes comme les autres procédant de la plénitude du cœur, en présence ou en absence de l'amant.

Or, à présent, ce sont larmes de sang qui s'écoulent du sexe, sans commune mesure avec les douces larmes de lunaison que le prêtre phallophore lui avait appris à aimer et qu'il saluait, lui-même, avec vénération. Ce sont larmes de brûlure, de déchirure, d'élancements aigus dans les contrées du bas-ventre. Survenues après toutes les larmes de sel de ses yeux et tant de larmes de miel suintées de sa chair intime, elles traduisent, en une précipitation grandissante du temps, le basculement de la vie en des profondeurs funestes au fond desquelles la femme se sent aspirée sans qu'elle puisse retenir sa chute et son effondrement. Aussitôt que, ayant glissé sa main dans l'ardeur combustive de sa fente, elle l'a retirée dégoulinante de sang, Marie a compris que le mal était trop grand et bien au-dessus de ses forces et elle a commencé à mourir.

Toutes les femmes sont sorties se joindre à la procession, publiquement nues pour la première fois de leur vie, et absoutes de leur nudité – absoutes de leurs seins qu'elles exposent et de leur toison qu'elles portent en avant d'elles-mêmes. Dans le château, aussi désert qu'un palais de conte de fées, la dame d'Épinoy est tout à fait seule, si l'on excepte la servante idiote qui frotte son ventre contre un balai, dans l'escalier. C'est une interminable nuit qui se poursuit, et la femme sait bien qu'au petit jour, encore lointain, la ténèbre se sera emparée d'elle et son âme, toute remplie d'attachement terrestre et d'un seul amour, vaguera à la rencontre du dieu de justice. Les dés ont été jetés quand son regard a été capté par celui du Phallophore, et maintenant la partie s'achève, la table est desservie, les flambeaux vont s'éteindre. Il est temps, songe Marie, puisque le temps se retire si vite, que je me tienne pour ce que je suis à la face du monde. Ceux qui m'ont condamnée pour mon péché verront mieux que jamais que je méritais d'être condamnée. Ils pourront vérifier que mon corps, à distance de toute procession, hors cantiques et suppliques, est bien ce qu'il est : gonflé et plein d'un enfant maudit de Dieu et des anges.

Alors, Marie se dépouille de tous ses vêtements. Elle rejette les peaux de loups qui la couvraient et, exposée sans réserve dans sa beauté et dans sa nudité d'épouse adultère, d'amante sacrilège et de mère impossible, elle se laisse glisser, avec une résignation pleine de mélancolie, sur la pente du temps qui la précipite dans la mort. Ce qui se déploie, ce qui s'étale et s'approfondit, avec la singularité d'une nuit au-dedans de la nuit, c'est l'obscurcissement progressif du sens dans l'obscurité montante de tous les sens – en sorte que, bientôt, il n'y aura de Marie que la douleur totale et la plainte portée jusqu'au râle dans les régions souterraines du cri. Car la crampe qui a d'abord travaillé le ventre et pétri les entrailles jusqu'à la nausée et au vomissement, s'est déportée vers les zones supérieures du corps. L'estomac continue de chavirer mais le souffle ne gonfle les poumons que de façon spasmodique et le cœur subit une morsure qui le brûle, le pénètre et le déchire, cependant que par à-coups les reins sont traversés d'une pointe si aiguë que le corps tout entier se ramasse sur cette flèche qui le blesse et à la nocivité de laquelle il se tient suspendu. Une coulée continue de sueur froide et fétide inonde la femme, cependant qu'à pleine gorgée de sexe, entre ses cuisses ouvertes, le sang ne cesse de se répandre. Marie qui ne peut plus détacher sa main de cette ornière s'enlise dans la fluence visqueuse, ultime résidu du limon des origines. Elle sait que par-delà la plus grande longueur de ses doigts enfoncés là-dedans, au fond du fond du tréfonds, se tient l'enfant, sur lequel elle pousse de toute la force de ses muscles rompus. Elle voudrait l'agripper, le tirer à elle, l'expulser et pour cela se saillir elle-même de son propre bras.

Mais si énorme que soit sa fente, sa main ne parvient pas
à forcer le passage. Elle a poussé trois doigts chargés de
bagues, mais la plus grande profondeur demeure inatteignable, sa délivrance lui échappe. Elle s'assoit péniblement
sans rien lâcher de sa vulve. Elle se trouve alors projetée
en avant sur son ventre, les seins fortement compressés, le
souffle coupé. Elle rêve d'une mâchoire monstrueuse
comme en portent les diables qui ornent les chapiteaux de
l'église, avec laquelle elle pourrait se déchirer jusqu'à la
dernière paroi et ouvrir à l'enfant les portes qui l'enfer-
ment. Cependant l'effort a été trop grand. Elle retombe
allongée sur le dos, sa main alors éjectée de sa gaine sanglante. De ce sang qui est bien tout ce que son corps lui
accorde, elle s'oint le visage et les lèvres – appétit d'abjection et sacrement de douleur, à l'heure où le Phallophore gît
à perte, dans l'écoulement sacré de la Vierge de la Pile. Elle,
toute seule et toute femme, Marie, châtelaine d'Épinoy, boit
le sang noir à même le calice de ses mains : *Hic est enim
calix sanguinis mei, novi et æterni testamenti : mysterium
fidei, qui pro vobis et pro multis effundetur in remissionem peccatorum.* Elle n'a pas la force de prononcer les
mots mais elle les entend, elle les porte en elle pour s'en
être constamment remplie dans la pensée de son amant,
chaque fois qu'il célébrait le saint sacrifice au-dessus de
leur péché. Si elle blasphème, c'est sans violence. C'est la
respiration de son être, parce qu'elle l'a donné, parce qu'elle
a porté l'habitus d'éros jusqu'à ce point d'horizon éminemment désiré où religion de l'esprit et religion de la chair
s'échangent sans distinction – comme il en a été, comme il
en sera, de toutes les grandes amantes qui eurent ou qui
auront un prêtre pour élu de leur cœur et initiateur de leur
désir. Tandis que et parce que la mort creuse en elle son
vertige, Marie se hâte de consacrer ce sang d'amour qui
ruisselle du plus noir de sa chair. Elle dit que ce sang n'est
celui de la femme que pour être aussi celui de l'amant, et
dès lors, qu'étant du prêtre il est aussi de Dieu. Elle, Marie,
elle n'est rien. Elle est le véhicule et le lieu. Elle a prêté ses
veines. Elle a offert son sexe et son corps tout entier. Ce

qui en provient à présent appartient à celui qui en a pris possession. *Hic est enim calix sanguinis mei.* Elle baptise son visage et aussi ses seins et la courbure de son ventre, à longues macules de ses coulures, comme ferait un peintre ivre, un façonneur d'idoles. Elle voudrait être horrible à voir, et que l'amant sache découvrir sa beauté sous son masque de suppliciée et de broyée. Il la lècherait peut-être, avec la douceur du chien du grand saint Roch, et la langue leur serait, à tous deux, organe de salut. Ensemble ils boiraient le sang de régénération et se noueraient l'un à l'autre en divine communion, comme deux plantes issues d'une même racine.

Cependant Marie sent que ses forces faiblissent. Elle n'a plus même l'énergie de porter sa main jusqu'à son déversoir de chair. Le sang s'écoule alors en pure perte vagabonde, comme il en est, pendant ce temps – ce dont elle ne sait rien, du sang de la Vierge de la Pile, lequel a pleinement distrait le Phallophore et le tient dans l'incapacité d'agir et de lui porter secours.

Elle se vide donc lentement, inexorablement, de toutes ses tensions d'être, de tous ses appétits, de toutes ses attaches. Elle éprouve, sans élan, que son ventre est habité, que l'enfant trépigne là-dedans, qu'il voudrait sortir, mais qu'elle ne peut rien pour lui. Elle a épuisé tout ce qu'elle pouvait d'application de ses muscles et de son souffle. Les contractions qui la saisissent, de plus en plus faiblement, paraissent se perdre dans le vide et l'impuissance. Si personne ne vient, si on ne lui ouvre le ventre, si on ne lui déchire le sexe, l'enfant mourra, sa mère sera son tombeau. Cette pensée, toutefois, ne l'agite pas, elle l'habite seulement et elle, Marie, est toute passive à la sentir monter en elle sans espoir de solution. Elle se dit aussi, par bribes d'intuitions, que cet enfant, quel que soit son sort, est inévitablement condamné. S'il ne peut se détacher de son sein, il mourra bientôt. S'il vient au monde, ce sera comme un être de honte et de malédiction, produit d'adultère et de sacrilège, vivant blasphème à la face du monde. Mieux vaudrait, peut-être, pour lui, d'unir sa mort à la mort de sa mère, dans le même chaos charnel d'inséparabilité. Ensemble ils pourriraient doucement, la même vermine leur ferait fête, leurs tissus et leurs humeurs se confondraient dans le même magma d'inconscience : les amants, songe-t-elle encore, ne vont jamais aussi loin, bien qu'ils n'aient pas d'autre désir. Elle se dit aussi : revenir, retourner, reprendre, ramasser – refaire la route en sens inverse, retrouver la première matière et le temps qui n'a pas commencé. Porter l'enfant jusqu'à ce point quasiment hors de prise où toutes les origines s'annulent et se confondent, tel serait le bonheur. Mais assurément le péché n'y a pas droit. Avec le mal, court la ligne sans but mais droit devant elle jusqu'à ce que la force de son trait lui fasse défaut.

Quand Marie ne pense pas à l'enfant, elle pense à son âme sur le point de quitter son corps, elle pense à son salut. Tout ce qu'elle a appris dans son enfance et que, en grande partie, le curé d'Épinoy, son chapelain et amant phallophore, lui a répété, s'énonce présentement dans son esprit. Elle sera, sous le regard de Dieu, ce qu'elle est en vérité : une misérable – une femme infidèle, menteuse, vicieuse, hypocrite et luxurieuse, établie en infamie. Certes elle a aimé. Certes, quand le prêtre a baisé ses lèvres la première fois, elle a tremblé comme si Dieu lui-même l'avait touchée, et elle a perdu connaissance. Certes, elle s'est donnée sans réserve et, par la suite, jamais son amour n'a failli à son inspiration de générosité. Certes, elle a goûté le plaisir dans une plénitude de son être qui n'avait pour contrepartie que son inassouvissement et l'éternel recommencement de son désir. Et certes, elle a mis dans cette amour humaine tout ce qu'elle aurait dû impliquer en amour divine : ferveur, piété, culte, prière, contemplation, ascèse, recueillement. Aucun des termes qui s'appliquent à l'honnête pratique de la religion ne fait défaut dès lors qu'elle cherche à exposer ce qu'amour lui a fait connaître. Mais naturellement, au moment où la mort est si près de la saisir, elle voit bien qu'elle n'a rien à exposer, qu'elle n'a pas d'excuses, qu'elle n'a pas de raisons. Elle sera donc, entièrement, son silence.

Et Dieu la jugera jusqu'au cœur de ce rien qui est tout ce qu'elle est.

Alors, quand elle ne pense plus à son salut, c'est à son amant qu'elle revient. Elle ignore qu'il gît en ce moment dans l'église inondée du sang de la Vierge Marie, et lui-même ne peut savoir que le Diable s'est mêlé de ses affaires de façon à le fourvoyer, à lui faire prendre une Marie pour une autre – et que la seule vivante soit condamnée à l'abandon et à la solitude jusqu'à son dernier souffle. Marie, dame d'Épinoy, quant à elle, étalée nue sur sa couche et fouettée des mille fouets de la douleur, de la honte et du désespoir, à défaut d'avoir pu se joindre à la procession des flagellants, vaut, toute seule, pour clameur d'amour à l'adresse de son amant. Clameur puissante, celle de l'entier désir frappé de front par l'imminence du terme – le cœur qui bondit dans sa cage, le souffle qui se dérègle, le ventre qui prend chaud, la chair intime qui se liquéfie, tant de signes sont encore en elle, à peine retenus derrière le masque de la peau. Il suffirait qu'elle entende son pas s'approcher d'elle à travers le territoire épais, buté et compliqué du château. Alors, elle n'en doute pas, elle se lèverait, elle tendrait ses bras vers lui et, toute rougissante d'être nue, elle l'inviterait à partager avec elle l'amour et la mort. Il lècherait son sang. Son pouce tracerait sur elle le signe de la croix, sur le front, sur les paupières, sur la bouche, sur la pointe des seins, dans le creux du nombril, dans la fente du sexe. Ensemble, emportant l'enfant avec eux, ils entreraient dans la nuit sans fin. À Dieu ils diraient : Nous voici, voici ce que nous sommes, *fiat voluntas tua*. Et Dieu, jugeant leur amour bien plus grand que leur péché les tiendrait à sa droite.

Cependant, à mesure que les heures s'écoulent, Marie est de plus en plus seule. Elle continue de perdre son sang et l'enfant continue de s'agiter en elle – sensation sourde et profonde : une zone bienfaisante au sein de la douleur. Mais alors un galop se fait entendre, non pas à l'extérieur, mais au-dedans du corps de la femme, qu'il parcourt dans toutes ses dimensions et qui culmine dans toutes les articulations des membres. C'est comme une horde de chevaux qui serait lancée sur les pistes inimaginables de la chair, une troupe de cavaliers aveugles fouettés jusqu'au sang par les queues de leurs montures, et psalmodiant, à la limite du hurlement, *Miserere mei, Deus, secundum magnam misericordiam tuam*, et Marie se bouche les oreilles et ferme les yeux. Alors la sensation de piétinement de mille sabots claquant dans les os s'estompe et se transforme en celle d'une reptation puissante, comme d'une bête aquatique évoluant parmi les viscères, entre la ténèbre du sexe et la ténèbre des poumons. Marie ouvre les yeux, ils sont tout blancs et tournés à l'intérieur d'elle-même. Elle voit une femme nue chevauchant, dans une mer de sang, un énorme poisson noir, de merveilleuse douceur entre ses cuisses et de forme phallique plus merveilleuse encore. La femme tient dans sa main un calice dont la coupe, fendue comme une vulve, laisse couler des larmes de sang qui viennent grossir le sang de la mer. *Hic est enim calix sanguinis mei.* L'esprit de Marie, porté dans son dernier souffle, se brise contre cette inscription à tout jamais absente de signification.

Plus tard, au lever du jour, la servante au balai, qu'excède son rituel de solitude, pénètre dans la chambre de Marie. Elle voit le corps de la châtelaine effondré sur sa couche trempée de sang. Elle voit la face barbouillée, boursouflée – trogne broyée d'ivrognesse dévergondée – et les cuisses ouvertes sous le ventre énorme, et la fissure qui suinte. Elle pense lourdement : Malheur ! malheur ! Elle se signe, elle dit : Seigneur, ayez pitié. Elle ne sait que faire. Elle reste là, les bras ballants.

Plus tard, toutes les femmes du château sont revenues de la nuit des fouets, dans un désordre de chair et d'âme indescriptible. Elles sentent la sueur, le sperme et l'encens. Elles cherchent les vêtements laissés en tas, sur place, lors-

qu'elles s'étaient mises en route. Mais les choses ont bougé
en leur absence, elles ne retrouvent rien, et du reste ne dési-
rent rien retrouver. Leur nudité, entre les murs familiers du
château, est saisissante de violence et de réclamation.
Quelques-unes font irruption dans la chambre qui fut
conjugale puis adultère et qui est maintenant mortuaire,
là où le corps de Marie se tient exhibé en perte sanglante et
où la femme au balai reste plantée comme une statue de
sel, au seuil dévasté de Sodome et Gomorrhe. Alors, celles
qui sont entrées repartent, les bras levés vers le ciel, hurlant et gémissant, à la recherche de leur décence oubliée.
Quand elles reviennent, elles ont retrouvé leurs airs de servantes affairées. Elles lavent le corps, le parfument, ferment sa bouche à l'aide d'un bandeau, abaissent ses paupières, peignent sa chevelure, puis l'habillent de la plus
belle robe avant de joindre ses mains sur la poitrine. En
tout cela, aucune considération particulière pour le ventre
ni pour le fruit qui s'y tient. Il ne viendrait à personne l'idée
d'aller quérir un barbier et une matrone afin de l'ouvrir et
d'en extraire l'enfant qui, très vraisemblablement, est mort.
On fait avec Marie ce qu'on fait, dans ce genre de situation,
avec les vaches ou les brebis qui n'ont pas réussi à mettre
bas. On enterre, d'une seule pièce, la mère et le fœtus. Simplement, ici, entre humains et chrétiens, on dispose quatre
cierges aux quatre coins du lit, on voile les miroirs, on
retourne les sièges. Ensuite, on ira chercher le prêtre.

Plus tard, le prêtre-amant-phallophore, se tient auprès
de Marie. Il a renvoyé les femmes. Il est seul et il prie.
Comme si Marie était encore en vie, il récite les prières des
agonisants. Et comme si elle remontait le temps, avec ses
mains jointes en étrave, comme si l'histoire pouvait s'effacer par la force des mots, ou encore redresser son cours,
ou se reprendre, selon les mêmes rites, avec d'autres
acteurs, il se met à dire les mots de la bénédiction du
mariage. Et ensuite, ce sont les formules du baptême qui
semblent lui venir d'elles-mêmes à la bouche : *ego te bap-
tizo, Maria* – et il répète *Maria, Maria, Maria,* et il met à
chuchoter ce nom une tendresse infinie qui englobe et qui

berce et le désir en suspens et le souvenir en afflux. C'est comme si la femme très aimée, transformée tout entière en murmure de chant, pénétrait jusqu'à l'âme le corps de l'amant resté penché au-dessus d'elle. Aucun autre mot ne peut plus être prononcé – Marie, Marie, Marie! Cependant, tant de douceur dans le chagrin n'est pas parvenue à endormir le désir. L'amant veut voir, encore une fois, le corps si constamment célébré par sa passion. C'est un tourment nouveau qui le poigne et balaie d'un coup sa rêverie dans l'urgence aiguë d'un acte nécessaire, exempt de préméditation. Il lui paraît soudain impensable que le corps de Marie soit inhumé sans qu'il ait d'abord lui, prêtre-amant-phallophore, procédé, en manière d'adieu absolu, à la bénédiction du sexe. Aussi se lève-t-il et vient-il délicatement soulever la belle robe de brocart et la remonter vers cette toison d'or dont l'image n'a jamais cessé de combler ses rêves de fête et de possession. C'est alors, alors seulement, au plein de la nuit qui a suivi la mort de Marie, c'est alors...

Lorsque Marie songeait à l'enfant qu'elle portait en elle, elle ne l'imaginait pas autrement que sous l'espèce d'un garçon et elle l'appelait le *bouligoulis*. Elle lui avait donné ce nom lorsqu'il avait commencé à bouger dans son ventre. Elle ressentait sa présence comme celle d'une entité animale pelotonnée sur elle-même. Une sphère de vie, agitée, tantôt onduleuse et portant l'estomac au bord de la nausée, tantôt tourbillonnante et provoquant dans le bas du corps, dans les parties qu'on ne nomme pas, une généreuse effervescence. Elle comprenait le bouligoulis, dans des moments inspirés, comme le bienheureux accomplissement du phalle – sa métamorphose – dont toute la grâce de présence revenait à l'amant, au prêtre phallophore, comme si l'enfant à venir n'était pas autre chose qu'un élément détaché du sexe de l'homme, une ballotte superflue de turgescence propulsée avec une capacité de douceur infinie dans l'infinie tendresse et la chaleur radieuse du sein maternel. Désormais, lui semblait-il, et d'autant plus que c'était un fils qu'elle attendait, elle se sentait complétée et plénifiée par ce phalle qui l'habitait, qui grossissait en elle et l'épanouissait, elle, charnellement, à mesure qu'il s'épanouissait en elle. Aussi, bien que cette grossesse fût condamnée d'en haut et qu'elle laissât, dans le songe qu'elle suscitait, une amertume de goût et une oppressante pesanteur de faute, elle se développait aussi comme un long moment de plénitude. Et Marie, dans ses heures solitaires, la nuit surtout, trouvait plaisir à palper son ventre et à se tenir attentive aux mouvements et déplacements de l'hôte qui l'occupait. Elle traitait celui-ci non comme une excroissance d'elle-même mais plutôt comme un étranger mystérieux et prestigieux, détaché de sa souche originelle, exporté et implanté en lieu de chair obscure et laborieuse : un roi d'abord exilé mais aussitôt adopté, choyé, entretenu et installé en sensible royaume. La mère est une terre, Marie le savait depuis les assises de sa féminité – un réservoir insondable de substance et puissance nutritives. Que la vie vienne y déposer sa semence, celle-ci prendra forme selon les appétits les plus obscurs de la femme, tels que le rêve les exprime.

Marie avait rêvé qu'elle portait en elle un garçon. L'enfant n'avait donc pas d'autre choix que de devenir un fils. Dans les dernières semaines de sa grossesse, elle l'avait vu, en songe, sous la forme d'un gros rat, tenant entre ses dents un couteau. Il était tellement effrayant et menaçant que toutes les femmes du château fuyaient devant lui. Et dans un autre rêve, les femmes formaient un troupeau de bêtes à quatre pattes et, pour les faire avancer, l'enfant les piquait avec la pointe de son couteau, à présent long comme une lance. De ces visions, elle concluait à une incontestable cruauté de son fils mais aussi à sa capacité à dominer les autres. Ce n'était pas ce qu'elle préférait, quant à elle, Marie. Elle eût plutôt aimé avoir un fils très sage et très savant, appelé à gouverner les âmes – un évêque, un abbé à la tête d'un riche monastère ou même encore, quand elle réfléchissait à tout ce que son amour lui avait appris à retirer d'elle-même à seule fin de se donner plus entièrement, un saint ermite, faiseur de conversions et de miracles – le plus dépouillé mais aussi le plus lumineux de tous les hommes.

Mais comme le terme approchait, elle cessa de dormir, elle cessa de rêver, elle crispa toute son attention en angoisse démesurément fixée sur son corps dont la maîtrise au-dedans lui échappait, à mesure qu'elle percevait les signes de son désarroi. Et lorsque, au lieu de perdre ses eaux, comme elle s'y attendait, elle commença à perdre son sang, elle sentit dans son ventre profond une violence d'agitation, comme si le bouligoulis, saisi de folie, s'en prenait aux parois de son enclos et cherchait une issue là où elle ne se trouvait pas.

L'enfant cognait en effet. Il lançait ses poings et ses pieds, par éclats de pulsions spasmodiques, contre la douce sphère utérine qui l'enfermait. Il se débattait de toute sa vigueur contre une pression grandissante qui s'exerçait sur lui à travers tout l'espace du récipient dans lequel le gros têtard qu'il formait, nageait langoureusement, presque sans se déplacer. De toute évidence, un cataclysme se tramait dans l'espace clos, et l'enfant, tête en bas, était entraîné vers une nouvelle région du corps maternel, qui se préparait à s'ouvrir, s'abîmant en un puits de vertige dans lequel le bouligoulis refusait de s'enfoncer. Aussi se détournait-il passionnément de la voie naturelle dont la puissance d'aspiration bouleversait l'ambiance du lieu si paisiblement occupé jusqu'à présent. Et l'enfant freinait donc de toute sa masse et cherchait-il à regagner les zones supérieures, avec l'espoir de s'y agripper aussi longtemps que durerait la débâcle des eaux et du reste. Mais à dire vrai, il ne pouvait rien saisir, il ne pouvait s'accrocher à rien. Il n'avait pas pouvoir d'ouvrir ses doigts, d'allonger ses mains, de les ancrer dans la chair captative du ventre maternel. Tout ce qu'il pouvait accomplir – tête, membres et corps – c'était glisser sans retenue ni répit, et moduler ce mouvement, lequel avait tout l'aspect d'une pure efflorescence de pesanteur charnelle, par des percussions contre la paroi matricielle. Il se jetait donc, en quelque sorte contre les murs, signifiant par là, à l'inverse du prisonnier qui rêve de sortir de son cachot et ne le peut, qu'il n'a pas d'autre désir – et n'est même rien de plus que ce désir-là – que demeurer éternellement là où il se tient, sans jamais connaître autre chose. Car le bouligoulis, dans la pleine perfection de son état et dans le juste équilibre de sa situation de parasite amoureux, n'entend pas se délier, se délivrer, de cette fabuleuse intériorité de corps maternel qui forme son entier horizon d'existence. Quand on possède l'absolu et que l'absolu est devenu ce merveilleux milieu de croissance de l'être en sa toute passivité, comment pourrait-on aspirer à quelque chose de mieux qui serait le privilège du relatif? Le bouligoulis ne conçoit rien qui puisse l'encourager à sortir du creux, au-dedans de la mère, où il prospère sans vergogne.

Or voici qu'il est aspiré par le bas, contre son désir même, et comme si sa propre pesanteur le trahissait, muée en force d'expulsion, quand il attendait d'elle qu'elle le tînt fixé dans l'immobile et l'immuable. Aussi donne-t-il du pied, le bouligoulis, inventant soudain le réflexe de celui qui se noie et qui veut, à tout prix, regagner la part d'espace où il fait bon vivre. Sans autre loi que celle de l'appétence immodérée pour le *statu quo*, il se débat, en une rage anxieuse et douloureuse contre le destin. Et le paradisiaque sein maternel se transforme en abîme de souffrance infligée à celui qui résiste, à celui qui freine de tout son corps et de ses quatre membres la chute promise au vivant.

Contrarié par la contradiction qui le nie et le met en échec, le désir puise en lui-même, dans son refus de se rendre, une hargne de formes, une créativité offensive qui pousse le corps à des excès, que l'on croirait miraculeux même dans l'ordre du fantastique où tout est possible. Ainsi la bouche devient-elle ventouse et finit-elle par se fixer obstinément à la chair utérine et rien ne semble pouvoir lui faire lâcher prise. Le bouligoulis se cramponne comme une

grosse sangsue entée dans sa part de ventraille. Pour la première fois, il éprouve le goût, et répond de toute sa chair à
la saveur qui entre en lui et l'inonde. Le suc vivant de la
mère s'insinue de toutes parts dans son corps jusqu'alors
languide et végétatif mais qui, à présent, se ressaisit, s'af-
fermit, se tend en avant et hors de lui-même, et se trouve
pris de turgescence. Alors le petit pied gentiment mollas-
son et plutôt incliné vers le dedans en ébauche d'arc de
cercle, se raidit, se dégage de sa sphère de sympathie vitale
et, comme un coin, comme une cheville, comme un bâton
fouisseur, ou un crampon d'escaladeur, vient se planter
quelque part dans la muraille utérine. Au-dessus, autour,
au loin mais là toutefois et partout, Marie se tord en ses
gémissants *miserere*, elle sent la brûlure montante et la
fièvre qui la dévaste. C'est alors que la main de l'enfant
entre à son tour dans la violence. La saveur et l'odeur de la
mère des viscères sont plus que grandioses, elles excèdent
immensément ce qu'un fœtus au neuvième mois est
capable d'assimiler. Aussi faut-il que le plaisir force la chair
à se doter d'organes imprévus, proprement insensés. Un
doigt se met à grandir à toute allure, à se vriller sur lui-
même, à s'allonger en pointe tranchante et perforante et
celle-ci, expulsée à son tour du schéma sphérique originel
d'embryon envoûté de bonheur symbiotique, se jette en
poinçon, en dard, pour tout dire en coup de poignard dans
la tenture des muqueuses mellifues qui tapisse le dedans
du dedans – le reposoir, le tabernacle. La mère de toutes
parts, Marie, hurle à la mort et ses cris retentissent au plus
profond de son ventre, en agitation de spasmes et tour-
billons d'amnios. Par l'oreille, dans le crâne et jusqu'au
fond, chez l'enfant, la douleur est verbérante : au trop-plein
du plaisir se conjugue le trop-plein de la souffrance. Et c'est
le moment où de la blessure ouverte au flanc de la matrice,
le sang commence à couler – d'abord par grosses gouttes
gluantes puis par pulsions de flux, violemment. Le bouligoulis est bientôt couvert de telles sanguinolences qui péné-
trent dans sa bouche, y déposant ce goût de fadeur équivoque – écœurant et stimulant – qui le poursuivra, plus

tard, dans toutes ses communions. Cependant, l'hémorragie gagne du terrain, comme par contagion. C'est toute la voûte matricielle qui dégorge et qui se soulage en pluie de sang ininterrompue. Alors l'enfant abandonne la partie : sa bouche toute débordante de caillots reprend sa consistance pulpeuse et sa rondeur amoureuse ; son pied se désincarne du corps maternel et retrouve sa mollesse et sa flexibilité ; la vrille du doigt se rengaine et revient à sa flaccidité première. Et le bouligoulis, de tout son poids choit dans le maelström. Il est la chose du flux, l'épave de la vague, la pacotille du tourbillon, la lie au fond de l'entonnoir. Il progresse vers l'issue, la tête en bas, comme une ébauche de cétacé, comme un enfant-torpille, mais avec lenteur, dans la patience de l'inexorabilité. Un temps quasiment infini – encore qu'infime dans la mémoire qu'il en retiendra – l'initie à la volupté des floraisons organiques à travers lesquelles il s'enfonce. Tendresse, tiédeur, opaque pression des tissus de chair qui le sucent et le pourlèchent, le palpent et le malaxent, l'oignant de leurs glaires plutôt que le poussant vers le dehors. On dirait que la matrice, au regret de l'exil qui s'opère, s'ingénie à imprégner toute la masse du bouligoulis, à instiller dans les pores de sa peau, en direction de son cœur et de son âme, des adhérences sensibles et sensuelles, comme un vertige de douceur qui coloniserait les puissances enfouies du jeune vivant, en sorte qu'une fois largué dans le monde, il n'ait de bonheur que dans la nostalgie. L'utérus est bien la capitale charnelle – de la maternité un authentique terroir de fond où sont façonnées les premières strates de la sensibilité, obscures entre toutes, et avides au suprême degré. Et maintenant, dans l'imminence de la naissance, c'est un surcroît d'impression et de transfusion que la mère immense et transcendante, du fond de sa ténèbre, sans que sa volonté soit concernée, dépêche à celui qui va la déserter – la désertifier. L'enfant que le destin de fuite pousse au-dehors fait tout ce qui est en son pouvoir pour obstruer la caverne charnelle où il se tient, et qui est le meilleur et le plus adorable des lieux possibles, et pour faire obstacle à la nécessité. Mais naturellement il n'a pas de pouvoir. Il est emporté. Le paradis utérin se referme derrière lui.

Alors commence une phase nouvelle, la traversée d'un espace inouï, absolument inimaginable, et d'un long moment d'adoration, appelé à devenir le modèle par excellence de la contemplation de jouissance. Car la tête de l'enfant qui pilote le corps tout entier est entrée doucement, et dans sa pleine rondeur, dans la profondeur extrême du vagin maternel. Or, précisément, comme sous la conjugaison de toutes les pesanteurs et de toutes les pressions, le bouligoulis force, du haut de son crâne, l'orifice supérieur de la glissière sexuelle, soudain tout s'arrête, se suspend, se fige. C'est l'instant où là-haut, là-bas, alentour, partout et ailleurs, Marie, la douce baronne et pécheresse d'Épinoy, vient de remettre à Dieu son âme dans son dernier soupir. Elle a poussé un long gémissement, amoureux et désolé, et, dans toutes ses assises, dans tous les mouvements de ses viscères, dans l'effectuation de ses fonctions, le corps s'est bloqué comme une machine brusquement grippée, une inertie illimitée s'est installée dans les organes et tissus. Exactement, la naissance est au point mort. Seul continue de s'écouler un peu de sang mêlé à l'amnios, un suintement plutôt qu'un flux, un mince filet comme dans une gouttière inutile.

La tête de l'enfant est à peine engagée, par son sommet, dans l'embouchure enfouie du vagin et, longtemps, rien ne se passe. Dehors, c'est le moment où s'affairent les femmes, dès lors préposées à la toilette. Elles ne remarquent rien. Avec un paquet de linges trempé dans l'eau tiède, elles lavent le corps entier, le visage, la poitrine, les membres, le ventre toujours énorme qui ne laisse rien deviner de ce qui se passe en ses profondeurs. Elles nettoient précautionneusement les gros bourrelets des lèvres sexuelles tout engorgées de sang. Elles tamponnent à petits coups le pubis et les cuisses et disposent l'ensemble, sous leurs mains, comme une de ces fleurs précieuses, capiteuses, que l'orage aurait ravagées et qu'il ne reste plus qu'à recueillir avant qu'elles ne se détruisent, d'elles-mêmes, totalement. Les femmes ont, entre elles, de ces précautions et de ces délicatesses, portées sur les organes de la vie, blasons de la féminité – compassion plutôt que respect, connivence et complicité par-delà la pudeur. La fille au balai a seulement aperçu la corolle, et déjà elle pleure. Rien ne presse, les servantes prennent le temps de remplir leur besogne. Elles habillent le corps, elles le coiffent en de multiples et longues nattes ornées de rubans. C'est un long service, tout en contacts, en pressions, presque en caresses. Les seins sont tellement beaux qu'elles les laissent longtemps sans les couvrir. Pourtant, toutes ces femmes sont celles qui viennent de se flageller, et qui ont exposé publiquement leur nudité. Elles sont passées d'une sauvagerie sans frein à une complaisance attentive et bienveillante pour le corps de leur maîtresse. Il n'en est pas une qui ne rêve d'étreintes jusqu'à saturation et délivrance, avec, dans les pulsions de la mémoire, le souvenir des paroles du Bégard : Cessez de procréer, laissez mourir les enfants qui ne veulent pas vivre, ingéniez-vous à gaspiller la semence de l'homme afin qu'elle ne donne pas de fruit. Il ne viendrait à l'esprit d'aucune de se préoccuper du sort de l'enfant qui occupe le ventre de la défunte. Au demeurant, il ne pourrait être nulle part aussi bien que là où il se trouve. Il a bien de la chance d'être mort, il ne souffrira pas. Et c'est très bien ainsi pour la communauté des humains, car le péché ne se perpétuera pas.

Là-dessus, elles allument les cierges et dépêchent l'une d'elles auprès du prêtre, chapelain, amant, phallophore.

Cependant, comme le corps de sa mère ne fournit plus ni action ni réaction, l'enfant n'a pas d'autre moteur que son désir. Or celui-ci s'est radicalement transformé. Il a surmonté l'angoisse du changement et de la séparation. À mesure que la violence d'expulsion s'est exercée sur lui, le bouligoulis a non seulement rentré ses griffes et ses crochets, il a cédé, il a pactisé, il a consenti, avec une amoureuse et merveilleuse douceur. Il s'est laissé précipiter vers le bas, Dieu sait en vertu de quelle complicité d'instincts entre sa mère et lui. Et, à présent qu'il est engagé dans le fond velouté, onctueux et généreux du vagin, dans un afflux de succulences ramassées de toutes parts, il est poussé par un appétit plus grand que lui-même : vivre, il n'y a que cela. De la fluente obscurité de son être lui vient un désir – une capacité d'application – qui ressemble fort à ce que l'on peut imaginer que doit être, à l'origine, la volonté : une concentration de toute l'énergie possible sur un seul point, un seul but, qui est de progresser vers l'issue afin de chuter. Puisque la matrice se vide, puisque le cœur de la mère ne répond plus aux pressions de l'enfant, puisque la voix dont les vibrations retentissaient dans l'amnios ne se fait plus entendre, puisque le monde, ayant cessé de rouler, de circuler, de s'échanger, se rigidifie en masse hostile, inhabitable, il ne reste plus au bouligoulis qu'à entrer dans la voie du délaissement, à coopérer à son propre abandon en se poussant jusqu'à choir. Mais l'entreprise est démesurée, si l'on songe à l'extrême dénuement organique du fœtus, à présent privé de tous les apports vitaux de sa mère et n'ayant pour subsister et pour ramasser ses forces qu'une infime et dérisoire réserve de combustible – exsudation exténuée de placenta, alcools de sucs vitaux dilués dans un sang qui ne sait pas encore bondir. Il faut donc qu'une toute-puissante nécessité intérieure commande le désir et le porte à des actes déjà héroïques et surhumains.

Ainsi, degré après degré, selon la loi d'une lenteur qui semble infinie mais qui, en tout cas, ne se laisse pas épuiser, l'enfant force sa tête dans le couloir serré de la basse-chair maternelle et sans doute les esprits animaux de celle qui fut l'amoureuse Marie d'Épinoy ne se sont-ils pas complètement retirés, il en reste assez pour que, avec une apparence de miracle, le profond organe récepteur et achemineur, en sa ténèbre et inexplicabilité de femme, se tienne en toute mollesse et distende ses tissus, à point pour le passage. Du côté de l'enfant, l'effort est énorme, quasiment monstrueux, mais il est fait pour gagner. Du côté de la mère, on dirait que la cadavérisation du corps est restée suspendue aux abords de la masse génitale, en sorte que celle-ci n'est pas complètement inerte mais coopère, avec une douce passivité, à la délivrance – à cette naissance en marche et qui ne faiblit pas.

Cependant, la tête la première, l'enfant s'envase lentement mais inexorablement dans des tissus encore tièdes et tout gorgés de tendresse. Son visage glisse dans le bonheur béat de parois chaleureuses, humides, si étroitement appliquées à lui-même qu'il pourra rêver, plus tard, que ce furent elles qui modelèrent son visage de nouveau-né promis à la beauté, à la santé, à l'appétit de vivre. Cette longue traversée du dedans au-dehors se déroule comme un immense baiser pourléché de chairs complices. Quels travaux ne faudra-t-il pas accomplir, à l'âge donné, pour refaire avec la même grâce, dans la même plénitude, le voyage de retour, pour retrouver et effectuer, dans la conscience d'un amour reconnu, le même schéma fondamental de bonheur et de perfection ?

L'enfant se hâte dans sa lenteur presque immobile, il traîne tout son corps derrière lui et, par-delà son corps, tous les impedimenta protecteurs et nutritifs forgés avec lui dans la cave utérine. Son torse, son ventre, ses membres jouissent à fond de l'enveloppement sexuel qui les tient, les relie, les unifie. Il n'est pas une molécule de sa chair qui ne vibre, ne s'épanouisse, ne s'effuse en cette coïncidence totale du corps qui advient et du corps qui restitue – qui porte et apporte, même si ce dernier, en ses ultimes parages, est déjà celui d'une morte.

À l'échelle des occupations humaines, il a fallu plus d'une demi-journée pour que l'enfant traverse toute la longueur du vagin maternel. Les femmes ont rempli leur office. Marie d'Épinoy étale toute sa beauté dans sa toilette funèbre. Les cierges, aux quatre coins du lit, étirent leur flamme aussi haute, aussi subtile, aussi ardente que l'âme qui s'en est allée. De l'encens brûle dans une cassolette. Le prêtre-amant-phallophore, a récité toutes les prières et appliqué toutes les onctions – les convenables, s'entend, les dicibles, les avouables. Les autres, celles auxquelles il pense, contre l'envoûtant désir desquelles il a d'abord lutté, de plus en plus faiblement, il les a tenues en réserve et fomentées dans son secret. Mais l'heure est venue. La pesanteur d'adoration qu'il porte en son cœur est devenue trop lourde. S'il n'agit pas, il s'écroulera.

C'est alors qu'il soulève et entreprend de remonter vers le ventre le bas de la robe, car il veut contempler une dernière fois la chair entre toutes qu'il a le plus aimée et il lui faut, le regard fixé sur la pure beauté du sexe, dire adieu à la femme et à l'amour. Et c'est alors qu'il voit, beaucoup plus que ce qu'il cherchait à voir, dans un brouet de sanguinolences et de limon, les soubresauts du bas-ventre et le mouvement de roulis qui brasse toute l'ouverture de la vulve. Ce qui le saisit, ce n'est pas ce qu'il attendait : la triple alliance de la beauté, de la puissance et de la mort – mais l'urgence de la vie qui reprend le dessus et persiste contre tous les arrêts.

Les jambes de Marie sont quelque peu rigides. Il doit peser avec force pour les soulever, les plier, les écarter, les remonter le plus possible vers les hanches, afin de faciliter le passage. Mais comme le corps est inerte, comme les muscles sont morts, aucune poussée libératrice ne peut se produire, et l'enfant reste bloqué, arrêté et retenu dans toute la dimension du sexe, comme si celui-ci, complice du désir qui gît au fond de tout désir, voulait garder la chose de tendre chair bien à l'abri dans l'ultime antichambre entre dedans et dehors.

Le temps est tout à fait compté. Il faut trancher. Le prêtre-amant-phallophore, adorateur de femme et sectateur de beauté ne porte aucune lame sur lui. Il n'a sous la main ni épée ni poignard ni couteau domestique. La chambre de la châtelaine est trop loin des communs pour qu'il puisse quérir de l'aide. Il s'empare d'un escabeau et, à grands coups, brise le verre de l'unique fenêtre. Avec un tesson, il entreprend maladroitement, péniblement, d'inciser la chair – la basse partie qui porte le pubis jusqu'à l'ouverture des lèvres. Il tremble et il transpire. En même temps, il lui faut contrôler la force de son geste afin de ne pas blesser l'enfant par trop de précipitation. Il taille donc une ferme tranchée, il s'applique avec un geste de sculpteur ou de joaillier – juste ce qu'il faut, retenant son souffle dans l'essoufflement qui le gagne. Enfin l'opération s'achève, ses mains sont trempées de sang elles-mêmes blessées par le fil du verre et mouillées de ce qui s'épanche du corps de Marie. L'enfant surgit hors du magma, comme un pauvre gibier que l'on aurait dépouillé – déplorable, lamentable, convulsé. Le prêtre – son père, il faut bien le dire – l'extrait de la dernière fange maternelle et, comme il le saisit par les pieds et le secoue doucement, l'enfant se met à crier. C'est le triomphe de la vie. Le père s'aperçoit que ce qu'il tient là est un garçon, muni de génitoires qui paraissent, comme chez tout nouveau-né, disproportionnés par rapport à la chétivité du corps. Il en est de même de la tête, on le sait.

Dans le moment qui suit, véritables déesses *ex machina*, des femmes surviennent, soucieuses de veiller la morte. Elles lèvent de nouveau leurs bras au ciel, se balançant sur elles-mêmes et se précipitent avec des cris de stupeur qui ressemblent à des cris de joie, auxquels succèdent babillages et pépiements. L'une d'elles a coupé le cordon, elles ont ramassé le précieux placenta qu'elles enterreront en prononçant quelque prière pour la fécondité du sol. Elles ont lavé l'enfant dans un baquet d'eau tiède mêlée de vin et d'aromates. La chance – ou la Providence – a voulu qu'il y eût parmi elles une jeune mère : elle a sorti ses seins et a commencé à nourrir l'enfant. À présent, il sommeille dans le giron qui s'est offert. Il est paisible. Il respire régulièrement. Tout son corps s'est détendu et s'est épanoui. Dans une cour du château, on a sacrifié un agneau. On apporte sa peau toute dégoulinante de sang. On enveloppe l'enfant là-dedans, comme un nouveau saint Jean Baptiste, c'est une assurance de bonne santé.

Dans le même temps, le prêtre, père, naguère amant consacré et phallophore fantasmé, a ondoyé le nouveau-né. Devant ce petit être si extraordinairement issu, par la seule expression de son désir, de la plus belle et de la plus aimée de toutes les femmes, et parce que cet enfant formait un cœur énergique et compact et qu'il demeurait aussi comme une part prélevée de l'infime chair maternelle, il lui a donné, dans le total désarroi de l'heure, un nom que nul saint de la sainte Église romaine n'avait jamais porté, mais qui saisissait à la fois tout l'être et toute l'apparence : il voulait dire *Trognon*, mais dans son demi-patois il prononçait *Drognon*. Cependant les femmes entendirent *Druon*. Et c'est ainsi qu'elles le nommèrent. Et c'est ce nom qui est resté.

LES ANNÉES CHÂTELAINES

C'est bien ainsi : les femmes ont enseveli le placenta informe et sanguinolent. Elles ont creusé la terre, à la houe, dans un coin de prairie où fleurissent les premières pâquerettes, au pied d'un cerisier, elles ont aspergé d'eau bénite le petit monticule, vestige, signe et témoin de la cérémonie. Elles ont prononcé dans leur patois compliqué d'assonances purement féminines une invocation aux puissances de fertilité du sol et demandé que de même que la chose enterrée est bien aussi le fruit de leurs entrailles, l'enfant qui vient de naître, tout uniment produit de la terre et produit de la femme soit, parmi les humains, un être de vitalité et de fécondité. Elles ont tracé le signe de croix dans l'air et sur le sol et récité des prières aux saints Faix et Nierfaix, protecteurs de la chose, et thaumaturges dégorgeurs des encombrements de toute sorte. Et ce fut occasion d'une brève procession entre femmes, d'un moment d'assurance dans les rôles, dans les croyances et dans les rêves. Les plus vieilles avaient prié saint Foutin dès leurs premières règles et avaient mis au monde, comme des termites, des cohortes d'enfants dont bien peu avaient survécu. Les plus jeunes commençaient leur carrière : des ornières à semence, voilà ce qu'elles étaient, de jeunes femelles à peine sorties de leur tanière d'enfance, des plantes à graines en passe d'être égrappées. La cloche de l'église d'Épinoy retentissait au loin, monotone et obstinée. Quel ange ou quel démon pouvait bien tirer la corde, à cette heure qui ne donnait sur aucun office, et balancer ses volées dans le pur creux du jour ? Assurément un enfant était né, et pas le moindre, celui de la dame, mais au rang qui lui appartenait, il se trouvait que le père était absent depuis des années, alors quel ange ou quel démon avait visité la mère ? L'incertitude dissimulait à peine le scandale. Il n'y avait pas lieu de sonner la cloche, même si ce n'était pas pour la faire carillonner.

Cependant comme les femmes du château pressées de rentrer, s'épaulant, se serrant dans leurs houppelandes, s'agglutinant entre elles comme un seul corps processionnaire, avaient repris le même chemin de basse campagne – en cette contrée dénuée de hauteur – voici qu'un vol de corbeaux s'abattit sur le lieu même qu'elles venaient de quitter. En un instant, les oiseaux grattèrent, déblayèrent le sol, exhumèrent et becquetèrent aussitôt, comme un frais gibier de fortune, les lambeaux de faix qu'ils s'arrachaient. Nulle surprise, après cela, que le cerisier ne donna plus jamais de fruits. Une fois gorgés, quand il ne subsista plus la moindre bribe de cette pitance, les oiseaux s'envolèrent à l'opposé du château, vers l'orient et bientôt ne formèrent plus qu'une ombre d'essaim, toute ramassée sur son tourment.

En silence, à la recherche des mots susceptibles d'exprimer solitude et déréliction, une voix intérieure s'efforçait, à même l'épaisseur du souffle, de traduire cette pensée : le mal est trop grand, tu es allé jusqu'au bout, à présent tu peux te rendre. Et cette voix, aucunement faite pour être perçue par aucune oreille, habitait entièrement l'homme – chapelain du château, curé d'Épinoy-en-Artois, amant rompu, phallophore dépossédé, vaguement trouvère, théologien hérétique, philosophe magicien et platonicien, grand esprit, grand pécheur devant l'Éternel et prêtre pour l'éternité, désormais chantre et prophète de Notre-Dame du Deuil : car il avait perdu Marie, la vie refluait, se reclusait. En vérité, il était temps qu'il se rendît.

Et donc, alors que la cloche sonnait, que les servantes rentraient au château et que les corbeaux, repus de leur festin, volaient vers l'orient, lui, chargé d'une simple besace et porteur de son bâton phallomorphe auquel il avait accroché un crêpe noir, prit la direction du nord avec, en tête, la seule idée de s'arrêter et de ne plus jamais bouger. Il irait, pour cela, à l'abbaye de Wisques dont il avait entendu parler. Amour et devoir, ensemble mêlés et évidents, qui lui commandaient au moins de différer son départ et d'officier d'abord aux obsèques de la dame d'Épinoy, mais

amour tout seul et très obscur le tenait et le poussait tout
autrement : le vrai tombeau de Marie, c'était son cœur,
c'était sa mémoire, c'était son âme à lui, prêtre et amant,
qu'il lui fallait d'emblée et radicalement délivrer de toutes
ses attaches charnelles. À moins d'emporter avec lui le
corps de Marie et d'en faire jusqu'à exténuation complète
de son désir et de sa vie, sa litière et son pourrissoir, il
devait rompre dans l'instant, laisser la morte aux opérations du jour et fuir loin d'ici jusqu'à consacrer, dans le
silence et la clôture d'un monastère, l'abolition de sa
volonté propre et la négation de sa sensibilité. Quant à son
fils, son Trognon comme il l'avait appelé, son Druon
comme on le nommait déjà, il l'abandonnait à la garde de
Dieu et des femmes. Son ombre de père, projetée autour
de lui-même, était essentiellement nocive, perverse, destructrice des liens et ruineuse en matière de salut. L'enfant, comme tout chrétien, avait à réaliser sa vocation à la
sainteté. Lui, le père, tel qu'il était, phallophore, hérétique
érotique, ne pouvait être qu'obstacle majeur sur cette
voie : sa présence générait confusion et corruption. Comme
il avait extirpé Marie hors de sa forme chrétienne, hors de
décence, de pudeur, de dignité, l'animalisant, la femelli-
sant, la charnalisant, la satanisant dans ses étreintes sacrilèges, il ne pouvait imaginer son fils qu'en la figure de son
autre soi-même, portant plus loin encore sa puissance de
malfaisance et de destruction. Il avait l'âme sombre. À son
contact Druon l'aurait encore plus sombre et plus dange-
reuse. Il pousserait plus loin que son père les aventures du
cœur et des sens. Peut-être, s'il était moins entravé d'esprit chevaleresque ou de pusillanimité ecclésiastique que ne
l'avait été, parfois, son père, aurait-il la force de caractère
et la générosité de ténèbre qui ferait de lui l'Antéchrist que
tant de prêcheurs annonçaient. Lui, simple curé d'Épinoy,
rompu de douleur, se refusait à cette redoutable responsabilité d'éduquer le jeune Léviathan. Il ne pouvait faire
mieux, ultime chance de salut pour lui-même, peut-être
pour Marie et aussi pour Druon, que se retirer, s'enterrer,
ne plus faire parler de lui. Il était, il demeurait *Sacerdos in*

æternum, secundum ordinem Melchisedech. Il avait beau
mal penser, et agir plus mal encore, chacune de ses erreurs,
chacune de ses fautes portait un caractère de sacralité inef-
façable qui la grandissait, la magnifiait, lui communiquait
une aura d'infernalité. Sa besace matérielle était légère. Sa
seule richesse consistait en la somme de ses expériences,
toutes mêlées de rêves, d'aspirations et de désirs, et déchirées, entre honte pécheresse et amoureuse exaltation. Il
emportait avec lui, comme un viatique, le souvenir de
Marie et, dans sa bouche, la saveur fade mais inaltérée du
sang de la Vierge de la Pile. Il s'y attendait déjà : elle couvrirait jusqu'à sa mort le goût des aliments, le goût de toute
chair et jusqu'au goût du vin dans le calice du saint Sacrifice. Il se disait aussi que, où qu'il s'abîmât, où qu'il s'effa-
çât, où qu'il se tût et plus ne bougeât, la beauté de l'amante
resterait sa lumière.

On le voit, il n'était pas dans les meilleures dispositions
pour se transformer en moine. Mais il s'obstina. Il marcha
durement, de nuit de préférence, s'égara, évita les rencontres, se terra souvent comme un gibier épuisé, attendit, essaya de prier sans trouver d'autres mots que des mots
d'amour à l'adresse de Marie, désespéra de son âme spirituelle car il ne rencontrait jamais que son âme charnelle
qui lui bouchait l'horizon. Enfin, après trente jours de
marche, il ressemblait plus à un gueux qu'à un prêtre, chapelain de baronnie, lorsqu'il frappa à la haute porte de l'abbaye de Wisques. Lorsqu'il entendit les pas du frère gardien qui venait lui ouvrir, il jeta loin de lui son bâton
phallophore, puis il entra en joignant les mains.

Au château d'Épinoy, les servantes de la dame s'étaient activées, les unes en soins d'enfant, les autres en préparatifs funéraires. Elles avaient dépêché l'une d'entre elles jusqu'au village afin de fixer avec le curé le moment et les modalités de l'enterrement. Le corps devrait être enseveli dans la chapelle du château : on soulèverait une dalle au milieu de la nef, mais il faudrait aussi prendre le temps de prévenir les gens dispersés sur le territoire du seigneur et inviter les plus proches parents. Seuls ils pourraient représenter le maître et époux disparu dans les ténèbres de la croisade.

Quand la servante pénétra dans la maison du curé, sa surprise fut grande d'être reçue par le Bégard, apôtre de la flagellation. Celui-ci lui annonça qu'il était désormais le seul curé d'Épinoy, en charge du troupeau des fidèles, et que les choses allaient changer. Où les privautés d'indécence, les cuissages et les libertinages avaient régné, la règle de pénitence serait imposée et l'ordre de la loi divine rigoureusement rétabli. Quant à la dame, c'était une pécheresse notoire. Elle serait enterrée hors de l'église, sans cérémonie, sans prière. L'inhumation pouvait avoir lieu le jour même, inutile de battre la campagne pour alerter manants, clients et parents. Lui, le Bégard, se chargerait d'administrer les biens du seigneur en attendant son retour.

La personne du Bégard était comme enveloppée d'un halo de surnaturelle énergie. Les volontés ordinaires se pliaient à ses décisions sans même une velléité de discussion. Ce que le moine exigeait dans ses discours était aussitôt exécuté, et à la lettre, en un grand bonheur d'abdication de toute faculté critique. On l'avait constaté lors de la nuit des flagellants : cet homme pouvait obtenir tout ce qu'il demandait. Sa voix tombée d'un canton du Ciel encore inédit pour le public qu'elle touchait n'avait pas d'autre justification que sa propre puissance de profération. Elle s'y tenait tellement engagée que tout cédait à son emprise. Même l'attachement passif aux traditions et aux croyances ne représentait aucun obstacle. À Épinoy, mais certainement aussi dans d'autres villages où il s'était arrêté, le frère bégard avait toute l'autorité d'un pontife et le pouvoir de disposer des consciences selon les vues de son esprit. C'était un temps où de forts courants hétérodoxes agitaient la chrétienté, mêlant plus ou moins grossièrement ou subtilement, en une même passion, convictions ascétiques et aspirations libertines, avec, poursuivie, l'ardente pensée de concilier dans l'unité de la foi chrétienne, les intimations du Bas et les appels du Haut. Le Bégard d'Épinoy incarnait avec originalité et selon une imagination toute prophétique une contestation des principes et des règles qui grandirait, dans les siècles suivants, chez les Frères du Libre Esprit et chez les Fraticelles. Dans les premières années du XIIe siècle où l'on situe la naissance de Druon, il faisait figure de précurseur – ce dont personne ne se doutait, naturellement. Il était le météore tombé du Ciel du pur christianisme, en ce bas monde, pour indiquer la voie et parfaire le millénium.

Sous la pression de son autorité, les événements publics se déroulèrent dans la rigueur de principes dont la nouveauté, curieusement, évoquait une antiquité fondamentale, à l'abri de toute critique. En quelque sorte, c'était une Église plus primitive, plus abrupte et plus vraie qui s'exprimait dans le message du Bégard. Et les bonnes gens d'Épinoy apprirent bientôt à se reconnaître comme les meilleurs chrétiens du monde. Ils enterrèrent leur dame châtelaine ainsi qu'il avait été ordonné, ou plutôt ils la jetèrent sans égards dans une fosse. Une poignée de manants s'empara du corps enveloppé dans un drap et l'enfouit sommairement comme on fait d'une bête crevée. C'était un jour de mars, froid et humide, sous un ciel pesant, sans une faille de lumière. Les mêmes corbeaux qui, la veille, s'étaient goinfrés du faix, tournaient haut, avec leur cri mélancolique, au-dessus des fossoyeurs. Mais le corps leur échapperait. Peut-être s'étaient-ils déjà saisi de l'âme, en pâture et, dès lors, leur vol exécutait plutôt la figure d'un rêve qu'un réel mouvement de surveillance et d'approche. La concrétude des choses – des êtres, des objets, des matières, des situations – se dissolvait dans l'épaisseur des songes. À l'horizon des terres et du ciel, avec son château frappé de sanction surnaturelle, le minuscule village d'É-pinoy-en-Artois se dégageait de toute consistance histo-rique et se précipitant entièrement dans l'abîme intérieur de ses hantises, devenait ou tendait à devenir un lieu mythique accessible seulement à l'esprit de quelques rava-gés.

Parmi ceux-ci, que le silence de l'anonymat a recouverts, on comptera le biographe qui a laissé à la postérité le récit de la vie de saint Druon. Il existe deux versions, très diffé-rentes d'esprit et de dimensions, de cette légende hagio-graphique. La version courte, naïve et édifiante, conforme aux lois du genre, a été recueillie par les bollandistes, à la date du 16 avril. L'origine adultérine et sacrilège du petit Drogon ou Druon est occultée. Le récit de sa vie commence ainsi : « Il perdit son père un peu avant sa naissance, et fut cause, en naissant, de la mort de sa mère ; il avait reçu de ses parents une haute noblesse et des biens très considé-rables. Il ne fut baptisé qu'après avoir été instruit des prin-cipes de la religion. » Bien différentes sont les indications données par *La Vie secrète de saint Druon* dont le manus-crit, conservé à un seul exemplaire, aujourd'hui propriété d'un collectionneur de curiosités hagiographiques, dut cir-culer en son temps dans le milieu des bégards et béguines du Brabant et du Hainaut. Il est écrit dans la même langue que *Le Miroir des simples âmes anéanties* de Marguerite Porete, ce qui permet de le situer au début du XIVe siècle. Sans être un texte de spéculation spirituelle ni de doctrine de vie, il exprime allusivement des positions très proches de celles de la sainte martyre de l'hérésie et fait de Druon un modèle d'existence pour toute âme en quête et conquête de béate indifférence au bien et au mal.

Mais reprenons, en nous appuyant sur la version apo-cryphe de la légende, le cours initial de la vie intérieure et extérieure du futur saint Druon, à l'heure où nous l'avons laissé, accouché par son père, soigné par les femmes et vagissant faiblement dans la peau toute chaude d'un agneau que l'on vient de tuer. Une jeune servante, qui répond au doux nom de Marion, a charge de le nourrir. Elle partage son lait entre son propre bébé, une fille, et le fils de sa maîtresse, héritier en puissance du titre et du domaine. Une sainte émulation, nous dit-on, pousse les deux petits à sucer goulûment le sein qui leur est offert. Mais le biographe ajoute que l'on pouvait voir Druon céder de lui-même sa place à sa sœur de lait lorsque celle-ci n'était pas rassasiée, manifestant ainsi et sa nature chevaleresque et sa vocation radicale à l'abnégation. Lui que son rang prédestinait à toutes les faveurs de son petit monde préférait passer au second plan, se faire oublier, céder la place. On le vit bientôt offrir ses hochets à Marianne – c'était le nom de sa compagne de tétée. Celle-ci en avait les mains pleines et comme, par ailleurs, elle tirait toujours la plus grande part du lait maternel, elle prospérait physiquement, grandissait et s'enveloppait de douce chair joufflue et ventrue tandis que Druon tardait à pousser et donnait une impression de fragilité délicate et de santé précaire. Cependant il n'était jamais malade et résistait bien à la rigueur du climat et aux rudes conditions de la vie quotidienne.

Dans les premiers mois et premières années de sa petite enfance, Druon n'eut guère d'autre compagnie que Marion et Marianne. Presque chaque jour et par tous les temps sa nourrice le portait à l'endroit où sa mère était enterrée. La jeune femme aux seins prodigieux et providentiels le délangeait et l'installait dans l'herbe, le derrière nu. Elle lui parlait abondamment, en son patois, de la dame, baronne d'Épinoy, Marie, sa mère. Elle lui disait à peu près: Monseigneur, votre mère fut la plus belle et la meilleure des femmes. Elle avait un teint de lait et une voix de miel et ses cheveux déroulés étaient tout semblables à un champ de blé. Si vous aviez vu sa poitrine, mes bons gros seins ne présenteraient plus aucun attrait pour vous, car la sienne offrait toute la rondeur de la grâce et vraiment la plénitude de la beauté. Elle avait un corps de dame, moi je ne suis qu'une pauvre servante qui sent la bête. Elle, elle était divinement parfumée, avec une grande odeur solaire autour de son visage et une grande odeur lunaire par tout le reste du corps. Je suis sûre qu'entre ces deux pôles vous n'eussiez cessé de cheminer, comme font les pèlerins entre Saint-Jacques et Saint-Pierre et les oiseaux entre le Nord et le Midi. Et sachez, monseigneur, que votre père n'est pas l'époux de votre mère. Ce doit être quelque démon, un esprit de ténèbres, aux formes de chat huant. Il se sera posé sur elle dans son sommeil, comme fit le divin Jupiter, déguisé en cygne, avec Léda. Et vous êtes né de là, monseigneur, une face en plein midi et l'autre en plein minuit. Or votre mère eût aimé vous tenir entre ses bras, contre son cœur, et peut-être vous aurait-elle dit de quel plaisir sublime vous êtes le fruit, de quel fauteur de désordre, en vérité, vous êtes le fils. Moi, je ne puis rien vous apprendre, je ne suis qu'une *cougne* ignorante et déversée, ornière et bornière hors de la voie des actions mémorables. Mais je ferai pour vous, et pour dame votre mère, toujours, ce qui me paraît le meilleur, le plus important. Ainsi donc, puisque vous avez le cul nu, posons-le sur la terre où gît votre noble génitrice. Puisse-t-elle par là vous emplir de son énergie et vous transfuser ses vertus. On ne lui a pas fait de cérémonie, aussi demeure-t-elle dans la privation et la détresse. Que la douceur de votre cul filial lui apporte la paix du sommeil et que vous receviez en échange l'inspiration des forts pour la conduite de votre vie, amen, c'est moi qui vous le dis.

Et Marion, que ne transportait pas l'inspiration des forts mais celle des fidèles, posait de place en place, selon le schème de la Croix, l'enfant Druon qui vagissait et que le contact avec la terre fraîche remplissait d'aise. Il faudrait être bien sûr de soi pour soutenir que ce rite réinventé à partir d'un vieux fonds de croyances peut-être inconscientes ait pu incliner l'âme de l'enfant à la vénération de la mère et à la nouer, dès les premiers jours, au souci que suscite l'absence lorsque celle-ci occupe tout l'espace et tout le temps, à l'origine. L'enfant n'avait pas encore l'âge

des sentiments. Mais il vivait des sensations intenses, géné-
ratrices d'émotions durables. Du corps pourrissant de la
mère mêlée à la substance de la terre, quelque chose d'aussi
occulte qu'authentique irradiait : Druon tout à la fois s'y
brûlait et s'y forgeait. Du fondement de son corps au fond
de son âme, à travers un subtil échange de porosités, de
canaux intimes, de nuances d'atmosphère interne et
inconsciente, l'énergie spirituelle de la mère – quintessence
de désirs, de rêves, d'aspirations et jusqu'aux profondeurs
géologiques de la mémoire – se propageait, à l'infime et à
l'infini dans l'être du fils. Et tandis que le lait généreux de
Marion nourrissait le corps, l'émanation impondérable et
presque purement abstraite de l'âme de Marie provoquait
les premiers rudiments de confuse conscience de l'enfant,
à la façon d'un ferment de sensualité passive, d'amoureuse
soumission, de compassion et de contemplation. Dans
toute cette période de croissance végétative et dans l'assurance de plénitude sensible que lui procurait la tétée, à
même son enfouissement dans la douceur sinueuse et
voluptueuse du mamelon nourricier, Druon assimilait, à
toutes les strates de son organisme spirituel, les effluves
puissants et complexes de la nature maternelle – s'enfem-
minant jusqu'au fond du tréfonds, poursuivant dans la
pénombre du jour cette adhérence et adhésion à la substance matricielle qui avait rempli sa vie prénatale et l'avait
fondé, lui, l'enfant, en capacité de rêve et rêverie. Et donc
lorsque la jeune Marion aux seins exubérants, l'ayant
troussé, et, lorsque la chaleur du temps le permettait,
l'ayant mis nu comme un ver, l'asseyait, le frottait, le roulait dans l'herbe tumulaire qui formait le sourire et comme
la floraison de pulpe de la mère, enterrée là-dessous très
proche, presque sous la main et sous les baisers, le petit
Druon, semblable en quelque façon au mythique Antée,
prenait force en ce contact, lequel valait pour une intime
communion, et cette jouissive préhension du sol par son
corps tout entier le faisait rire aux éclats – cependant que
la bonne Marianne, paisiblement assise sur une autre rive
d'existence, se contentait d'assister au spectacle, et battait

des mains. Or Druon, dans la drue profusion des sensations qui l'envahissaient et le tourneboulaient, retenait,
plus que toutes, celles qui affectaient son doux appendice
viril offert au vent, au temps et au champ. Autour de cette
zone s'accumulait une multitude d'émois dont l'intensité
balayait tous les autres. En ce très heureux et très innocent
moment de sa vie, l'enfant, que retenaient seulement les
limites de sa capacité physique, y allait, de toutes les promesses de son jeune organe, au plus palpable de la chair
maternelle – encore que celle-ci ne fût rien d'autre qu'un
fantasme épanché dans la sève des herbes et imprégnant de
fraîcheur humide la tige minime du bébé. Tout de même,
un grand amour immédiat, sans image ni pensée, était ainsi
vécu et le sexe se trouvait, avant toute expérience, enraciné
dans le sexe – en un seul, même et béat bourgeonnement.
   En toute saison, les nuits étaient magiques et magnifiques. Les corps reposaient dans une grande proximité des
épaisseurs, senteurs et mollesses. D'abord prisonnier d'un
berceau dans lequel il était tenu à peu près ligoté, le petit
Druon se trouva, vers la deuxième année, pleinement associé aux heures végétatives et toutes charnelles du sommeil
en commun. Il ne pouvait savoir qui avait décidé de son
sort, mais son sort était de se tenir alors exclusivement
dans l'espace des femmes. Partout où il se portait, se traînant, au commencement, puis marchant sans assurance,
puis se hâtant comme un petit animal, il ne rencontrait que
jupes et jupons, poitrines copieuses, bras arrondis et bien-
veillants, épaisseur de douceur chaleureuse, lèvres grosses
de baisers. La nuit, il y avait toujours un grand corps
accueillant entre les bras duquel il venait se blottir –
Marion, surtout, la nourrice, tout en mamelles, mamelons,
tétins et tétons, mais d'autres aussi, Mammette la goitreuse
dont le cou formait comme un troisième sein, Maure et
Mauberte, les deux sœurs, dont l'odeur insistante de
pomme sure creusait l'appétit jusqu'en bas du ventre,
Materne qui ne portait jamais de bonnet et dont la chevelure s'épandait, somptueuse, onduleuse, généreuse, parfumée d'épices rares, Marthe la douce obèse qui promenait

son ventre devant elle avec l'assurance de promettre le paradis, et Marine, la fille au balai, qui n'arrêtait pas de retrousser sa cotte pour se gratter, et Maroye qui sentait l'ail, et Marcelline et Mélanie et Mathilde, et Mamille dont la main droite ne portait qu'un seul doigt d'une longueur étonnante, et combien d'autres encore, peut-être Mélissa, Malou, Mannée, que sais-je, Mélusine sans doute car, parmi les mille servantes du château, il y avait celle-là aux yeux verts, à la gorge pointue, à la chevelure flottante, à la taille fine et qui traînait autour d'elle une senteur de vase-mère et d'herbes aquatiques. De jour en jour, de nuit en nuit, dans les immobiles saisons de sa longue enfance, le petit Druon ballottait dans les flux des tendresses, cependant que son âme, encore animale, distillait tous les sucs de la féminité. C'était le temps heureux d'une frontière constamment ouverte entre veille et sommeil, entre volonté d'être et appétence obscure pour la confusion, la dissolution, le captivant mirage du retour à l'informe sans extériorité, sans identité. De femme en femme passant, de femme en femme régnant, car il était tout de douceur et de consentement, Druon construisait les assises d'un immense rêve de désistement, de retirement, d'anéantissement. Mais, à ce moment de sa vie, il ne percevait que les rondeurs, les vallonnements et enfoncements qui le rattachaient encore aux sensations d'avant sa naissance. Il lui faudrait s'en détacher afin de les reconquérir sous une forme plus pure, non plus organique mais métaphysique et mystique.

Entre femmes et Druon s'étalait et s'interposait, de toutes ses ailes, l'Ange gardien, compagnon de tous les instants, mais surtout de la nuit. L'enfant n'osait pas lui donner un nom. Plus tard, il eut envie de l'appeler Marie ou Maria, mais on ne donne pas un nom de femme à un ange, et il ne connaissait pas le nom de Mario qui aurait pu servir tout aussi bien. Quand il s'adressait à lui, il se contentait donc de l'appeler *Ange*. Mais à dire vrai, la plupart du temps, leur relation ne passait pas par la parole. Dans les premières années d'enfance, elle était surtout affaire de toucher, encore que celui-ci fût imperceptible. Simplement, l'Ange semblait se glisser entre la peau de l'enfant et les choses, certaines choses du moins, qu'il cherchait à atteindre et à posséder ou qu'il portait en lui-même comme un œuf de désir. L'Ange s'insinuait dans l'infime distance qui séparait l'enfant de son objet de convoitise et il se déployait comme une pellicule isolante et protectrice, en un chatoiement de lumière dont l'intense clarté empêchait de voir. Ainsi par exemple à l'âge où ayant cessé de téter sa nourrice, Druon éprouvait encore entre sa bouche et ses mains toute la douceur du sein et tendait ardemment à voir et contempler la chair d'origine d'une si parfaite plénitude, lorsque Marion et d'autres femmes se mettaient nues dans la pièce d'étuve et se préparaient à se baigner en même temps que l'enfant, celui-ci ne voyait rien de ce qu'il cherchait à voir – ni seins ni ventres ni toisons ni reins. Les formes s'effaçaient, s'annulaient à mesure que son regard venait à leur devant. L'Ange formait écran. La femme toutefois si proche ne cessait de s'effacer, de reculer dans un souvenir incomplet et inaccessible. Sans doute la vue, plus que les autres sens, devait-elle porter la malédiction du péché. Et l'interdiction anticipait très largement sur les premiers surgeons de la concupiscence. Car l'enfant qui désirait voir était loin de songer à posséder, il se préparait seulement à sourire au bonheur des formes. Mais déjà il en était empêché. L'ombre claire de l'Ange gardien voilait le corps des mères. L'enfant ouvrait les yeux. Il voyait et ne voyait pas. Il n'avait pas le pouvoir de fixer dans son regard la mobilité des apparences. Lorsqu'il touchait, il éprouvait bien la sensation du plein, mais lorsqu'il cherchait à voir, tout au moins ce qui tourmentait son cœur, c'était l'absence qui venait à lui.

Cette expérience infiniment précoce le tenait dans une profonde gravité. Il aimait sentir les corps respirer autour de lui dans la nuit, il goûtait comme une assurance paisible de la vie la chaleur montante et descendante des souffles. Mais il lui arrivait aussi de comprendre tout à coup que si cet incessant mouvement de flux et de reflux qui désignait, pour ainsi dire, la substance du monde, venait à rester en suspens, alors l'absence se remplirait de présence, l'attente fléchirait dans l'imminence d'une vision parfaitement nécessaire et inévitable : Marie, sa mère, châtelaine d'Épinoy, sortirait de la terre où elle était ensevelie, elle secouerait la fruste glèbe collée à sa peau, elle nettoierait sa bouche de toutes les racines d'herbes qui avaient poussé en elle et, dans l'absolue immobilité du temps, elle s'avancerait vers lui, Druon, son fils, et viendrait lui prendre la main.

En attendant, si sa curiosité le poussait à découvrir la nudité des femmes, c'était, on pouvait le penser, afin de se préparer à reconnaître sa mère, car elle serait plus nue que toute autre femme nue, celle qui aurait traversé la mort pour s'approcher de lui. Il importait donc qu'il possédât, dans l'unité d'un seul regard, tous les cantons de nudité et de féminité du peuple de servantes au milieu duquel il prospérait. Du discernement de tant de secrets enfouis dans le linge dépendrait sa capacité à identifier la mère remontée des profondeurs de la plus noire ténèbre.

Certes, cette pensée n'en était pas vraiment une, elle n'accédait pas à la transparence des mots. C'était plutôt une décision obscure de tous les sens, et de la vue par-dessus tous, de vouloir posséder l'impossédable, de vouloir amener à s'exposer ce qui était, constamment, retrait tacite et taciturne des formes. Or, de toute évidence, l'Ange veillait à ce que jamais les frontières ne fussent outrepassées. Il régnait impérieusement sur l'œil. Il avait poids sur la paupière. La Puissance qui tient dans le creux de sa main l'écheveau embrouillé et impénétrable des destinées humaines, l'avait voué à protéger l'innocence de cet enfant en prévision des grandes actions dont il serait l'auteur et des très hautes lumières dont il porterait témoignage. Une telle mission ou vocation exigeait que fût maintenue la pureté première – toute relative que fût celle-ci chez un être qui non seulement avait, comme chacun, hérité du péché originel, mais, en outre, avait été conçu dans les eaux mêlées du sacrilège, de l'adultère et du blasphème. Un tel enfant ne pouvait être que chétivement spirituel en ses débuts. Cependant un ange très efficace, très sensiblement présent, tout de subtilité et de vélocité, lui avait été assigné. Et Druon, au prix d'une grande solitude parmi ses désirs toujours réservés, cheminait paisiblement, à bons petits pas, à l'ombre de la lumière surnaturelle qui l'accompagnait. L'Ange appliquait le bout de son aile sur les réalités physiques que l'enfant ne devait pas regarder et celui-ci, comme si elles étaient dissimulées par un voile, une feuille de vigne, une ombre portée, ne voyait rien, effectivement. Il n'avait pas le loisir de ruminer les sensations, quelquefois envoûtantes, qui accompagnent la perception des formes. L'Ange lui tenait la main, il lui détournait la tête, il lui posait en œillères le bout de ses ailes. À mesure que l'enfant grandissait et que la pression de sa sensualité se faisait plus véhémente, l'Ange de Dieu accentuait sa domination. Quand une fille dénouait sa chevelure, quand elle ôtait sa chemise, quand elle s'accroupissait pour uriner, l'enfant fermait les yeux, il souriait, semblait-il, aux esprits de la lune et des étoiles ou à ceux qui émanent des fleurs des champs. Quand des bouquets de râles doux et tendres soupirs jaillissaient à l'abri de la paille ou du foin, il passait sans s'arrêter, sans éprouver les battements amplifiés de son cœur. À la confuse plénitude des senteurs et des contacts qui avait enveloppé les toutes premières années de sa vie, avait succédé peu à peu une contention étroite et quasiment close en laquelle n'importe quel prêtre ayant l'expérience des âmes eût pu reconnaître le signe d'une élection divine. Et cette mutation du cœur s'effectuait dans le silence et le secret car, en réalité, l'enfant n'avait personne à qui se confier ; sans doute même ne pensait-il pas qu'il eût pu s'ouvrir à quelqu'un du malaise que lui procurait l'insistance des êtres et des choses, autour de lui, à se rendre désirables.

Assurément, les femmes étaient rassurantes. Elles étaient belles et vastes et douces et suggéraient par leur seule présence et par le seul mouvement de leur corps l'infinité de mystères qu'elles celaient en elles. Il n'était pas de vivants plus proches de la nuit que la communauté des servantes en son abondance de chair. Or, en vertu d'une détermination du destin, dont l'origine comme on le verra bientôt, était loin d'être obscure, il se trouvait que Druon était le seul garçon à vivre en cette compagnie, dans une dépendance du château qui avait tous les caractères d'un gynécée. Où qu'il se trouvât, où qu'il se tournât, où que le portassent d'abord ses petits pas puis des enjambées plus longues et plus solides, partout, il ne rencontrait que des femmes. Les seules voix qu'il entendait, chantantes, modulantes, haletantes, chuchotantes, violentes parfois et criardes et pleurardes, étaient des voix de femmes en mots de patois, sur fond de dialecte thiois, une langue qui excellait en envolées de chansons de toile, de cantiques mystiques, mais aussi de grasses plaisanteries et de confidences scabreuses. Tous les registres de la sensibilité, dans le vase clos de l'espace féminin, s'exprimaient par les bouches des servantes et par leurs mouvements de corps et gestes de mains : c'était tantôt un bercement, tantôt une agitation frénétique, tantôt un mélancolique moment de gravité laissant filtrer une sensation très étrange indissociablement mêlée de plénitude et de vacuité, comme si la femme, rendue à son propre fond de silence, laissait entendre creux et ouverture, enfoncement, dedans, réceptacle et habitacle de rêve et rêverie, intériorité toute charnelle des origines. Ce pouvait être le long bâillement d'un corps fatigué, l'hébétude de la boisson, le rituel de l'abandon au sommeil ou simplement quelque long hiatus entre deux spasmes de conversation : alors la femme happait, d'un coup, dans sa fascinante vacance, l'enfant qui tombait sur elle, de toute la petite hauteur de son corps, et lui revenait. Il n'était pas une des servantes qui ne fût prête, n'importe où, n'importe quand, à un instantané de tendresse, à une soudaine effusion de chaude chair – en sorte que l'enfant, promis à exister dehors, ne cessait jamais tout à fait d'exister dedans – entendons dans l'abyssale douceur de l'abyssale fusion des corps, dans la languide langueur des replissés tissus organiques féminins à odeur de sucres et d'épices : c'était tellement débordant, diffus et profus, que l'enfant, dans ses premières années, et encore bien au-delà, développait une étrange conscience de soi : celle d'exister au plus alors qu'il existait au moins, celle de s'épandre et de s'épancher alors qu'il ne faisait rien autre que refluer, se ramener et se réduire, menant une vie somnambulique dans un espace gorgé de féminité – la vie d'un jeune bourdon tout emmiellé de succulences florales. On comprendra quelles difficultés l'Ange gardien, flaireur de mal et de danger, pouvait rencontrer dans sa mission protectrice, car il n'avait pas à prémunir l'enfant contre de banales tentations surgies du monde et de l'extérieur, mais à le défendre de lui-même, de l'incertitude sur sa réalité et de l'ambiguïté de sa nature. Il faisait preuve d'une naïveté démesurée dans cette stratégie spirituelle qui consistait à occulter la vision des chairs, car, tandis que du bout de son aile il camouflait gorge ou sexe, il ne pouvait empêcher l'enfant d'user de tous ses autres sens pour éprouver, dans toute sa richesse, la substantielle présence de chair des femmes qui, tout autour de lui, saturaient son espace vital. Il eût fallu faire de lui un caillou, privé de goût, d'odorat, de toucher et d'ouïe, distant, absent, séparé – alors que, même s'il était bigle face aux formes et aux plus séduisants de leurs détails, l'enfant, engagé dans la vie, ne cessait d'exploiter, à l'infini, ses capacités d'expérience et de jouissance sensorielles, poussant son nez comme un goret dans l'épaisseur des senteurs, palpant de ses mains, étreignant de tout son corps et subissant les étreintes, œuvrant de sa bouche, de toute sa langue, de toutes ses lèvres, dans la savoureuse consistance des chairs, accommodant son oreille aux rumeurs, aux souffles et aux soupirs si bien que, en dépit de la distance que l'Ange s'efforçait d'insinuer, comme une faible digue, entre les sens et leur objet, l'enfant délirait et jouissait ardemment.

Tout comme, chaque jour, survenait un point d'ivresse et de saturation, dans la perception du monde, où la multiplicité des impressions se fondaient en une seule image globale qui occupait le cœur, généralement au moment où l'enfant allait s'endormir – de la même façon, les mille et

un corps des servantes, les mille et un visages, les mille et
un girons finissaient par ne former qu'une seule essence
de femme, de féminité, de féminitude, et cette réalité n'était
plus éprouvée comme celle d'une chose extérieure, mais
au contraire comme une composante inépuisable de l'intériorité en sorte que, à mesure que se développait, chez le
petit Druon, le long cheminement de la conscience de soi,
l'enfant se saisissait comme le simple relief, à peine consis-
tant, d'une substance féminine maternelle universelle qui
le dépassait infiniment. Ainsi douceur et tendresse, dont
les hagiographes, un jour, rendraient compte comme de
vertus, coulaient en lui comme un sang tout ouaté de
femme et de mère, comme si toute l'épaisseur de sa chair
se trouvait, de point en point, branchée sur et irriguée par
le flux constant des fluides féminins. Ainsi encore cette
immense faculté d'acceptation, véritable don surnaturel,
au dire des pieux auteurs, qui lui permettait de subir pleinement, béatement, les événements les plus pénibles, les
circonstances et les situations les plus douloureuses ou les
plus humiliantes, sans un mouvement d'humeur, sans un
mot de protestation, avec une sérénité toute simple, qu'aucune philosophie ne lui avait apprise, qui était comme
l'éclosion naturelle de son cœur, et avec une débonnaireté
dans laquelle les exégètes de son histoire virent l'expression même de sa profonde charité. En réalité, dans la poro-
sité de son âme et dans la permanence de la relation de
nutrition que celle-ci entretenait avec les femmes, Druon
s'était seulement appliqué à parfaire toutes les ouvertures
de son corps et, par là, à laisser le monde le pénétrer. Or le
plus remarquable était que l'enfant n'était nullement
envahi, dépossédé, aliéné, mais que le monde, au contraire,
dans son obscure et troublante matérialité, dans sa beauté
sensible, dans ses contrastes déchirants, contribuait à l'élaboration de son for intérieur et à l'équilibre tendu de son
être. Ainsi l'enfant ouvrait la bouche, dans la nuit, il sentait
aller et venir son souffle, il goûtait l'échange incessant et
subtil du dehors et du dedans, le passage dans lequel l'espace infini du monde le pénétrait et en réponse duquel il

expirait sa douce chaleur. Mais il lui semblait qu'il recevait
beaucoup plus qu'il ne donnait. Et il eût aimé que sa bouche
fût plus grande, plus ouverte et plus profonde et qu'elle
devînt en quelque sorte, par son application à se distendre,
le creux interne de son corps tout entier ; qu'il fût, lui-
même, Druon, à l'instar des Blemmyes qui hantaient les
récits des voyageurs extrêmes, réduit pleinement à une
seule et unique poche de bouche et d'abdomen – figure
étrange et excessive de son appétit d'absorption – toute de
langue et de lèvres, pour lécher, pour baiser et sucer, afin
que l'être tout entier pût s'enfoncer et se dissoudre dans la
savoureuse substance des choses dont il était rempli et traversé. Et il ouvrait ses narines, il les élargissait à l'infinitude des senteurs du monde et de son propre corps aussi et
de tant de corps de femmes que le sommeil possédait, tandis que lui-même, tout petit Druon, précipité dans le tourment de l'espace, dormait aussi peu que possible, curieux
de sentir, avide de se repérer parmi les émanations odorantes, dégorgées ou exsudées des choses et des vivants –
de se repérer pour se laisser capter, se laisser attirer par
les parfums qui troublent ou qui enivrent et qui poussent
à découvrir les creux de chair, les plissures, enfoncements
et recoins, à seule fin obscurément, de retrouver les racines
premières de la mémoire des sens et le souvenir de paradis
qui s'y tient celé. Sur cette voie, l'odeur des femmes occupait à peu près tout l'horizon. Humer était un long voyage
de l'âme charnelle. Immobile dans la nuit qui durait,
Druon, les yeux clos par l'aile de son Ange gardien, ne cessait de progresser en intimité et proximité, en sorte que, à
l'âge d'homme, lorsqu'il serait effectivement en marche sur
les routes du monde, ce ne serait jamais que pour revenir.
La passion du retour, tel serait le fond de son énergie et le
principe qui réglerait, en sa dépense, toute l'économie de sa
vie. Et Druon tendait l'oreille à toute la rumeur du monde
nocturne, aux murmures, aux susurrements, aux essoufflements et gémissements qui provenaient de partout et de
nulle part et qui faisaient, de l'espace entier, un immense
corps de plaisir et de douleur. Il écoutait, mêlés aux

humains, les animaux dans leurs déplacements et leurs rêves, et les oiseaux de nuit en désir et en chasse. Par le conduit de l'oreille où il cherchait à glisser son doigt qui butait, lui parvenaient, traversant le flux des harmonies, dissonances et bruits multiples, les quelques notes tremblées, infaillibles toutefois, de sa propre mélopée, car, blotti sur sa couche, entre veille et sommeil, il aimait à se balancer régulièrement tout en chantant une vocalise, la même, toujours, qu'il avait dû inventer dans la ténèbre du commencement et que l'Ange savait porter à la femme absente dont la beauté pourrissait sous les racines des herbes. Rythme, chant, musique naturelle des émotions qui attachent les vivants aux vivants et aux morts, l'enfant entrait en résonance : un infime noyau de désir se formait en lui – d'une extase à la quête de laquelle Druon consacrerait sa vie. Et comme la nuit, merveilleusement ouverte, éveillait chez l'enfant la curiosité exploratrice, il arrivait que le petit doigt se poussât et se faufilât dans le corps même, en cette partie que l'on appelle fondement. Il y avait là un orifice tentateur qu'il convenait de rencontrer, sinon d'apprivoiser tout à fait, et que la main rêvait de parfaire et d'arrondir. Car cette voie de passage vers le chaleureux et velouté dedans du corps était vouée à l'élaboration, au modelage et à l'offrande. Elle était organe d'abondance – générosité pure, toujours à donner sans rien recevoir, et très mystérieuse de surcroît. Sans avoir le pouvoir d'entrer véritablement en action et de conquérir ce territoire, l'enfant se contentait de rêver, à l'orée : imaginant sa propre face cachée de Blemmye et la parfaite conjonction du trou avant avec le trou arrière, en sorte que le corps tout entier s'annihilerait dans le vide, entre bouche et anus. Alors, réduit à cette extrême simplicité, l'être – l'être, en vérité – serait assez démuni et famélique pour recommencer une existence de parasite, dans la profondeur retrouvée d'un ventre de femme. Enfin, de trou corporel à observer, il ne restait plus que le méat par où s'écoulait le doux, chaud et paisible flot d'urine. Mais l'enfant n'osait pas le forer. Une crainte étrange le dominait : qu'à retrousser la peau, à ouvrir la gousse, le fruit ne tombât sans qu'il pût le remettre en place. Et comme Druon grandissait, son inquiétude se fixait sur cette petite partie de son corps, à laquelle il ne pouvait témoigner ni confiance ni affection. Il se tramait là, dans le projet embryonnaire de son existence, tout un réseau d'angoisse et de difficultés. Et la quête à laquelle Druon se consacrerait y trouverait son point de faille dont il aurait à faire son point de nécessité.

Cependant, tandis que l'enfant Druon, penché au-dessus de lui-même et du monde, s'approchait ingénument du vide entier de son être, à travers l'appréhension contemplative des orifices de son corps, et que son Ange préposé gardien, du fin bout de son aile, comme d'une queue empennée de vautour, lui tenait le regard loin du spectacle offensant des choses humaines, féminines, sexuelles, en sorte que la sensualité toute naturelle de l'enfant pouvait rayonner sans brûler et s'épancher sans ravager – un véritable parterre de fleurs s'était formé, dans la prairie, à l'emplacement du corps de Marie d'Épinoy. On pouvait imaginer de longues racines poussées hors de leur graine dans l'intimité du magma des chairs décomposées. Là où les yeux s'étaient reposés sous leurs paupières, là où la bouche avait souri, là où le ventre avait vibré sous la caresse, là où la fente de la femme s'était creusée, des milliers de germes s'étaient développés, pendant des années dans l'alternance des saisons et les rythmes du temps, les racines s'étaient ramifiées, avaient tressé leur réseau en profondeur, et les tiges, en toute lenteur, avec la merveilleuse obstination de ce qui cherche à être plutôt qu'à paraître, s'étaient aventurées vers leur issue. Un certain printemps, elles avaient jailli comme de minuscules pointes de flèches blanches dans l'épaisseur humide des mottes d'herbes. Milliers de milliers, sur toute la longueur et la surface du corps de l'éternelle gisante, épousant presque sa forme, du moins dans ses lignes schématiques et dans ses dimensions, les fleurs nouvelles, totalement inattendues, s'étaient pressées serrées, s'étaient affichées drues, avec la force impérieuse irrésistible d'une colonie de conquérants et avaient occupé

tout leur espace de fête, de vénération, de culte et commé-
moration, formant une manière de tumulus chatoyant et
d'effigie viride, pour l'étonnement des humains, comme un
présent de la Terre-Mère et une juste réplique de consécration tellurienne à l'absence de consécration rendue par
l'Église. Or toutes ces fleurs étaient inédites dans le pays.
Elles avaient des allures d'iris, d'orchidées, de fleurs de la
passion, une lourdeur de chair, capiteuse, presque animale,
une épaisseur de velours, éminemment sensuelle, gorgée
d'intimité impudique. Ce n'était toutefois ni des iris ni des
orchidées ni des fleurs de passion. Beaucoup d'entre elles,
proches parentes de certaines variétés d'anémones, mais
plus charnues, offraient une corolle d'un rouge grenat orga-
nisée autour d'un cœur absolument noir. Mais chez
d'autres, à l'inverse, le cœur était rouge sombre et la corolle
d'un noir intense, composée de pétales épais comme des
lèvres. Leur parfum fortement musqué – le centuple de
celui de la giroflée – mettait immédiatement les sens en
alerte aussi bien chez les femmes que chez les hommes. Les
sentiments, à partir de là, étaient divisés. Beaucoup
voyaient dans cette floraison une œuvre du diable dont il
importait de se débarrasser au plus vite. D'autres, des
femmes à peu près exclusivement, interprétaient le phénomène comme le signe miraculeux et divin de la réconciliation du Ciel avec l'âme pécheresse de la femme enterrée
là, et comme un avertissement à l'adresse de la communauté pour dire que Marie d'Épinoy, une chrétienne, ne
méritait pas le sort injuste qui lui avait été infligé après sa
mort, et qu'il convenait, sans plus tarder de relever le corps
et de l'inhumer dans l'église parmi les défunts de l'illustre
famille à laquelle elle appartenait. Une délégation de
manants et de servantes s'en vint trouver le curé, autrement dit le Bégard, dont l'autorité spirituelle, reconnue de
tous, faisait de lui le véritable maître du village et du château. D'emblée, il donna raison au courant le plus nom-
breux, celui qui croyait à une manifestation diabolique, et
il ordonna de faucher tout le carré de fleurs. Deux hommes
furent désignés et l'opération eut lieu à l'aube, comme une

exécution capitale. Mais une fois le travail achevé, lorsqu'ils voulurent nettoyer leur faux, les hommes s'aperçurent que la lame était trempée d'une sorte de sève sanglante, formant une écume rougeâtre mêlée à la rosée. Et ils purent constater, effectivement, que des tiges tranchées au ras du sol, des gouttelettes, couleur de sang, perlaient. L'évidence du maléfice était flagrante.

Alors, le Bégard décréta une nuit de pénitence. Il demanda à ses ouailles de se dépouiller de leurs vêtements et de se munir de fouets et tous autres objets flagellatoires tels que baguettes d'osier, brassées d'orties, branches épineuses, paquets de cordes. Crucifix, bannières, cierges, encensoirs, bénitiers et goupillons, tous ces objets du culte, riches de puissance sacrée, furent tirés de l'église et portés en tête de la procession. Le Bégard avait rabattu le haut de sa bure par-dessus la corde qui le ceignait. Il avait le dos nu mais les reins couverts et il était de la sorte le seul participant de la cérémonie à se tenir quasiment vêtu.

Le rite se déroula alors à peu près tel qu'au jour où Marie d'Épinoy était morte et où Druon était venu au monde. Étrange répétition, qui survenait à sept ans des événements initiaux de notre chronique. Les mêmes clameurs, les mêmes gémissements, les mêmes sanglots, les mêmes *miserere*, les mêmes chancellements d'esprit et de corps dans le rythme des coups, le même flux montant du désir, les mêmes hallucinations et, pour finir, le même orage charnel et sa déflagration mais, cette fois, sur le sol où Marie était enterrée. Et c'était en quelque sorte sur son corps même et pour ainsi dire dans les abysses germinantes de sa chair, une formidable mêlée fornicatoire d'hommes et de femmes que tenaillait la douleur du désir engloutie dans la douleur du péché.

Druon était sorti du château, au crépuscule, parmi un groupe de femmes, d'adolescentes et de fillettes. Il y avait là, qui lui tenait la main, Marion sa nourrice très aimée, et avec elle sa fille Marianne, et toutes les autres, Mammette, Maure et Mauberte, Materne, Marthe et Marine, Maroye, Marcelline, Mélanie et Mathilde, Mamille, Mélissa, Malou et Mannée et d'autres encore en grand nombre, porteuses de fouets, de verges, de cordelettes. Toutes, elles s'étaient délivrées de leurs vêtements, elles avaient ôté leur coiffe ou leur fichu et leur chevelure roulait librement sur leurs épaules. Elles allaient, presque courantes, emportées par une excitation intense grandissante qui les poussait à gesticuler, à vociférer, à éclater de rire. Certaines avançaient des poitrines magnifiques et des toisons exubérantes, d'autres montraient des seins flapis, des corps fatigués, déformés, des ventres creux, des pubis misérables. Quand elles eurent rejoint la procession qui se formait à l'entrée de l'église, leur surexcitation tomba d'un coup et fit place à une gravité douloureuse, presque farouche. Les visages se fermèrent, les regards se fixèrent durement sur le corps des autres, sur les épaules, le dos, les fesses, et les premiers coups de fouet commencèrent à s'abattre sourdement dans un bourdon gémissant traversé de *miserere*.

Or notre Druon qui était sorti porteur d'une lanière presque aussi grande que lui, avec laquelle on lui avait dit de frapper les autres enfants, tenait à présent un long ruban blanc, tissé pour la caresse, pour des jeux frivoles et anodins. Avec cette étoffe sans vigueur à bout de main, il paraissait complètement hors de saison, déplacé, incongru et, tandis que chacun fouettait sec, à tour de bras, lui, effaré mignonnelet tout de grâce auréolé, effleurait les épaules nues de Marianne devant lui et ses fesses potelées. À dire vrai, il n'était pas conscient de ce qu'il faisait ni de ce qui se passait autour de lui car l'Ange qui l'accompagnait et qui avait changé l'âpre cuir en un mol tissu, mettait toutes ses ailes à voiler les formes dénudées à mesure que le regard de l'enfant s'aventurait de leur côté, en sorte que Druon avait le sentiment de s'avancer tout seul dans un épais brouillard peuplé de présences invisibles. Invisibles, il est vrai, néanmoins chaleureuses, odorantes, soufflantes, suffocantes, priantes, gémissantes, larmoyantes. Druon ne voyait rien de la superbe nudité de Marion, mais il entendait son souffle saccadé et ses hoquets lorsqu'elle recevait les coups qui lui lacéraient les reins. Et Marine, à sa gauche, la fille au balai : il ne voyait pas la touffe rousse, presque rouge qui garnissait son ventre, mais il percevait le bruit de ses sanglots et sa douleur lui faisait mal, à lui, l'enfant prisonnier de son innocence et impuissant à sauver les êtres. Il n'éprouvait pas du tout le sentiment de participer à une cérémonie, à un rite extrême d'expiation et de conjuration. Il était enfoncé dans la matière dolente de la procession et chaque pas qu'il faisait l'enlisait davantage dans la confusion de ses impressions. Sa propre nudité l'embarrassait extrêmement. Il ne l'avait pas choisie. Elle affectait un caractère de sérieux dont le sens lui échappait. Et la morbidité du troupeau humain avec lequel il faisait route le tenait dans une angoisse grandissante à mesure que le temps durait. Lui-même recevait les coups d'un enfant qui marchait derrière lui. Ce n'était pas très violent, mais cela finissait par faire mal – et puisque ni la procession ni la flagellation ni la douleur ne relevait du jeu, c'était, dans l'interminable nuit, un cheminement sans raison.

Cependant prières et chants – psaumes et litanies – allaient et venaient, montant et descendant, s'amplifiant et faiblissant, et toute la pâte humaine en était brassée. Druon, qui ignorait les textes, y allait de sa mélopée personnelle, plus ou moins ajustée aux voix des femmes. Et c'était comme une réalité liquide en laquelle il se trouvait immergé, flottant de haut en bas, participant à une ferveur capable de se poursuivre jusque dans le désespoir. Car comment savoir si Dieu prêtait l'oreille à de telles supplications ? Comment penser que tant de douleur ramènerait la grâce, en contrepartie ? Druon était entraîné, poussé, bousculé sans résistance de sa part, mais aussi sans horizon suffisant.

Lorsque la procession s'arrêta enfin, Druon ne savait pas en quel lieu on se trouvait. Dans la nuit, il ne reconnaissait aucunement le coin de prairie où sa mère était enterrée. Le Bégard prit la parole, d'une voix puissante qui portait loin. De sa harangue, quelques mots venaient éclater dans l'esprit de l'enfant. Le nom de Marie était martelé et surgissait à tout moment : Je te conjure, Marie... Marie, ne sors

plus de l'enfer... hors d'ici, Marie, hors de la terre des
fidèles... cesse de nous infecter, Marie, avec le souvenir de
tes péchés... au nom du Dieu tout-puissant, arrête de t'agiter, Marie, arrête de danser... garde ton poing dans ta
bouche, Marie, et tiens tes cuisses tranquilles... Marie, je
t'ordonne... j'exige de toi, Marie... la Sainte Vierge dont tu
as souillé le nom, Notre-Seigneur Jésus-Christ, toute la
cohorte des saints martyrs et confesseurs m'ont délégué,
moi, pauvre pasteur, pour exiger que ta chair maudite ne
soulève plus la terre au-dessus de ta pourriture. Arrête de
fleurir, Marie d'Épinoy, arrête d'offenser la beauté du
monde...

Ce fut là, seulement, à ce point de clameur, que l'enfant
Druon saisit d'un coup le sens de cette nuit de printemps
soudain précipitée dans son cœur. Une angoisse de terreur
et de désolation lui noua la gorge, tenant sa bouche ouverte
sans qu'elle pût crier, une abondance pressée de larmes,
sans un sanglot, remplit ses yeux et l'aveugla. En vérité,
l'Ange dont il sentait bien la présence, se pencha sur lui et
lui enveloppa le visage de sa longue chevelure dorée. Il n'y
avait pas trop de ses larmes, ni des vastes ailes, ni des pro-
digieuses boucles descendues du front de l'Ange jusqu'à
son front d'enfant pour que Druon, tout à subir ce qui lui
arrivait, ne vît rien de ce qui se passait autour de lui.

Car le frère bégard, comme s'il avait épuisé toutes les ressources de son éloquence exorcismique, s'était lancé dans
une péroraison à l'adresse du petit peuple d'Épinoy, lequel,
sans aucun doute, n'attendait qu'elle, n'étant venu que pour
cela : Allez et foutez, leur clamait-il, Dieu ne nous entend
pas, nous avons perdu la partie. Les fleurs de Marie ne sont
ni du Ciel ni de l'Enfer. Elles sont de la Nature, comme
nous autres. Et la Nature enferme en elle et Dieu et le
Diable et l'Amour et la Haine. Il est égal que nous fassions
ceci ou cela. Si nous allons contre la Nature, tant pis pour
nous, la Nature aura toujours le dernier mot. Si nous allons
dans le sens de la Nature, si nous nous tenons à l'écoute
de nos désirs, nous sommes sur la voie de l'accomplissement et du salut. Marie d'Épinoy est également sainte et

pécheresse. Par précaution, nous nous sommes occupés aujourd'hui de la pécheresse. À la prochaine lune, nous nous occuperons de la sainte. En attendant, juqu'au chant du coq, esbaudissez-vous. La nuit est belle et les démons se sont enfuis. Prenez leur place pendant qu'elle est chaude. *Benedicite Dominum, fratres et sorores.* Amen. Alleluia.

Là-dessus, le Bégard rectifia sa tenue, il couvrit de sa robe ses épaules et son dos ensanglantés, s'encapuchonna, se servit du crucifix de l'église comme d'un bâton et coupa à travers champs en direction du presbytère.

Alors, par couples ou par groupes, hommes, femmes et enfants, jeunes et vieux, au hasard ou sciemment, se cherchèrent, se trouvèrent, se lutinèrent, se roulèrent dans l'herbe fraîche. C'était une nuit de fin de printemps, d'une douceur veloutée, saturée de parfums, brassée des souffles de la terre. La nudité de masse exultait d'être si entière et si libre. Les heures qui restaient, avant l'aube, furent un vaste jeu, complètement débridé, de courses, de danses, d'empoignades, de bousculades, de roulades, d'étreintes forcenées, bestiales, dans une ivresse feulante, râlante et gémissante, traversée de rires, de cris, de sanglots. Toute la prairie autour de la place où reposait Marie d'Épinoy formait un espace mouvant, en proie à la houle charnelle, à la liesse des désirs accomplis. De jeunes enfants, plus ou moins oubliés ou perdus, erraient parmi les corps en transe. Sans effroi, la main sur leur sexe, ils paraissaient figurer la relève prochaine de jeunes animaux en marge du troupeau. De tous leurs yeux ils observaient les scènes insolites qui se déroulaient devant eux – lèchements, sucements, baisements, coïtements, trépidements et trémulements de chairs saoules, insatiables, revigorées de jouvence par l'excès de la jouissance. À coup sûr, si les diables s'étaient une fois évadés de la tombe de Marie, ils étaient revenus en force pour stimuler les énergies, réveiller les vieilles folies, féconder à toute allure l'imagination du désir, chez les femmes comme chez les hommes soudain transportés au plus près d'Éden.

Seul, sur le champ des batailles et triomphes d'amour, le petit Druon se tenait à l'écart. Ses femmes de compagnie et protection, Marion, Marine et les autres, et jusqu'à la petite Marianne, sa sœur de lait, s'étaient détournées de lui, et s'en étaient allées, à l'aventure des rencontres, avec leur appétit décuplé, centuplé, de caresses et de tendresses, et la fièvre qui leur brûlait le ventre. Et donc lui, le garçon, tenu par la main de son Ange et obnubilé par ses grandes ailes constamment déployées, ne voyant rien, ne comprenant rien de ce qui se passait, se contentait d'écouter le concert des rumeurs et des souffles. Et il y en avait assez pour l'émotion de la beauté. Comme d'autres, dans la profondeur reculée des temps antiques, avaient pu saisir la musique des sphères célestes, lui, debout sur la terre charnelle, attentif et en attente en l'espace de toutes les convulsions, il captait les assonances, les dissonances et les harmonies des voix triturées, déchirées et rompues, le crescendo des essoufflements, l'extase des cris. Il sentait bien une sorte de chaleur diffuse, inédite pour sa mémoire, qui montait en lui depuis le bas de son ventre, mais il ne s'y arrêtait pas. Il se tenait tout à l'oreille de ses sens et à celle de son cœur, qui lui révélaient la poignante musique de l'humanité souffrante et désirante. Jusque dans les hauteurs les plus sublimes du chant de chair de l'amour accompli, il éprouvait l'immanence de l'insatisfaction et de l'esseulement de fond et l'abîme de mélancolie qui s'ouvrait dans la beauté. Il n'était qu'un enfant, un petit orphelin sur la terre, ses yeux ne voyaient pas au-delà de son propre nez, il ne distinguait pas le spectacle des corps à l'œuvre du désir, mais à saisir la faille au plus haut des plus hautes notes, sur la ligne tout à coup brisée de la monodie, il était envahi de tristesse et de compassion. Alors, il était tout à fait incapable de convertir ce moment dépressif en invocation à Dieu, car sa religion était inculte, mais l'abondance de la pitié ravivait en lui le sentiment de perte absolue qui s'établissait jusque dans le commencement du temps. Le désir complètement fou de retrouver sa mère avait pris possession de lui. Toute sa passion se concentrait donc en l'attente de l'aube.

En effet, au premier chant du coq, un grand silence tomba sur la prairie. Les couples vautrés dans l'herbe se relevèrent, ceux qui dansaient se séparèrent, hommes et femmes, chacun de son côté, se quittèrent comme s'ils ne s'étaient jamais connus, et dans une hâte pleine de gêne et d'aversion, comme s'ils avaient honte de leur nudité. Beaucoup marchaient en cachant leur sexe avec leurs mains, à l'instar d'Adam et Ève chassés du paradis. Des enfants couraient entre les groupes, mais sans éclat joyeux de paroles ou de rires. Les tabous, transgressés et neutralisés pendant les quelques heures d'une fête exceptionnelle, ressurgissaient et se refermaient sur les corps et les âmes. Le malaise était énorme et les bonnes gens se pressaient de rentrer à la maison afin de se rhabiller et de retrouver l'ordinaire des activités. Aucune des servantes du château, ni Marion ni Marine ni les autres, ne sembla s'apercevoir de la disparition de Druon. Si elles pensèrent à lui, elles purent croire qu'il venait à la traîne parmi d'autres groupes.

Or notre Druon s'était seulement tenu dans l'ombre, à l'orée du bois qui bordait tout un côté de la prairie. Et quand il vit que plus personne n'occupait le terrain et comme l'aube grandissait dans le ciel, à présent d'un vert profond, tout en promesse d'avenir, il s'avança tout seul, gravement, dans son humble nudité d'enfant, vers le coin d'herbes fraîchement fauché où reposait sa mère. Il n'avait pas de mots avec lesquels penser consciemment, il ne formulait pas, en esprit, une prière ni à l'adresse de Dieu ni à celle de la gisante ensevelie. Il n'était mû que par l'intuition de son cœur et de ses sens, en quête du seul lieu nécessaire et en urgence de plénier repos, définitivement. C'est pourquoi il s'allongea, bras en croix, face contre terre. L'herbe était courte, mais il portait en lui-même un immense désir d'enfouissement. Il se disait que, peut-être, en pesant simplement de tout le poids de son corps léger, il s'enfoncerait très lentement et irrésistiblement dans le sol, et que, avec le temps, avec les saisons, avec la pluie,

avec la nuit, peu à peu, un nid de terre et d'herbe se creu-
serait sous son ventre et sous sa bouche et alors, à la longue,
à force de patience, de ferveur et de foi, il descendrait toujours plus bas, dans la merveilleuse humidité végétale qui
déjà fleurait si bon dans ses narines, et il finirait inévitablement par rejoindre le corps de sa mère. Elle l'attendait,
c'était certain, elle lui ouvrait les bras, elle lui offrait la
douce blancheur de ses seins, et son ventre reclos.

Mais voici, Druon s'était endormi, enfoncé non dans la
terre mais dans l'épaisseur fertile de son rêve. L'Ange, assis
auprès de lui, le protégeait de la fraîcheur matinale puis de
l'ardeur des heures les plus chaudes, si bien que l'enfant
pouvait dormir avec la candeur et l'insouciance d'un petit
animal qui a trouvé son lieu, son centre et son abri. Cependant, comme si Marie d'Épinoy, aussi vive que morte en
son bas-fond de fosse, voulait saluer amoureusement la
proximité de son fils, elle dépêcha toute son énergie, tous
ses effluves, toute sa puissance charnelle de rayonnement
parmi les racines des fleurs insolites que les faucheurs du
Bégard avaient coupées, et alors, à la vitesse du désir porté
à ses extrêmes, les tiges jaillirent de nouveau, les feuilles se
déployèrent, les corolles se formèrent et s'ouvrirent, tout à
la fois fraîches et chaleureuses, languides et pulpeuses,
mystiques et érotiques. Lorsque, vers la fin de l'après-midi,
revinrent les mêmes faucheurs, accompagnés de servantes
du château, Marion, Marine et quelques autres, à la
recherche de l'enfant perdu, tout ce petit monde put découvrir le tableau : Druon endormi, allongé tout nu sur le tumulus maternel, et les mêmes étranges fleurs que la veille,
poussées serrées contre son corps, entre ses jambes, entre
ses bras et presque dans sa bouche, en sorte que l'enfant
paraissait véritablement enfoui dans le haut parterre de
couleurs et de parfums, et son corps avait la beauté d'un
amant qui aurait traversé la terre et la mort afin de
rejoindre sa bien-aimée. Il dormait encore lorsque le
groupe s'approcha. Hommes et femmes s'agenouillèrent,
se signèrent, joignirent les mains.

À peu de temps de là, à la nouvelle lune, selon la prescription du Bégard, les faucheurs transformés en fossoyeurs revinrent sur le terrain, au lieu d'ensevelissement de Marie, cependant que, dans l'église d'Épinoy, des dalles avaient été descellées, et l'on avait aménagé une fosse destinée à recevoir le cercueil et la dépouille de Marie, parmi les défunts de la seigneurie familiale. Des cierges étaient allumés. Quelques grains d'encens grésillaient sur des charbons, au pied du grand crucifix des processions. Des rameaux de buis formaient une couronne autour de la niche occupée par la miraculeuse statue de la Vierge de la Pile. L'assemblée des fidèles attendait, parmi lesquels le groupe des servantes entourant l'enfant Druon, lequel était revêtu de ses plus beaux habits. Tout le monde était prêt pour la cérémonie d'inhumation de la dame châtelaine. On attendait l'arrivée du prêtre, suivi des fossoyeurs portant la civière.

Cependant les hommes avaient, une nouvelle fois, rasé l'étrange et sensuelle floraison qui délimitait l'emplacement du corps. Ils pensaient qu'il ne serait pas nécessaire de creuser profondément, car ils gardaient le souvenir de l'enterrement hâtif auquel ils avaient procédé. Le corps, se rappelaient-ils, avait été déposé sous une légère couche de terre, comme on fait d'un cadavre de bête dont on veut se débarrasser. Mais voici, ils creusèrent longtemps, approfondissant et élargissant une véritable fosse, dans laquelle on eût pu coucher un cavalier et sa monture. D'abord, ils ne trouvèrent rien, pas le moindre fragment d'ossement, aucune trace indiquant qu'un corps humain avait été déposé là. Mais sur l'ordre du Bégard, ils poursuivirent leur travail encore un moment. C'est alors que sur un lit de galets serrés, complètement inattendu et insolite, ils découvrirent soudain, en parfait état de fraîcheur, comme si elle venait d'être coupée, la longue et superbe chevelure de

Marie d'Épinoy, mais sans aucun vestige de la tête qui l'avait portée : elle était là seulement développée, ondulante et fastueuse, dans tout l'éclat de sa blondeur. Le Bégard ordonna de la relever délicatement, sans en brouiller les mèches, ce qui fut une opération minutieuse et difficile, et de la déposer sur la civière. Et, lui-même songeant que cette Marie, enfouie dans la terre, et par l'application de son désir, ramassé dans sa chair et dans ses os et exaucé par la grâce divine, s'était, à l'instar de la bienheureuse péche-resse Madeleine, convertie à quelque forme bizarre et sublime de sainteté, il fit parsemer de fleurs fraîchement coupées cette véritable relique, à allure de trophée de la miséricorde du Sauveur. C'est ainsi que Marie d'Épinoy fit son entrée solennelle dans la modeste église de village, qui avait été le théâtre de sa passion. On eût aimé que le sacri-lège Phallophore fût présent pour l'accueillir et l'ensevelir. Mais il s'était enfui. Il s'était lui-même muré dans le silence et l'absence, et nul ne savait en quel lieu de macération son âme poursuivait son temps d'exil terrestre.

Sur le bord de la fosse, au milieu de la nef, Druon se tenait debout. Mais lorsque le prêtre fit son entrée dans l'église, en tête du petit cortège porteur de la dépouille de Marie, l'enfant s'agenouilla. Il s'attendait, on le lui avait dit, à voir les restes de sa mère enveloppés dans un linceul, pas le corps qui avait séjourné sept ans dans la terre, mais les ossements disjoints, ramassés comme un fagot. Or ce qu'il voyait, la distinguant à peine sur les bras de l'homme qui allait la déposer sous la dalle, en lieu consacré, c'était une immense chevelure, ruisselante de reflets dorés et parse-mée de fleurs multicolores, épaisses comme des anémones de chair. Druon n'avait jamais rien contemplé d'aussi beau. Cette chevelure avait la grâce même du corps féminin maternel qu'elle aurait pu recouvrir entièrement. Au regard de l'enfant, elle vivait, respirait dans un flux incessant de lumière et d'ombre, et il lui semblait que les fleurs qui dansaient, associées au déroulement de ses longues boucles, faisaient partie de sa substance comme les souve-nirs font partie de l'âme. Cependant cette vision, qu'il devait retenir dans sa mémoire jusqu'à la fin de ses jours, fut de courte durée. La chevelure de Marie fut soigneusement étalée sur un drap et déposée dans un cercueil. Le Bégard jeta symboliquement un peu de terre aspergée d'eau bénite. Puis la dalle fut remise en place. On récita le *Miserere,* on chanta le *De profundis*, on psalmodia pour finir les litanies de la Très Sainte Vierge, et les fidèles se retirèrent, parlant entre eux à voix basse, comme il convient dans la proximité sensible de la mort. Druon marchait entre Marion, Marine et les autres. Il ignorait encore que, bientôt, il ne les verrait plus.

Quelques jours plus tard, en effet, le Bégard le convoqua au presbytère. Druon avait maintenant sept ans. Il accédait à un autre étage de sa vie. Le prêtre, curé du village et desservant du château, le reconnaissait à présent comme son seigneur et maître. Il fit asseoir l'enfant et se tint lui-même debout, dans une attitude de respect convenu, mais en vrai bégard que le rang social n'impressionnait pas, il l'appela par son nom, sans façon, et le tutoya.

« Druon, lui dit-il, tu n'es plus un enfant. Ton père, j'entends l'époux de ta mère, s'en est allé si loin, et bien avant que tu fusses conçu, que nous pouvons compter pour sûr qu'il ne reviendra plus. En conséquence, c'est toi qui vas désormais régner sur les terres de ta baronnie, sur tes biens et sur tes gens. Voilà sept ans que j'administre ton domaine. Je te mettrai au courant de ma gestion et te ferai connaître tout ce qui t'appartient. Je t'éduquerai à tenir ton rôle de seigneur. Et lorsque tu seras parvenu à l'âge de seize ans, si Dieu me tient en vie jusque-là, je te remettrai, avec l'accord de tes vassaux, les pleins pouvoirs. À toi de les exercer avec piété, sagesse et loyauté.

« Avec la grâce de Dieu, nous avons neuf ans devant nous pour préparer ton avènement. Ce n'est pas trop de temps. Car le chemin qui doit te mener au pouvoir est une voie étroite, rigoureuse, difficile, comme un fil qui serait tendu entre les renoncements de la sainteté et la satisfaction perverse de tous les désirs. Mener une vie qui assure le salut de ton âme en même temps que la prospérité de ton lignage est une entreprise quasiment impossible. Tu devras cependant t'y engager.

« Et pour commencer, dès aujourd'hui, tu quitteras le domaine des femmes et viendras t'installer chez les hommes. En outre, chaque matin, tu assisteras à la première messe, non dans la chapelle du château, héritage d'un luxe condamnable, mais dans cette église du Pied-de-la-Pile. À la sortie de la messe, tu viendras chez moi, ici même, et je t'enseignerai la lecture, l'écriture, le calcul ainsi que les fondements de notre sainte religion. Tu mèneras la vie d'un garçon parmi les garçons. Tu oublieras qu'il y a des femmes. Ton corps n'appartiendra qu'à toi-même et tu protègeras ta pudeur, avec l'aide de Dieu. Lorsque tu seras dans ta douzième année, des écuyers s'occuperont de toi. Ils t'enseigneront l'art et les vertus de la chevalerie. Enfin, le temps venu, et si Dieu le veut, tu règneras en seigneur et maître sur les terres d'Épinoy et tu te montreras le digne fils de ton père – j'entends ton père selon la loi, que la croisade a englouti. Va donc, et cesse de regarder derrière toi. »

La première année se passa ainsi : chaque nuit, avant de s'endormir, Druon sentait sa gorge se nouer et les larmes affluer. Elles ruisselaient sur son visage, charriant tout à la fois amertume et douceur avec le souvenir d'une peine infinie. Roulé dans sa couverture, le nez enfoncé dans la botte de paille qui lui servait d'oreiller, perdu, égaré parmi les autres garçons, il respirait la forte odeur d'herbes sèches et de tiges que le soleil avait remplies de chaleur avant la moisson. De cette lourdeur de senteurs où son cœur se tenait immergé, montait à lui, en absence et en présence, la sensible épaisseur de ces corps féminins qui avaient jusqu'alors composé l'essentiel de son univers. À bout de bras, ses mains s'ouvraient et se fermaient, à la recherche d'une douceur qu'elles ne rencontraient pas. Sa bouche appelait, pour s'y poser, des visages, des rondeurs d'épaule, des courbes de gorge, mais il lui fallait entrer dans les rêves du sommeil et leurs illusions pour y trouver sa satisfaction de bête désirante et folle. Druon évoquait, dans sa solitude, tout le bouquet lié de toutes les mères qui s'étaient penchées sur lui, l'avaient nourri, l'avaient embrassé, lui avaient flatté la joue et tenu la main, l'avaient déshabillé, avaient lavé son corps et l'avaient caressé. Il éprouvait, sensiblement, que tout son être avait été modelé par les femmes, et que lui-même n'était, entièrement, qu'une excroissance de féminité, adhérant, par toutes ses fibres, à la chair des origines. Et il n'avait pas de désir plus certain, encore qu'absolument secret, que de revenir à son lieu primitif et s'établir à jamais dans un giron sans ouverture, sans échappatoire. Aussi, à l'aube, quand il fallait se lever et affronter, une fois de plus, la vacuité d'un nouveau jour, l'enfant n'avait pas encore séché ses larmes : elles traçaient leurs macules dans la crasse de la veille et il avait l'air pitoyable d'un animal abandonné.

Les garçons étaient bruyants, agités, impulsifs, débordants d'énergie, toujours prêts à se mesurer entre eux, à qui serait le plus fort, le plus adroit, le plus endurant. La vie de chaque jour, à travers les jeux, les repas, les exercices corporels plus ou moins dirigés, avait l'allure d'une compétition permanente. Tous ces enfants étaient des fils des gens d'armes qui tenaient garnison dans le château. Mais il y avait aussi des manants, fils de laboureurs, de forgerons, de charpentiers. Druon ne jouissait, parmi eux, d'aucun privilège particulier. Ses camarades ignoraient le rang social auquel il appartenait et les promesses héréditaires qui lui ouvraient l'avenir. On savait seulement qu'il était orphelin, mais ce caractère n'attendrissait personne. Au contraire, l'absence de père apparaissait plutôt comme une tare et désignait le petit Druon comme une victime de choix aussi longtemps qu'il ne s'imposerait pas par sa force physique ou sa capacité d'astuce ou encore par son pouvoir de les porter au rêve et de leur faire partager les constructions de son imagination.

Les garçons engageaient beaucoup de violence dans leurs jeux, beaucoup de brutalité dans leurs rapports. Ils se battaient sauvagement. Ils plaçaient leurs coups et forçaient leurs prises de façon à faire mal. Mais aussi la manière dont le vaincu endurait la douleur pouvait soulever l'admiration du public pour le moins aussi bien que l'évidence de la victoire. C'était donc des combats corps à corps, des simulacres de tournois, des embuscades féroces, tout cela inspiré par les récits de croisades. La troupe se répartissait entre chrétiens et sarrazins et ne faisait pas de quartier. D'autres fois, lâchés dans la campagne comme une horde de poulains sauvages, les enfants se ruaient sur les obstacles naturels, franchissant les haies, les rivières, escaladant les talus, secouant les arbres fruitiers ou grimpant dans les hautes branches à la recherche des nids. Ils affectionnaient les expéditions de rapine autour des chaumières et sur les lopins de terre que cultivaient les plus pauvres manants. Ils posaient des pièges à oiseaux. Ils se déguisaient en diables et en bandits et voulaient effrayer les filles et les capturer, à seule fin de les trousser. Druon qui gardait en mémoire les paroles du Bégard et prenait pour un ordre exprès de Dieu l'interdit de la promiscuité féminine, s'efforçait de s'abstenir de ces courses aux filles dont tous les garçons étaient de fervents amateurs. Ses camarades sentaient ses réticences et jugeaient ironiquement de sa chatouilleuse pudeur. Ce fut, dans les premiers temps, un véritable motif de persécution et de brimade. Les garçons voulaient voir ce qu'il cachait dans ses chausses et s'il était fait comme tout le monde. Maintes fois, ils cherchèrent à lui arracher ses vêtements et à tâter le bas de son ventre. Mais comme il fallait bien que cette histoire commençât à devenir une sainte histoire pour la plume des hagiographes, on devra admettre que l'Ange gardien se mêla de sauver ce qui devait être sauvé. Jamais les garnements ne purent arriver à leurs fins. Au dernier moment, quand le vêtement malmené allait choir sur les pieds de l'enfant et dévoiler sa nudité, un événement infime, l'une de ces circonstances purement fortuites qui empêchent le monde de tourner jusqu'au bout, survenait et signait l'échec des tentatives malpropres. Il restait cependant, au cœur de Druon, le trouble d'une lutte incertaine et une agitation de curiosité et de sensualité qui ne se dissipaient pas légèrement.

Et il en allait aussi de la même façon lorsque la petite troupe ardente et piaffante se portait sur les lieux où s'accouplaient les bestiaux : taureaux et vaches, étalons et juments, verrats et truies. Le groupe des enfants, mêlé à celui des hommes, assistait au spectacle. Les yeux se fixaient, grands ouverts, sur la magnificence des sexes, la puissance des mâles, la brutalité de la saillie. Mais Druon arrivait toujours le dernier, loin derrière les autres, et lorsque, la fête achevée, les animaux s'étaient disjoints et allaient à leur mangeaille comme s'ils ne s'étaient jamais connus. Là encore, l'Ange gardien s'était mis sur le chemin, l'enfant s'était trouvé distrait, interrompu dans son élan et comme interdit d'image et d'émotion.

Enfin, la nuit, dans la chambrée, sous les toits, il arrivait régulièrement que les garçons, les plus grands, fissent démonstration de leur sexe, en grande publicité d'érection, masturbation, éjaculation, sous le regard admiratif des plus jeunes. Mais l'Ange avait rabattu la couverture sur le visage de son protégé et celui-ci ne voyait rien, n'entendait rien. Il était absorbé dans sa rêverie – non dans une méditation pieuse, comme ont pu le penser les hagiographes, mais dans un vagabondage de la mémoire partie cueillir les ombres de pure féminité, sensible mais asexuée. Tout enveloppé de douceur lointaine, Druon échappait à la triviale réalité qui l'entourait. Il restait vierge, intact, inconscient de la malice des êtres. Et son Ange se montrait assez bon pédagogue pour le laisser gamberger parmi des évanescences de femmes, sans risque imminent pour sa vertu, plutôt que de le rappeler sans arrêt à la conscience d'une vocation spirituelle qui n'avait pas encore percé en lui. Ne pressons pas le temps, semblait songer l'Ange gardien. Que son cœur soit en paix avant l'orage des pensées lourdes, et que son corps fleurisse en grâce, à l'écart des turpitudes enfantines. Ce sursis devant la vie restera chose acquise, quoi qu'il arrive plus tard. Et le bon Ange croisait ses ailes par-devant le tendre phallus qui ne se hâtait pas de mûrir. Il lui faisait un abri, comme d'une voûte, comme d'une ogive protectrice, comme d'une miniature de cathédrale parfaitement close, autour et au-dessus de son hôte inatteignable. Pendant ce temps, à vrai dire dans un autre temps et comme dans un autre espace, purement extérieur et sans point de contact avec la bulle cristalline de Druon, les garçons s'adonnaient à leurs exhibitions et faisaient leur apprentissage de la véhémence dans un concert de halètements, de grognements, de rugissements.

Très rapidement, la rencontre quotidienne avec le Bégard fut, pour Druon, le moment de plénitude qui compensait sans mesure les violences, les acharnements et la surexcitation propres à la compagnie des garçons : une extraordinaire ouverture à un autre monde, celui des idées, de la réflexion, de la science, du recueillement et de l'intériorité et aussi, peu à peu, du dialogue des esprits et des sensibilités. Là, à coup sûr, le privilège du rang social débouchait sur une réalité d'un ordre sans commune mesure ni avec l'ordinaire d'une vie d'enfant ni avec les ambitions stagnant en puissance dans les appétits de futurs chevaliers. Les prétentions à la seule dépense physique et à l'action étaient tenues en marge et le jeune être accédait, avec toute sa fraîcheur d'attente et de désir, aux premières découvertes de la connaissance pure, hors de toute considération utilitaire et de toute expérience matérielle. Il s'opérait un passage à l'abstraction, à l'idéalité fondamentale du savoir, et c'était comme une nouvelle respiration, la vraie, celle de l'esprit porté, de son propre mouvement, à conquérir son envergure.

Druon commença d'abord par apprendre à servir la messe. Chaque matin, à la première heure du jour, il se rendait à

l'église de la Pile et accompagnait à l'autel le prêtre bégard.
Celui-ci officiait en latin, mais il s'arrêtait, à tout moment,
pour indiquer à l'enfant, dans le dialecte du pays, les gestes
qu'il devait faire pour que la célébration fût correctement
assistée. L'enfant regardait le prêtre intensément, sans
jamais relâcher son attention. Très rapidement, il retint
l'enchaînement des séquences en quoi consistait le déroulement du rite, et il intervenait à point, sans qu'il fût besoin
de lui adresser un signe. Il était conscient, à l'extrême,
d'être associé à une opération très étrange, très mystérieuse, qui ne ressemblait en rien aux activités utiles de la
vie. Il ne se sentait investi d'aucun pouvoir, d'aucune supériorité personnelle – il n'était que le servant – mais en
même temps, il lui semblait qu'il était reconnu pour une
qualité d'humanité qu'il portait en lui et par laquelle il pouvait se tenir au plus près du prêtre, comme un fils sur la
voie de devenir un disciple. Et cette impression gagna du
terrain en lui, dès lors que le Bégard commença à lui expliquer tout le sens de la liturgie. Ce fut, au début, la matière
même de l'enseignement. Le prêtre apporta à la maison le
grand missel d'autel. Il le fit toucher à l'enfant, il lui fit tourner les pages. C'était la première fois que Druon tenait un
livre ouvert sous ses yeux et sous sa main. L'étrangeté de
l'objet le fascinait. Il ne se lassait pas de scruter les enluminures et de suivre du doigt les lignes serrées du texte,
disposées comme des blocs et ornements d'édifice. Il éprouvait, à effleurer les pages, un plaisir sensible qui ne se limi-
tait pas au toucher, mais qui lui faisait battre le cœur et le
remplissait d'une joie toute proche de la jouissance. Il savait
aussi que cette multitude infinie de signes qui couvrait
chaque page comme d'une grille renvoyait à une parole
pleine de sens, à laquelle le prêtre avait immédiatement
accès, mais qui se dressait au regard de l'enfant comme
une forme impénétrable, radicalement mutique. Aussi le
désir se leva-t-il, en lui, avec la force d'une aspiration totale
et véhémente, d'entrer dans le système et les combinaisons
de l'écriture, d'apprendre à lire, à comprendre et à savoir.
Dans l'instant de cet éveil de son esprit au monde des mots

et des idées, Druon, campé devant le livre, sur la pointe de ses sept ans, saisissait l'évidence d'un élargissement et approfondissement de son âme, que lui assurait le passage par le texte : la chance d'une ouverture sans réserve, multipliant à l'infini sa chétive expérience du monde, le faisait trembler d'impatience.

Le frère bégard lui apprit donc à reconnaître dans les mots les lettres de l'alphabet. Il lui montra le *a* dans *agnus*, *angelus*, *amicus* et le *b* dans *beatus*, *Bethleem*, *obscuritas* et, de la sorte, toutes les lettres et toutes les syllabes, et ensuite, des mots, retenus pour la prédilection de leur sens : *Deus* et *diabolus*, *cœlum* et *terra*, *aqua* et *ignis*, *lux* et *tenebræ*, *Maria* et *Christus*, *culpa* et *gratia*... L'apprentissage eût pu être fastidieux et interminable, mais il avait le caractère d'un jeu de découverte et de devinette et l'enfant allait très vite, de trouvaille en trouvaille. Il apprit bientôt à écrire les mots qu'il déchiffrait, s'appliquant à user correctement du stylet et de la tablette. Mais pour lui, le plus grand plaisir était moins de lire et écrire que d'écouter les commentaires improvisés du Bégard par lesquels il justifiait le choix des mots qu'il avait retenus. Une oreille exercée à distinguer la note d'hérésie dans le concert d'orthodoxie eût été souvent malmenée et même écorchée vive par les propos que le prêtre tenait à l'enfant. Excité par son propre discours, le maître de lecture, mêlait à la Parole sainte les fabulations qu'il semblait inventer sur-le-champ. Ainsi, par exemple, réunissant en une même pensée les mots *Maria, mater* et *materia*, il disait, à l'adresse de Druon : Rappelle-toi bien que Marie n'a pu être ta mère que parce qu'elle fut d'abord la Mère de Jésus. Marie n'existe que par son ventre qui est la matrice universelle où sont procréées toutes les formes de la vie. *Matrix* et *meretrix* : cela veut dire que Marie, en tant que matrice, est l'éternelle putain qui enfante des œuvres de Dieu, comme de celles du Diable ou des autres anges ou encore des éléments constitutifs de la matière : l'eau et la terre, l'air et le feu. Dans la matrice de Marie, la matière jouit de ses compositions. Tout peut arriver. La graine des saints est mêlée à celle des monstres, celle des empereurs à celle des esclaves. Dans la jouissance, qui est toute l'occupation de son être, Marie est prise de tremblements et de soubresauts, son ventre est secoué, les graines sont agitées comme celles que tu as pu entendre dans des courges séchées. Mais les courges sont mortes, tandis que Marie est l'éternelle Mère de toute vie. Ta mère portait le nom de Marie. Elle a commis tellement de péchés que la Vierge de la Pile s'est mise à saigner. Le sang a coulé par où ta mère avait péché, comprends bien cela. Et toi, tu es l'enfant du péché. L'enfant maudit. Transformer la malédiction en bénédiction, voilà ton destin, si tu as le courage de suivre ta voie. À présent, cherche-moi le mot *benedictus*. – Et le travail se poursuivait, engrené dans la parole des significations aberrantes.

Après que Druon fut familiarisé avec la quête des mots, le Bégard lui apprit à déchiffrer des phrases entières, toujours cueillies dans le grand missel, en accord avec le déroulement cyclique du temps liturgique. Druon lisait à haute voix, balançant rythmiquement tête et buste, suivant d'un doigt appliqué la succession des lignes dans le livre. Le Bégard, au début, traduisait le texte, au fil des phrases, mais plus tard, vers neuf ou dix ans, lorsqu'il eut assimilé principes et règles de grammaire, déclinaisons et conjugaisons et qu'il eut acquis un assez vaste vocabulaire, Druon en vint à lire couramment, et le sens des textes s'imposa à son esprit sans qu'il eût à passer par une opération formelle de traduction. L'aisance avec laquelle sa pensée se déployait dans la langue latine lui permettait enfin de goûter la beauté des écrits liturgiques et par là même de s'accorder aux sentiments véhiculés par la prière. Il intériorisa, il respira intimement, toute la charge d'émotion liée aux grands moments des célébrations. Il comprit, ou du moins il sentit, obscurément mais fortement, que les moments d'immersion dans la spiritualité du culte augmentaient à l'infini les expériences dont son cœur s'était nourri jusque-là en silence et en secret. Ainsi la ferveur d'attente qui culminait pendant les semaines de l'Avent : attente d'un événement qui serait un avènement, attente d'une rencontre, attente d'une lumière qui lui révélerait le mystère de ses origines et le chemin qu'il devrait prendre pour s'accomplir soi-même selon la volonté de Dieu. Une telle interrogation sur l'être et sur la destinée le portait à des limites au-dessus de son âge. Mais ce n'était pas lui qui pensait, c'était la chrétienté tout entière qui avait inscrit dans les textes et dans l'ordre des textes toute son ardeur d'espérance et son invocation au changement, au renouveau de la terre et de l'humanité – à quoi la fête de Noël donnerait sa réponse. L'enfant qui ne comprenait pas ce qu'il était dans le monde ni ce qui lui était arrivé depuis le commencement, entrevoyait dans la succession régulière et circulaire du temps liturgique un modèle de croissance des sentiments humains, car chaque année il retrouverait les mêmes points forts, les mêmes points d'articulation des célébrations, les moments de la douleur et ceux de la joie, le recueillement de l'attente et la récolte des bénédictions et ainsi, à suivre la voie réglée de la prière collective, la vie de Druon, comme celle de n'importe quel chrétien, serait pleine de sens et ne tarirait pas.

Ainsi l'initiation à la lecture était une introduction à la culture chrétienne et la préparation élémentaire à une expérience intérieure qui pourrait peut-être, un jour, suffire à remplir la vie. En attendant, et très tôt dans le programme conçu par le frère bégard, elle s'enrichissait considérablement par l'apprentissage du chant. Les hymnes, les cantiques, les psaumes, les parties chantées des messes solennelles, l'enfant s'y exerçait avec bonheur, avec surtout le sentiment d'entrer physiquement dans une prière plus haute, plus vaste et plus belle. Le chant laissait filtrer une qualité de sens qui excédait largement les mots du texte. Et accordé au rythme de la respiration, et tout chargé de la chaleur et de la pression du souffle, il s'offrait comme la voie d'une piété charnelle en même temps que la tension continue des notes supérieures opérait un passage vers la pure idéalité de l'esprit. C'était ce que le frère bégard s'ingéniait à faire sentir à son élève. Il l'interrogeait, une fois achevé l'exercice, sur les sensations qu'il avait éprouvées

dans son ventre, dans sa poitrine, dans sa gorge et sa
bouche, et il lui apprenait à se mettre à l'écoute de son
corps. Il faisait jaillir jusqu'à l'évidence la relation qui s'établissait entre le mystère de la voix, dans le chant, et la profondeur de sens du texte. Tout cela, pour conclure, de façon
maintes fois répétée, que la prière des humains l'emporte
sur la prière des anges, dans le cœur de Dieu, parce que le
chant la tire du fond du cloaque physique, la purifie, la dis-
tille en quintessence de verbe et porte sa signification jusqu'à l'ineffable, que Dieu est seul à entendre. Par comparaison, la prière des anges est exempte de secret, elle n'a
pas de rapport avec le temps, elle est immédiatement et
totalement transparente et n'exprime pas autre chose que
l'extase d'une virginité sans histoire. Dieu, disait le Bégard,
s'ennuie dans la compagnie des anges. C'est pourquoi il est
venu parmi nous. La rédemption du genre humain n'était
qu'un prétexte, une couverture pour son divertissement.
En vérité, je te le dis, Druon, Dieu affectionne la saleté, la
puanteur, la décomposition, la misère, la douleur. C'est
pourquoi il n'est rien de tel que l'exhibition massive du
péché pour le faire descendre jusqu'à nous. J'ai souvent
pensé que le règne de l'Esprit commencera le jour où l'humanité tout entière – tous les humains sans exception – se
mettra à forniquer sous le soleil et sous la lune, contre la
nature et contre les lois : vingt-quatre heures de la vie du
monde occupées uniquement à la luxure, sans autre idée ce
jour-là, sans autre raison, sans autre activité que le plaisir
sans cesse recommencé, de l'Orient à l'Occident, du Septentrion au Midi, toute la masse humaine entrée en jouissance, dans l'apothéose du péché. Alors l'Esprit ne pourrit
plus nous faire attendre. Il se précipiterait sur nous du fond
de l'empyrée et couvrirait la terre entière de ses ailes salu-
taires. Alors son règne pourrait commencer. Les humains,
purgés de leur désir, se souviendraient qu'ils ont une âme
spirituelle et immortelle et ils se détacheraient de tout pour
la cultiver enfin. – Ainsi s'éclairait pour l'esprit de Druon,
le sens des processions et cérémonies bizarres auxquelles
il avait assisté – dont il n'avait pour ainsi dire rien vu, tant

son Ange gardien lui voilait la face, mais dont il entendait parler les garçons, avec leurs gestes obscurs, leurs grimaces, leurs contorsions, leurs glapissements. Quand il pensait à eux, Druon reconnaissait à quel point il était privilégié d'avoir accès à un monde différent et de pouvoir entrer dans la familiarité du Bégard : progressivement son expérience de la vie, débile et infantile, se doublait d'une expérience intérieure qui lui révélait le sens des choses, des événements et des êtres tout autour de lui et très antérieurement, dans le passé des commencements humains et chrétiens. Même les conceptions les plus ténébreuses du Bégard et ses discours les plus hermétiques lui dispensaient une lumière d'esprit qui fortifiait son désir de vivre et de connaître. Aussi lorsqu'il quittait la maison du prêtre et se retrouvait parmi les garçons dans la cour du château fort, son âme était immédiatement mise à mal, mais, immédiatement aussi, elle puisait en elle-même toute l'énergie nécessaire pour grandir et s'affermir sans se trahir. Druon, disent les hagiographes, entendait bien qu'il était destiné au pouvoir temporel, mais il aspirait bien au-delà. Le Bégard exerçait sur lui la fascination d'un modèle à lui seul réservé.

Dans le cours de sa dixième année, Druon atteignit un nouveau palier dans son initiation à la culture de l'esprit et à la connaissance des sentiments humains. Le Bégard lui mit entre les mains un magnifique ouvrage, impeccablement calligraphié et orné des enluminures les plus singulières que l'enfant eut jamais vues : griffons et sirènes, fleurs inédites et fruits inconnus, oiseaux de paradis, paons et phénix, volutes, torsades, entrelacs, jeunes filles nues parmi les vignes, licornes agenouillées, anges balançant des encensoirs : c'était le Psautier du saint roi David, sur les folios duquel des moines artistes avaient libéré leurs rêves de formes. Et le jeune garçon, lui-même bien plus sage et plus convenu que les images des frères graphistes, entrait avec infiniment de curiosité dans le parfait recueil de toutes les prières possibles. Il y en avait pour l'invocation, l'imploration, la douleur, la jubilation, la glorification de Dieu et l'humiliation du pécheur. L'enfant tenait ouvert sous son regard et étendu sous sa main, le livre foisonnant de toute la richesse des sentiments humains et, par là, il apprenait à sentir, à éprouver; et il tendait en lui-même les cordes vibrantes de son cœur, toujours ardent à s'élever au-dessus des impressions modestes de la vie et à s'élargir en horizons d'effusions et de nostalgies. Une telle lecture était exigeante pour ses capacités et le tenait constamment au-dessus de lui-même, mais sans jamais le rebuter ni le décourager. Au contraire, à mesure qu'il progressait dans le livre, la force intime de son intelligence appliquée à la sphère des choses divines ne cessait de grandir en acuité et perspicacité, si bien qu'il se haussait, comme sur la pointe des pieds, au niveau d'échange et de discussion avec son maître Bégard. Le sens du texte l'illuminait au point que la vieille prière des Hébreux devenait sa propre prière. Dans l'innocence perdurable qui était comme la respiration de tout son être, une maturation précoce s'opérait dans toutes les facultés de l'enfant et assurait le lien de confiance qui l'attachait au sacerdote – le seul interlocuteur à occuper l'espace où commençait à se mouvoir son esprit.

Le moment vint, c'était la Semaine sainte, où le prêtre initia l'enfant à la lecture des psaumes de la pénitence. Druon apprit par cœur les vingt et un versets du *Miserere mei Deus, secundum magnam misericordiam tuam*. « Aie pitié de moi, mon Dieu, selon ta grande miséricorde. » (Psaume 50.) Et comme le Bégard, du plus haut de son éminence d'homme, de prêtre illuminé et de savant, se jetait dans un commentaire tout spécialement approprié à la personne de Druon, celui-ci associait sa propre méditation ou rumination de honte et de contrition tout à la fois au chant intemporel du roi David et à la parole de son maître qui lui déchirait l'âme jusque dans son corps. Car le Bégard lui disait : Tu n'auras jamais trop raison, pauvre Druon, d'implorer le Seigneur et de t'humilier. Je ne connais pas d'enfant qui soit plus grand pécheur que toi. Tu vis dans une illusion de pureté qui t'empêche de voir le mal que tu portes en toi. Tu te crois meilleur que les autres parce que tu ne cherches pas à trousser les filles, et aussi parce que tu sers

la messe et que j'ai l'air de t'aimer comme si tu étais mon
fils – Dieu me garde de faire un enfant, il y a assez de
pécheurs sur terre! Mais je te dis, Druon, les péchés des
autres, les péchés des garçons entre eux, ce n'est presque
rien comparé à celui que tu as commis et dont tu ne t'es
jamais inquiété. J'ai écouté tes confessions, tu n'avais pas
grand-chose à dire. Tu étais tout transparent, presque pas
de mensonges, aucune vanité, rien d'impudique, un vrai
petit saint de la pleine lune, tombé du ciel avec la rosée, si
pur, si limpide, si vide et si léger que tu ne soupçonnes pas
l'énormité de ténèbre pécheresse qui remplit ton âme, qui
te remplit tout entier au point de te rendre aveugle sur toi-
même. Allons, réfléchis un peu, recueille-toi sur ton
cloaque au-dedans, tu finiras bien par m'avouer ce que tu
caches et qui va t'empoisonner si tu ne dis rien. Tu comprends bien qu'il ne suffit pas de chanter à l'adresse du Bon
Dieu: *Amplius lava me ab iniquitate mea, et a peccata meo
munda me.* « Lave-moi complètement de ma malice, et
purifie-moi de mon péché. » (Psaume 50.) Il faut que tu
t'humilies jusqu'au fond de ton âme, que tu nommes ton
péché et que tu l'offres au Seigneur comme une crotte
énorme que tu porterais dans tes mains. Dieu connaît ton
péché, de toute éternité; il avait son regard sur toi lorsque
tu l'as commis. À présent, il veut ta honte et ta confusion et
que tu te prosternes devant lui avec le nom de ta merde
dans la bouche.

Druon écoutait le prêtre. Il avait la gorge nouée, les yeux
pleins de larmes. Il tremblait debout devant son pupitre et
ses jambes flageolaient. Mais il ne comprenait pas ce qui lui
était demandé. Le Bégard aussi était debout et il pointait
son index en direction du garçon, entre les yeux, en plein
front, comme un dard qui allait le tuer. Mais après un lourd
moment de silence, le maître de lecture et maître des idées
et maître de vie et de mort passa à un autre sujet. Cependant, entre l'homme et l'enfant le lien ne cessait de se resserrer, comme si la douleur était plus nécessaire que la joie
pour approfondir le cœur.

Mon pauvre Druon, lui disait encore le Bégard, comment peux-tu réunir en toi tant d'innocence et tant d'ignominie ? Il n'est pas de garçon de ton âge qui n'ait déjà abusé de son corps dans le goût du plaisir. Mais toi, tu restes à l'écart de cette perversion. Tu ne t'es même jamais regardé et tu ne montres pas aux autres comment tu es fait. Il est vrai que tu es encore bien jeune et que la curiosité ne te démange pas. Tu récites convenablement tes prières. Tu restes modeste en toute chose. Tu n'as pas de plus grande ambition que de passer inaperçu. Tu pourrais bien devenir un saint, si tu continuais de ce pas jusqu'au bout de ta vie. Mais faut-il que tu aies une taie dans l'œil de ton cœur pour ne pas voir à quel point tu es pourri à la racine, depuis le commencement de ton histoire et l'apparition de ton être en ce bas monde. Et note bien qu'il ne s'agit pas du péché originel, qui nous est commun, mais d'un mal particulier qui n'appartient qu'à toi.

Druon tournait dans sa mémoire comme un animal en cage. Il passait en revue ses vétilles de péchés véniels. Il ne trouvait rien de grandiose à avouer. Certes, il était loin de se voir chrétiennement parfait et, pour avoir si souvent écouté la prédication du Bégard, il avait quelquefois l'impression de sentir physiquement la présence du mal en lui. Il la sentait dans sa gorge, dans sa poitrine, dans son ventre, mêlée à la vie de son corps, à la tension et à la rumeur de ses organes. En pleine santé d'enfance, et sans jamais avoir connu aucun tumulte de désir, mais simplement suggestionné par la parole du prêtre, il éprouvait le malheur d'être fait de chair et de porter cette lourdeur, cette opacité, cette médiocrité, et par là d'être tenu à la terre au lieu de s'élever vers le ciel. Mais cette incapacité, qui le différenciait radicalement de son bel Ange gardien, appartenait à sa nature, il ne l'avait pas choisie, tout au plus pouvait-il la réduire par l'austérité de sa vie et par la prière. Mais s'il avait bien conscience d'être un pécheur comme tout un chacun, il ne découvrait en lui-même aucune faute particulière répondant au jugement sans équivoque que le Bégard portait sur son compte.

Or de plus en plus souvent, toujours à propos d'un mot ou d'un passage saisi dans la lecture, le maître tournoyait autour de l'enfant, le harcelait, le piquait au vif, le précipitant dans un abîme d'inquiétude et d'angoisse. Ainsi, comme Druon lisait : *Et anxiatus est super me spiritus meus,/in me turbatum est cor meum.* « Mon souffle s'est raréfié en moi,/en moi mon cœur est bouleversé. » (Psaume 142.), le Bégard l'interrompit d'un geste : comprends-tu mon ami, que tu es en train de lire ce qui se prépare en toi ? Le psaume est en avance sur ton heure. Même si, en ce moment, ton cœur est déjà bouleversé, ce n'est encore rien au regard de ce qui t'attend, lorsque tu auras enfin compris le mal que tu as apporté avec toi sur terre. Ton souffle ne sera pas seulement raréfié à la dernière extrémité. Il ne sortira plus de ta gorge autrement que par le cri, par le râle et le sanglot. Tu te verras, tu t'entendras tel que tu seras quand tu seras damné. Exactement le même, avec une griffe qui t'arrachera le cœur et un crochet qui extirpera tes entrailles et le goût de la merde mêlé au goût du sang dans ta bouche. Tu entendras le vent siffler dans tes oreilles : qu'as-tu fait, Druon, qu'as-tu fait au commencement ? Mais moi qui suis ici comme ton père, je te dis : Rentre en toi-même, scrute la nuit de ta mémoire, remonte le temps jusqu'à ce que la ténèbre t'ait délivré sa lumière. Déjà je prie pour toi afin que le repentir s'empare de ton âme et la dirige selon la voie du Seigneur. Car vois-tu, il est des péchés tellement superbes et des fautes si merveilleusement accordées au désir, que l'homme les aime plus que lui-même et plus que son salut. Celui-là ne se repentira jamais. Il est perdu : *Quia vana salus hominis.* « Car néant, le salut de l'homme. » (Psaume 107.)

Il lui disait aussi : Tous les autres enfants, venant au monde, ont apporté la vie, pour le meilleur et pour le pire – le pire surtout, par la perpétuation de l'ordre du péché. Mais toi, pauvre Druon, tu es né de la mort et tu as apporté la mort avec toi.

Le baptême ne t'a pas lavé, disait-il, une autre fois. Il y a en toi quelque chose qui sent mauvais, un principe d'infection, un point de gangrène qui se développe au fond de toi-même, à l'abri de tes formes pleines et de tes avis de beau garçon. Quand tu auras vidé la poche, la dernière et toute secrète, de ton âme enfantine, je te baptiserai de nouveau. Il faut que le baptême soit administré à des êtres conscients, capables de mesurer tout le mal qu'ils portent en eux. Je t'assure, Druon, que tu n'es pas aussi pur que tu en as l'air. Et aussi longtemps que tu vivras dans l'aveuglement et l'hypocrisie, tu n'entreprendras rien de grand, tu resteras médiocre dans la médiocrité. Allons, mon garçon, *sursum corda*, aie la force et le courage de regarder en face.

Or, de jour en jour, en présence du Bégard, mais plus encore en son absence, dans les rares moments de solitude qui lui étaient donnés, par exemple la nuit, avant de s'endormir, Druon éprouvait la pesanteur grandissante de son angoisse et de son amertume. Il voyait bien qu'il ne coïncidait pas exactement avec l'image que le prêtre avait de lui et à laquelle il eût voulu s'ajuster, car son maître de lecture avait toujours raison en toute chose. Il y avait un écart – mais de quoi était-il fait ? – entre le regard du prêtre sur l'enfant et celui de l'enfant sur lui-même. Aussi, dans sa prière, suppliait-il Dieu de lui révéler toute l'horreur qui se cachait derrière son masque de pureté. Alors, songeait-il, le Bégard, son père plus que jamais, pourrait l'aimer pour ce qu'il était, pour sa vérité, c'est-à-dire pour son infamie. Seigneur, priait-il, faites que ma méchanceté apparaisse clairement, afin que celui qui m'aime s'attache à moi sans erreur et sans illusion. Et il chargeait son Ange gardien de porter sa prière à Dieu car le Bégard lui avait enseigné que lui, Druon, était tellement nul et inaudible devant Dieu, que seul un messager, étranger à la terre, pouvait se charger de répéter ses paroles à l'adresse du Très-Haut. Les humains ne sont rien, tant qu'ils ne sont pas passés par le creuset du repentir et de la régénération.

Et donc, de plus en plus, Druon se tenait dans l'ombre et dans les lieux sans grandeur et dans ceux que l'on évite de fréquenter – à l'écart de la troupe aux joyeux devis et aux récréations turbulentes. Il avait le cœur encombré d'un vide pesant, écrasant. Il aurait voulu croiser une femme au détour d'un chemin, une de celles qui s'étaient si bien occupées de lui, dans les premiers temps. Il lui semblait que même sans parler, simplement à retrouver la douceur de son visage et la bonne odeur de son giron, il eût été soulagé de l'écrasante mélancolie qui l'occupait. En même temps, il lui arrivait de comprendre que la loi du Bégard, si cruelle qu'elle fût de l'avoir arraché aux mains des femmes, lui apportait la chance, entre toutes, d'être constamment contraint à l'effort, à la tension personnelle, à la volonté coûteuse, afin de devenir, seul, l'homme dont il portait le germe, en soi-même, en le lieu reculé de son être où les rêves se changent en désirs et où les désirs aspirent à la vérité. Mais la douceur, songeait-il, jusqu'à quand pourrait-il s'en passer ? Sa main se posait sur la pierre sans toucher la mousse. Il cherchait des fruits mais ramassait des épines. Quand il se penchait sur les fleurs, dans un grand désir de mellifluence et de suavité, elles se changeaient en orties et en chardons. Son Ange l'accompagnait. Quand des éclats de rire annonçaient un groupe de femmes, il entourait l'enfant de la double rangée de ses ailes : Druon entendait des cascades balancer des clochettes de cristal. Il passait. Il n'avait vu personne. Il était seul avec son cœur qui s'agitait comme une poignée de pois secs. Alors, il retournait à l'église, s'agenouillait devant la Vierge de la Pile et priait sans parole. Il s'était dit, une fois, qu'il resterait là jusqu'à ce que la vénérée statue se remette à saigner, de ce saignement fabuleux dont il avait entendu parler, qui avait eu lieu avant qu'il fût au monde, et qui ne s'était jamais reproduit. Il veilla longtemps, sans bouger, sans changer de position, écarquillant ses yeux parmi les plis de la robe de Marie – murmurant quelquefois dans son souffle : Marie, sainte Marie ! – jusqu'à ce que son corps fléchît et s'affaissât dans le sommeil. À l'aube, quand le Bégard pénétra dans l'église, l'enfant dormait, de tout son long sur la dalle.

Laissons dormir Druon. C'est dans le sommeil et dans le rêve qu'il est le plus près de lui-même. Pendant ce temps, le soleil, la terre et la lune et toutes les constellations du ciel poursuivent leur révolution. Et dans le cœur, issues d'autres profondeurs que celles du cosmos, mais non sans attirance, affinités et accordance avec celles-ci, des pensées se font jour. Douloureusement, elles se profilent dans la fraîche clarté de la conscience. Entre toutes, c'est la pensée de la faute qui revient le plus souvent et s'installe. L'enfant Druon a perçu dans le regard de son Maître un air d'accusation atténué aussitôt par un air de commisération. Il s'est enfoncé en lui-même, il a commencé à fuir la compagnie des autres enfants, il a erré dans les salles basses du château, il a découvert des souterrains dont l'obscurité l'attire mais dans lesquels il n'a pas osé s'aventurer, redoutant de s'égarer sans retour. Ce sont de ces lieux où tout garçon, saisi par la solitude, se trouve proie de sa propre curiosité fixée sur son corps, selon la ligne de force qui associe en même exaltation et même malheur le regard, la main et le sexe. Druon a senti la violence de cet attrait. Mais il n'a pas eu à lui résister par un effort de sa volonté. Son Ange, une fois de plus, s'est interposé : il a croisé ses ailes sur tous les points du corps où s'éveillent les sensations les plus périlleuses, il a tenu la main de l'enfant dans sa main, ils sont sortis du labyrinthe sans en avoir dépassé le vestibule, comme s'il était trop tôt, en vérité, pour que l'enfant se défasse de sa peau d'enfance.

C'est l'entre-deux – la phase incertaine entre deux phases, l'intervalle d'hésitation et de circonspection entre deux épaisseurs de maturité. Druon voudrait savoir quel mal il a pu commettre qui le distingue de tous les autres enfants. Il se croyait l'âme légère et limpide. Il pense à présent qu'il a vécu dans une illusion d'innocence et que sa parfaite pureté n'a fait que voiler un mal abyssal, qu'il n'a pas les moyens de nommer mais qui n'en existe pas moins et dont la reconnaissance, en vérité, mobilise, jusqu'à l'angoisse, toutes les puissances de son être.

Maître, implora-t-il, une fois, le Bégard, dites-moi ce que j'ai fait de mal, au commencement, vous le savez, dites-le-moi. C'était au milieu de la nuit. Il s'était éveillé d'un cauchemar dans lequel il se voyait, jeune chasseur, mordre une biche à la gorge, absolument comme un chien, et se repaître de son sang. Il s'était levé. Avec d'infinies précautions, il avait réussi à franchir la porte du château, presque à la barbe des gens d'armes qui le surveillaient. Il avait couru, en chemise, à travers champs. Il avait frappé à la maison du curé. Et celui-ci, comme s'il l'attendait, car il ne lui demanda pas qui venait le déranger à cette heure, lui ouvrit aussitôt et le fit entrer.

Maître, dites-moi ce que j'ai fait de mal, au commencement, vous le savez. Vous savez tout sur moi. Dites-le-moi, je vous en supplie. Ouvrez-moi les yeux. Car j'ai beau regarder, je ne vois rien.

Le Bégard lui répondit : Sois patient, Druon, mon ami, laisse la nuit se convertir en lumière. Elle n'a besoin de personne pour cela. Il n'est pas du ressort de l'homme, fût-il prêtre et porte-parole de l'Esprit, de t'apprendre ce que tu es, ce que tu as été, dès le commencement. Et ton Ange lui-même, si transparent à la lumière de Dieu n'en sait rien. Crois-moi, la vérité t'apparaîtra quand l'heure sera venue, et pour autant que tu seras en attente et que tu te tiendras à l'écoute. Du reste, s'agissant du péché, ce n'est pas la lumière du Ciel que tu dois invoquer, mais bien la ténèbre de la Terre, en laquelle sont contenues toutes les racines du mal. Comprends, mon Druon, que Dieu ne s'intéresse aux fautes humaines que pour châtier les pécheurs. Mais s'il s'agit de connaître le mal, d'en saisir la nécessité, peut-être même un certain éclair de beauté, alors c'est à la puissance de la Terre qu'il te faut t'adresser car elle retient en elle la somme des puissances infernales par lesquelles seules le mal existe, la volonté est pervertie et la destinée vouée à sa perte. Allons, Druon, mets-toi à genoux. Je vais te bénir et par là te donner l'absolution qui suffira pour tes peccadilles, qui sont la distraction de ton esprit et qui t'empêchent de te fixer sur ta plus grande vocation : la queste du noyau de nuit, au centre de ton âme. Et que je te dise encore ceci : ce noyau s'ouvrira, ou du moins il perdra son opacité lorsque tu auras appris à désirer et que tu te seras enfoncé loin dans cette voie. À présent, sois en paix et viens te coucher près de moi.

Ils allèrent donc. Ils se couchèrent sans ôter leurs vêtements. Et l'Ange se glissa entre leurs corps serrés.

Plus tard, c'est à un an de là, Druon vient de passer sa onzième année, et c'est le jour des Rogations, quand tout le troupeau chrétien des villageois et des gens du château processionne à travers les prés et les champs. C'est le jour des grandes litanies clamées au lever du soleil, quand les écharpes de brume flottent encore sur les terres et que les fidèles ont les pieds trempés de rosée. Ce n'est pas un cortège de flagellants dénudés qui s'avance dans l'espace plantureux que le printemps travaille en ses fonds et fondements, mais la théorie clopinante des petites gens, laboureurs, semailleurs, bûcherons, vachers, gardiens de moutons et de biques, enveloppés dans leurs manteaux informes et munis, les uns de fourches ou de râteaux, les autres de houes ou de bâtons, et de toute leur voix assiégeant le Ciel : *Peccatores, te rogamus audi nos.* « Pécheurs que nous sommes, nous t'en supplions, écoute-nous. » ... *Ut mentes nostras ad cœlestia desideria erigas, te rogamus audi nos.* « Que tu élèves nos esprits en les célestes désirs, nous t'en supplions, écoute-nous. »... *Ut fructus terræ dare et conservare digneris, te rogamus audi nos.* « Que tu veuilles bien nous donner et nous conserver les fruits de la terre, nous t'en supplions, écoute-nous. »... Chant tendu, obstiné, répétitif, monotone, issu de chair, extirpé de toutes les douleurs, désillusions et espérances, il se traîne au ras du sol, au plus près des soucis humains, pour se hausser avec lourdeur jusqu'au Très-Haut, par-delà les nuages et les horizons. Druon fait partie de la petite foule, à sa place parmi les autres garçons. Mais, alors précisément que fuse la supplique : *Ut omnibus fidelibus defunctis requiem æternam donare digneris, te rogamus audi nos.* « Que tu veuilles bien accorder à tous les fidèles défunts le repos éternel, nous t'en supplions, écoute-nous », il se trouve que la procession longe le bout de terrain où fut d'abord inhumée Marie d'Épinoy. À cet endroit, la prairie se surélève légèrement et forme une sorte de tumulus, aux dimensions d'un corps humain, et tout couvert de fleurs, pour lors des primevères multicolores parsemées de myosotis. Et comme il marche tout au bord de ce relief, ses jambes nues caressées par les fleurs et les herbes, en grande émotion d'abandonnement, de deuil et de nostalgie, Druon entend soudain, dans sa propre bouche une voix qui n'est pas la sienne, une voix de femme, une voix tremblée, murmurante mais cependant bien distincte, qui pleure en lui plutôt qu'elle ne chante ou ne crie : Mon fils, pourquoi m'as-tu tuée ? – Druon s'arrête. La procession poursuit son chemin d'oraison, à la lisière des bois et des prés. L'enfant s'agenouille sur place, toute son attention et son attente fixées sur le murmure et sur le souffle ténu qu'il sent monter en lui, à travers son corps, jusque dans sa bouche. Il écoute. Ce n'est pas lui qui parle. Il entend de nouveau : Mon fils, pourquoi m'as-tu tuée ? – Au loin, la procession balance sa sourde clameur. Elle a repris les invocations des grandes litanies, car la marche est longue et il ne faut jamais cesser de chanter : *Sancta Maria Magdalena, ora pro nobis... Sancta Agatha, ora pro nobis... Sancta Lucia, ora pro nobis...* Druon s'est accroupi, puis il s'est laissé tomber sur le côté, les jambes repliées vers la poitrine, entre ses bras serrés, comme un paquet humain abandonné, en marge. Une troisième fois, il capte le douloureux message : Mon fils, pourquoi m'as-tu tuée ? – Il a l'impression très sensible que la voix qui lui parle monte de l'intérieur du sol, il la sent vibrer dans ses jambes, dans ses hanches et dans ses reins, avant qu'elle ne vienne éclore en mots dans le fond de sa gorge. C'est bien la parole de la Terre, selon l'annonce faite par le Bégard, qui prend possession de son cœur. Peu à peu, elle s'élève de partout, elle remplit l'espace comme l'air, comme l'eau, comme la lumière et l'obscurité. L'enfant peut se lever et presser le pas pour rejoindre les autres qui poursuivent leurs jaculations à l'adresse de tous les saints, la parole venue du fond, du fond de l'abîme du commencement et des sombres entrailles matérielles et maternelles où circule la vie, ne quittera plus jamais Druon. Elle s'est installée en lui, elle sourd dans sa pensée, elle mine son sentiment, elle s'insinue dans l'épaisseur taciturne de ses organes, désormais vulnérables au ravage du doute et de la faute : Mon fils, pourquoi m'as-tu tuée ?... Tel est le terreau de tourment dans lequel pourra germer désormais l'âme de l'adolescent et de l'homme – litière de fumier pour sa conscience de chute et de déclin.

Dans les jours qui suivirent, Druon éprouva violemment le désir d'ouvrir son cœur au Bégard et de lui conter ce qui venait de se passer. Mais il n'osa pas. L'événement était tellement étrange et si lourd de signification que l'enfant ne pouvait l'extraire de lui-même dans les simples mots d'une confidence. Il lui fallait garder ce secret dont il sentait bien que, tout encombrant qu'il fût, il était une plénitude. Il avait le sentiment d'entrer dans un âge nouveau de sa vie. Il cessait d'être simple et transparent. Il portait en lui-même un lourd agglomérat de ténèbre, de douleur, d'angoisse et de confusion qui obstruait sa gorge et lui serrait le ventre. Il avait la certitude que le Bégard lisait en son âme, désormais obscure et scellée, comme dans un livre, et qu'aucune des émotions qu'il ruminait et qui constituait à présent la part réservée de son être, n'échappait à son Maître en toute chose. Mais comme il n'avait pas l'audace de l'aborder sur un sujet aussi grave, et qu'il jouissait aussi, avec une timide horreur, de la grâce de se trouver seul face à une expérience indicible, il se contentait d'espérer que le prêtre le provoquerait bientôt par ses questions et lui faciliterait l'aveu. Alors, son cœur d'enfant s'ouvrirait, avec une confiance fortifiée dans le cœur de l'homme, et la vie reprendrait son train plus serein dans cet apprentissage des Lettres qui occupait le meilleur du temps.

Cependant les jours passaient, les saisons défilaient. Le Bégard faisait-il semblant de rien ou était-il réellement inconscient du séisme qui avait secoué l'âme de son jeune disciple ? Il ne cherchait pas à appâter Druon, en mal de confidence et en souffrance de mots.

Un jour de fin d'automne et comme la première neige commençait à tomber, le maître de lecture apporta un nouveau livre. Après le missel d'autel et le psautier, c'était le troisième ouvrage que Druon pouvait tenir entre ses mains. Celui-ci, intitulé *Margarita poetorum christiano-rum* (La Perle des poètes chrétiens) était une anthologie poétique où figurait, en ouverture, et comme un prélude aux textes de Prudence et de Sidoine Apollinaire, la IVe églogue de Virgile.

Le Bégard commença par expliquer à Druon qu'il avait choisi cette lecture parce qu'elle se rattachait à la période de l'Avent, dans laquelle on venait d'entrer. Et avant de déchiffrer les premiers vers du poème, il lui parla de Virgile. C'était, lui apprit-il, le plus grand des poètes romains. À proprement parler, ce n'était pas un auteur chrétien puisqu'il avait vécu avant la venue du Sauveur sur la terre. Mais Dieu, dans son infinie sagesse, lui avait accordé, à lui comme à la Sybille, le don de prophétie, afin que la vérité chrétienne qui se préparait ne fût pas l'apanage exclusif des prophètes d'Israël, mais qu'elle s'annonçât aussi chez les païens. Et c'est donc par la lumière de l'Esprit-Saint que Virgile a pu annoncer la naissance prochaine de Jésus.

Et Druon, aidé par son Maître, entama la lecture du poème qui porte pour titre le nom de « Pollion ». C'était la première fois que l'enfant entrait dans l'intelligence d'un texte qui ne fût ni biblique ni liturgique. Il était intérieurement saisi par la beauté du style, par le rythme et la musique soutenus de vers en vers. Et comme les gloses explicatives du Bégard l'initiaient au sens de la pensée de Virgile, le bonheur d'esprit était parfait. Une douce émotion, tout émanée de l'ordre des mots, gagnait le cœur du jeune lecteur. Au vers 6 : *Iam redit et Virgo, redeunt Saturnia regna.* « Voici que revient la Vierge, que revient le règne de Saturne », le Maître expliqua à l'élève comment le poète avait la liberté d'associer dans la même phrase la Vierge Marie et Saturne, le père des dieux païens. Cette liberté était très précieuse, soutenait-il, mais nous l'avons perdue. L'autorité de la foi en renversant toutes les idoles antiques a resserré les bornes de l'imagination. Nous sommes tenus de penser et d'écrire chrétiennement. Tout le reste est misère.

Les deux lecteurs, l'homme plein de science et le garçon plein de curiosité arrivèrent au vers 10 : *Casta, fave, Lucina ; tuus iam regnat Apollo*. « Daigne, chaste Lucine ; voici que vient le règne de ton Apollon. »... À ce point du poème, le Bégard prit un air décisif et presque solennel et, regardant Druon droit dans les yeux, il lui dit : Lucine était honorée par les Romains comme la déesse accoucheuse, celle qu'il faut prier pour que les naissances se passent heureusement. Le nom de Lucine évoque la clarté de la lune qui favorise la fécondité. Selon la tournure des événements, Lucine était dite *bona* ou *mala*. Avec *Bona Lucina*, tout se passait bien. L'enfant venait au monde plein de force et de santé. Avec *Mala Lucina*, l'accouchement était désastreux : ou bien l'enfant était déjà mort dans le ventre de sa mère, ou bien il naissait si faible et mal en point qu'il ne tardait pas à mourir ; quelquefois il avait des formes monstrueuses et il était si terrifiant qu'on le mettait à mort aussitôt. Or Druon, mon ami, note bien que Lucine n'a d'intérêt que pour l'enfant, soit qu'elle le protège, soit qu'elle le condamne. Mais dans cette histoire, on ne dit rien de la mère. Si elle surmonte bien l'épreuve de l'accouchement et se retrouve bientôt en pleine santé, tant mieux. Elle ira brûler de l'encens sur l'autel domestique en l'honneur des Lares et des Pénates, ses protecteurs. Mais si la mère vient à mourir, contre qui se tournera la douleur de la famille et, un jour, de l'enfant lui-même ?... Écoute-moi, Druon, nous ne sommes plus aux temps païens. Il n'y a plus de mère Lucine. Il y a Dieu, trois en Un, il y a les anges, les démons et les saints et il y a l'homme qui est libre de faire le mal, et c'est à peu près tout ce qu'il fait. Or voici : Marie d'Épinoy, ta mère selon la beauté, est morte avant même que tu sois né. Elle n'avait pas de plus grand désir que de te mettre au monde avant de retrouver son amant, ton père selon l'enfer. Mais toi, mon ami, imagine un peu ce que tu étais dans le sein maternel : tu régnais sur le paradis de tendresse et de bien-être. Ta mère voulait t'expulser de ton royaume et toi, tu ne voulais pas. Tu te défendais comme un diable. Tu n'étais pas un diable, mais tu avais tout pour le devenir : l'obstination, la violence, la sensualité, la cruauté. Tu as donc lutté contre ta mère, avec toutes les ressources de ta mauvaiseté. Tu t'es tellement battu contre elle que tu as fini par la tuer. Il a fallu qu'elle meure pour que tu vives. Voilà où nous en sommes. Tout cela, tu le savais, depuis le commencement, mais tu refusais de l'entendre. Tu cultivais ta petite âme puérile pleine d'innocence et de soumission. Tu avais oublié qui tu étais, en vérité, et ce que tu avais fait, je le répète, Druon, au commencement. – Et il ajouta tandis que l'enfant, médusé, se taisait les yeux pleins de larmes : À présent, baisse la tête, que je t'embrasse. Je t'aime dans ta douleur et dans ta perdition, mais je ne puis rien pour toi. Je n'ai pas le pouvoir de t'absoudre d'un péché aussi grave. Emmène-le avec toi. Apprends courageusement à vivre avec le mal dont tu es la cause. De toute façon, tous les hommes sont perdus, les saints aussi bien que les pécheurs.

Il y eut ensuite de longs jours, de longs mois, de longues lectures et toutes les prières inutiles – une solitude énorme jusque dans l'amitié du prêtre, et le sentiment désespéré que les vers de Virgile n'avaient été écrits pour personne puisque le message dont ils étaient porteurs n'avait rien changé au désespoir d'être humain. Cependant Druon apprit par cœur la IVᵉ églogue et plus tard il se la répéta souvent.

L'anniversaire de ses douze ans approchait. C'était la date fixée par le Bégard et le Conseil féodal pour la présentation officielle de Druon, héritier du seigneur d'Épinoy et futur maître du château, des terres et des gens de la baronnie. Après quoi, le garçon serait confié aux écuyers qui lui apprendraient l'équitation et le service des armes, le préparant ainsi à entrer dans l'ordre de la chevalerie.

Les jours se précipitaient à présent. L'imminence d'un changement aussi décisif dans la conduite de sa vie et dans la préparation de son avenir, loin d'exalter l'enfant le repliait sur lui-même. Non seulement il n'avait aucun goût pour les honneurs ni pour l'exercice du pouvoir, mais il avait besoin par-dessus tout de se tenir à l'écart de l'agitation de son clan pour se recueillir, seul, dans la conscience de son malheur. Le Bégard, fidèle à ses convictions, avait eu beau lui dire que son destin était écrit et qu'il n'avait aucune chance de salut, il persistait, lui, si peu de chose qu'il fût, si débile de corps et de savoir, à espérer en la miséricorde de Dieu. Et il se disait qu'un changement radical de sa vie, loin du lieu de sa première enfance, et soumis à la pénitence et aux humiliations, lui ouvrirait peut-être la voie de la réconciliation. Il ne s'appliquait déjà plus seulement à la conquête de son propre salut. Depuis que la voix de sa mère était entrée dans son cœur, à travers la déchirure des mots : Mon fils, pourquoi m'as-tu tuée – c'était, unie à la sienne, l'âme de Marie d'Épenoy qu'il aspirait à délivrer et à conduire au Ciel.

Du projet qui couvait en lui, il ne dirait pas un mot au Bégard. Il lui fallait absolument, dans l'urgence de la décision à prendre, ne s'en tenir qu'à lui-même.

Il attendit la nouvelle lune, la dernière avant les festivités annoncées. La nuit était parfaitement noire. Sans même prendre le soin de se confectionner un baluchon, Druon se dissimula, échappa à la vigilance des gardes et s'enfuit du château. Il ne savait où il allait, il n'avait pas de lieu auquel se rendre. Aucun projet précis n'occupait son esprit. Il savait seulement qu'au risque même de sa vie il devait partir, tournant le dos résolument à tout ce qu'il connaissait et aimait – à l'église de la Pile et au presbytère. Dormait-il ou veillait-il encore, à cette heure profonde, le Bégard ? L'enfant qui s'était orienté vers le nord, s'éloignait de son père spirituel avec toute la tension des nouveaux désirs qui l'habitaient, et comme s'il n'était pas d'autre réalité que l'horizon.

LES ANNÉES BERGÈRES

Lorsque, la première fois, et sous le regard de Dame Éli-sabeth Haire, notre Druon s'empara du pis d'une brebis afin de la traire, on peut penser que l'Ange eut un instant d'absence, distrait, pourquoi pas ? par la beauté de la femme qui se tenait là, dans l'étable, et assistait à la scène, car, en une infinitésimale fraction de temps, juste ce qu'il lui fallait pour sentir, l'enfant, tout plein de ses douze ans, fut brusquement emporté, immergé, noyé, dans un flux de douceur et de généreuse puissance. Il tenait entre ses doigts et jusque dans le creux de sa main un organe de chair qui était comme la chair entière en ses plus profondes recu-lées, la quintessence jusqu'à lui dépêchée de la tendresse animale et femelle, sans fin, sans limites. Une telle dou-ceur est de celles dont on ne se remet jamais et qui font mourir, si l'on s'y fixe. La main de Druon allait et venait avec la même pression des doigts et la même régularité de force et de vitesse et, de la mamelle au corps tout entier de l'enfant s'opérait une transfusion sensuelle comme si les profondeurs de la bête se délivraient en lui de leur trop-plein de vitalité doucereuse et chaleureuse. Et le lait qui giclait dans le seau d'étain, serré entre les jambes du gar-çon, s'écrasait en spasmes gras, et une odeur obsédante et tourneboulante lui montait au visage jusque dans la gorge, avec une insistance de ruisson inépuisable qui poussait au ravissement. Cela, dans ce que nous dirions aujourd'hui une pincée de secondes et qui était, pour Druon, le temps d'un clignement de paupières ou d'une expiration du souffle, tandis qu'une émotion, toute de chaleur douce, se répandait dans le creux de son ventre, jusqu'au bas. Mais déjà l'Ange avait rabattu ses ailes sur tous les sens ouverts de l'enfant. Trop tard, toutefois, car le ravage avait eu lieu et l'étourdissement de l'âme demeurait. Lorsque Dame Éli-sabeth Haire lui posa la main sur l'épaule, Druon en sentit le poids léger sans en éprouver la maternelle pression. L'anesthésie venue d'en haut avait repris le dessus.

C'est bien, dit la Dame, tu es adroit, tu es calme et patient, tu pourras peut-être faire un bon berger, avec la grâce de Dieu. Tu apprendras ton métier, en compagnie du plus vieux de mes moutonniers, qui est aussi le plus sage des hommes. Cela pendant les quatre saisons prochaines. Et ensuite tu marcheras de ton propre pas avec ta part de troupeau.

Puis la Dame s'en alla, laissant son image dans le cœur de Druon. Elle était entourée d'un petit groupe de servantes affairées et babillardes. Leur départ ramena dans l'étable la pénombre ordinaire. Quelques brebis bêlèrent. Pieter, le vieux berger, indiqua à Druon la manière de faire sortir les bêtes avec l'aide des deux chiens qui pressaient le troupeau. Et bientôt, hors des sentiers, ils s'avancèrent parmi l'immense et plate prairie, aux confins de la Flandre et du Hainaut, aux abords du village de Sebourg, en direction de Valenciennes. C'était l'automne. La terre était détrempée par de récentes averses. Des buissons rouges surgissaient ici ou là, des rangées de saules soulignaient le cours d'un ruisseau, les arbres étaient rares et maigres, quelques bouquets de bouleaux, quelques frênes épars. Druon avait l'impression d'avoir été jeté dans l'espace sans fin d'un monde entièrement nouveau. L'absence de forêt lui faisait mal, comme si une part essentielle d'obscurité et de mystère lui avait été arrachée des entrailles.

La distance d'Épinoy à Sebourg n'était pourtant pas considérable. Ce qu'un homme aurait mis deux ou trois jours à franchir sans se presser, l'enfant avait eu besoin de quatre mois pour en venir à bout. Il s'était maintes fois égaré, cherchant le nord où il n'était pas. Il avait d'abord voulu éviter les villages proches d'Épinoy, craignant que ses vêtements, un peu trop bien mis, attirassent l'attention, mais après quelques nuits à la belle étoile, et désormais suffisamment fripé et terreux pour ne pas soulever la curiosité des gens, et du reste comme la cueillette de baies, de fruits sauvages et de racines ne suffisait pas à apaiser sa faim, il commença à mendier dans les bourgs, en quête de pain et d'abri. Au reste, son apparition au porche des églises ou au seuil des maisons n'étonnait personne. En ces temps de guerres larvées entre féodaux, la violence, l'insécurité, la rapine étaient universelles. Les pillages poussaient les pauvres gens sur les routes. Des groupes d'enfants aussi astucieux que faméliques et pathétiques venaient réclamer la charité jusque dans les cours de fermes. À l'approche de la nuit, ils disparaissaient, envolés comme des étourneaux, et ramenaient à leurs familles qui campaient dans les bois, les pauvres aumônes qu'ils avaient reçues. Druon vécut de la sorte, tout l'été, mais n'ayant de compte à rendre à personne, il donnait librement aux plus misérables ce qui ne lui était pas absolument nécessaire – et encore, ce sont les hagiographes qui le disent, il lui arrivait souvent de se priver jusqu'à la dernière extrémité, tant il supportait mal le spectacle de la souffrance.

Sans l'avoir voulu, au hasard des chemins, Druon était arrivé un jour dans la petite ville de Saint-Amand, lieu de pèlerinage célèbre, au confluent de la Scarpe et de l'Escaut. Il se souvint aussitôt que le Bégard lui avait une fois parlé du saint personnage, apôtre du Hainaut, dont la modeste cité fluviale possédait la dépouille entière, demeurée aussi fraîche qu'au jour de sa mort. Il lui avait conté que cet Amand, dont le nom conjoignait bizarrement les qualités manifestes de l'amant avec celles, extrêmement secrètes et mystérieuses, de l'amande cachée dans le noyau, avait vécu à l'époque du très ancien roi Dagobert. Au début de son apostolat, des femmes, auxquelles il avait reproché leur impudicité et leur vanité, s'étaient emparées de lui, l'avaient dévêtu et l'avaient jeté dans les eaux de la Scarpe. Mais il ne s'était pas noyé. Son corps avait flotté comme un tronc d'arbre jusqu'au confluent. À la pointe extrême du triangle que formait la presqu'île entre les deux rivières se dressait une grosse pierre, aujourd'hui encore objet de vénération, sur laquelle un paquet de vêtements neufs était posé. Des anges aidèrent Amand à sortir de l'eau, ils l'essuyèrent et le vêtirent. Plus tard, il avait été nommé évêque de Maëstricht, et on l'avait surnommé l'*Agneau*, en raison, disent les hagiographes, de sa très grande débonnaireté. Et à présent, Druon se trouvait dans la ville-sanctuaire de Saint-Amand et un grand élan de ferveur et d'enthousiasme le poussait à accomplir ses dévotions. L'homme qui avait d'abord fulminé contre la lascivité des femmes s'était ensuite transformé en *Agneau* de compassion et de miséricorde. Il était allé jusqu'à édifier un monastère au lieu-dit de *Cougnon*, comme s'il avait voulu sanctifier l'organe de l'abjection féminine – selon le dire du Bégard. Et aujourd'hui encore, tandis que Druon entrait dans la ville, des moines y priaient jour et nuit, pour le salut éternel des femmes de mauvaise vie. Ils prient donc pour ma mère, songea l'enfant. Ils ont prié pour elle à chaque moment de sa vie, et bien avant que j'eusse conscience de son péché et du mien. Je demanderai à saint Amand ce que je dois faire de ma jeunesse et à quoi je dois me consacrer pour que l'âme de Marie d'Épinoy monte au Ciel. Car il sentait bien – et c'était encore l'enseignement du Bégard qui le lui avait appris – que si toutes les folies sont possibles, elles ne sont pas toutes également nécessaires : il importe de bien choisir celle dont la grandeur a le sens d'un destin voulu par Dieu – folie de la croix, assurément, mais par quelle voie l'accomplir ?

Druon se prépara donc, à sa façon, à se tenir devant le grand saint Amand dont il attendait une lumière décisive pour la suite de sa vie. Il se rendait compte, à présent seulement, que son départ du château d'Épinoy avait été une véritable fuite, sans préparation spirituelle, sans souci de savoir si elle s'accordait avec la volonté de Dieu. Il avait agi précipitamment, sous la pression de l'angoisse que suscitait la pensée de son intronisation prochaine comme héritier de son père, le baron. Il s'était détourné de l'avenir qui lui était légitimement assuré et il s'était en quelque sorte jeté dans le vide sans chercher à savoir à quelle vocation il obéissait. Il pouvait croire cependant que le Ciel le protégeait puisque, en supposant que les hommes du château étaient partis à sa recherche, ils ne l'avaient pas retrouvé. Cependant plus de trois mois étaient passés. Les premiers froids se faisaient sentir. Druon aspirait à la sérénité d'esprit dont il avait besoin pour mettre de l'ordre en lui-même, retrouver la mémoire de tout ce qu'il avait appris auprès du Bégard et se hausser jusqu'à la pensée qu'il entrevoyait comme par éclairs épars sans parvenir à l'unifier, à en faire la respiration de son cœur – pensée, disent les hagiographes, qui était surtout le souci du salut de sa mère et de l'expiation de son propre péché d'existence. Il avait besoin d'un abri pour méditer sans avoir à courir après des croûtons de pain. En pénétrant dans la cité de Saint-Amand et en se rappelant les récits du Bégard, il avait songé à demander asile aux moines de Cougnon. Et il y pensait sérieusement quand il se décida d'abord à se recueillir devant le tombeau de l'éponyme patron de la ville.

Chaque jour, de longues heures durant, il se tenait à genoux près du monument, invoquant le saint, lui racontant sa vie, s'accusant de ses fautes. Il lui arrivait souvent de s'assoupir de lassitude et de solitude. Mais ces instants de sommeil ne lui apportèrent aucune visitation d'En Haut. Ils étaient pure chute dans le vide et l'absence. Revenu à lui, Druon reprenait le fil de sa prière et suppliait le saint de l'éclairer sur sa marche à suivre dans la vie.

Un matin, mais presque à l'heure de midi, comme il était à jeun, que son estomac gargouillait, que son esprit flottait, sous son crâne, dans une totale vacance de pensée, Druon entendit soudain derrière lui un fort bêlement. Il pensa qu'un mouton sur le point d'être égorgé s'était sauvé et s'était réfugié dans l'église, lui, l'innocent, absolument comme un pécheur. Absolument comme lui-même, Druon. Mais l'enfant ne voulut pas se retourner aussitôt. Il fit un effort pour se concentrer sur sa prière à l'intention de saint Amand. Du reste, il y avait du monde dans l'église. Si un mouton se trouvait là, il ne manquerait pas de gens pour s'en occuper.

Monseigneur saint Amand, disait en silence, les yeux fixés sur la pierre tombale, notre jeune Druon aux allures de mendiant, vous qui avez lu dans le cœur des pécheresses et qui les avez absoutes, je vous en prie, intercédez auprès de Notre Sauveur afin qu'il accueille en son paradis, ma pauvre mère, Marie d'Épinoy. Elle a gravement péché, ainsi que je l'ai appris, et elle est morte sans avoir reçu les secours de l'Église. Mais elle était chrétienne, monseigneur, et je suis sûr, sans savoir d'où je le tiens, qu'elle avait beaucoup aimé et beaucoup souffert et que son âme était restée pure dans son amour et dans sa souffrance. Je vous en prie, obtenez pour elle la miséricorde de Dieu. Et ensuite, si vous le voulez bien, regardez de mon côté, occupez-vous de moi, comme les pères, s'ils existent, peuvent s'occuper de leurs enfants. Car dans ma toute-petitesse et avant même d'être venu au monde, je suis un grand pécheur. J'ose à peine vous le dire car j'ose à peine le penser : j'ai tué ma mère alors qu'elle me tenait encore en son ventre. Je ne voulais pas sortir de mon paradis. Je l'ai tuée, monseigneur, et je n'en savais rien jusqu'à ce que le prêtre bégard d'Épinoy me l'ait appris. À présent, je veux expier mon péché et je voudrais que ma douce mère Marie de beauté d'Épinoy baise les pieds de Notre Sauveur dans le Saint des Saints. Mais alors, monseigneur saint Amand, il faut me faire savoir où je dois aller et ce que je dois faire. Je suis faible et ignorant, mais je suis docile. Dites et j'irai. Dites et je ferai...

C'est alors que Druon entendit de nouveau un bêlement, derrière son dos. Et il eut l'impression bizarre et même totalement inconvenante que cette voix animale, trémolante et fortement charnelle, lui arrivait exactement comme une réponse du saint à la requête qu'il venait de formuler. Il se retourna donc, il vit en effet qu'un jeune mouton se tenait là, qui paraissait l'attendre. L'enfant se leva et comme l'animal, à présent, se dirigeait vers la porte grande ouverte de l'église, Druon le suivit. Ils sortirent ensemble. Ainsi qu'il arrive quelquefois dans des rêves riches de sens : il y avait beaucoup de monde alentour, mais personne ne les remarqua.

Le mouton marchait devant comme un seigneur de l'espace devant qui tout ce qui peut s'ouvrir doit s'ouvrir, et Druon le suivait, en apprenti, en disciple. Dans les ruelles de Saint-Amand, les bonnes gens ne paraissaient même pas lever la tête à leur passage. Chacun vaquait à son occupation. L'animal et l'enfant se déplaçaient au travers de ce petit monde comme en un désert surpeuplé de fantasmagories inconsistantes, négligeables, sans rapport avec leur aventure de pérégrins et chercheurs de lieu. En vérité cette queste ressemblait beaucoup à un rêve. L'épaisseur des choses était légère, comme d'un décor inutile, tandis que le couple, formé par la bête et le garçon, était seul à avoir du relief et à mériter d'être observé.

Ils traversèrent donc, l'un derrière l'autre, l'aveugle suivant le voyant, la petite cité tortueuse, aux façades de guingois. Ils en franchirent l'enceinte sans que les gardes de la porte s'inquiétassent de leur manège, lequel ne comportait rien de commun puisque, de toute évidence, l'animal guidait l'humain, ayant présente en ses yeux doux et sa face pointue, la destination à laquelle ils se rendaient. Le temps, d'un automne tardif aux heures lentes et somptueuses, était superbe. Les deux associés occupaient l'espace mouvant comme une figure unique au cœur d'une enluminure.

Sans se presser, ils allèrent leur chemin et se trouvèrent, tandis que le jour déclinant allumait ses rougeurs dans la brume montante, à l'horizon, aux abords du confluent où se marient la rivière et son fleuve, la Scarpe et l'Escaut. La grosse pierre, dite de saint Amand, à allure de socle légèrement arrondi, comme une borne milliaire ou encore comme une pierre levée qui ne serait pas encore dégagée de sa matrice tellurienne, occupait la pointe où battaient les eaux mêlées et unifiées. Et ce fut là que Druon s'assit, à l'endroit même où des anges, il y avait très longtemps de cela, avaient frictionné le corps nu du malheureux Amand tiré des flots et l'avaient revêtu d'une robe toute neuve tombée du ciel. C'était assurément le point où l'avenir commençait, à la jonction des deux cours. L'enfant pouvait les contempler : Scarpe étroite et lente, aux sombres eaux, Escaut plus impétueux, plus limpide, plus puissant. Et Druon se tient là, exactement à la place du grand saint Amand et, ainsi que celui-ci le fit peut-être, une fois rétabli dans sa décence par angélique opération, il contemple le monde : le ciel qui s'obscurcit, la terre qui exsude ses vapeurs, la petite ville ramassée autour de son église, les eaux bruissantes, conjointes sous son regard, et c'est un long moment suspendu dans l'écoulement du temps, que celui où l'enfant, gardé par son mouton, commence à entrevoir à quel point tous les contraires et toutes les oppositions se rencontrent, fusionnent, s'abolissent et s'unifient, l'eau, la terre, le ciel, le feu entretenu dans les chaumières, la nuit, la lumière, l'âpreté de la vie, la douceur des formes, les puissances errantes du mal et du malheur et celles, plus stables et rassurantes, de la bonté des hommes et de la grâce de Dieu, et aussi, immédiatement signifiée par le confluent, cette harmonieuse, irrésistible et amoureuse fusion du masculin et du féminin, car il y a grande tendresse et enveloppement de toutes les forces obscures, dans les noces permanentes de la rivière et de son fleuve. Et comme Druon voudrait exprimer avec des mots à la hauteur du sommet où son âme est établie, toute la charge de sa certitude et de son émerveillement, il se laisse envahir par une écume de savoir remontée de sa mémoire d'écolier plutôt que de son cœur chrétien. C'est Virgile, en effet, qui récite dans le souffle de sa bouche :

Incipe, parve puer, risu cognoscere matrem :

« Commence, petit enfant, avec ton sourire, à connaître ta mère » (IVᵉ églogue).

Car le monde est ainsi fait, dans sa matière et dans le visage qu'on lui voit quand on le regarde avec confiance, qu'il est tout entier l'étendue de la chair maternelle, en sa présence désirée, en son absence reconnue.

En vérité, il est temps de le dire, ce Druon de douze ans à la bouche ouverte sur des mots de poème, ressemble étrangement à ce que fut, naguère, avant qu'il songeât à écrire, son dernier biographe, hagiographe et mythobiographe, planté lui aussi devant un autre confluent et invoquant le nom de sa mère avant celui de Dieu, en son pur besoin d'adorer. On dirait que ces deux-là, par-dessus les siècles qui semblent les séparer et les différencier, n'ont fait que se générer, se dédoublant et répliquant, dans la toute-nuit du fond du cœur. À douze ans, Druon apparaît comme un lettré. Il lit comme il respire Virgile et la Vulgate, les deux mamelles de la connaissance et de la culture. Au même âge, son futur et ultime biographe ne s'est pas encore frotté au latin. Tout les distingue, les sépare et les éloigne dans les apparences extérieures de la vie. Mais, à y regarder de plus près, on les voit, l'un et l'autre, accablés d'une faute initiale irrémissible et inénarrable, tous deux amoureux de leur mère, laquelle appartient au rêve plutôt qu'à la réalité, à l'éternité plutôt qu'à l'histoire. Tous deux également sont en état de dialogue avec leur ange, à la frontière qui sépare la ténèbre de la lumière. Mais tandis que Druon, convaincu pécheur, resserre toutes ses forces sur le noyau de ses aspirations à la sainteté, l'autre garçon, pour sa part, conçoit que l'enjeu du salut est hors de portée, et il va, désormais, sur le chemin de mélancolie qui le conduira à l'écriture et le détournera de l'action. Ils sont très proches, frères fragiles et forts, l'un promis à faire de sa vie un modèle pour les croyants, l'autre destiné à faire de l'écriture un substitut d'existence. Quoi qu'il en soit, le moderne, encore en vie à l'âge où l'ancien sera parvenu aux portes de la mort, n'envisage pas tâche plus nécessaire que conter l'histoire de Druon. Elle appartenait à la légende chrétienne du Moyen Âge. Il la pousse et la creuse, quant à lui, dans la matière des fantasmes et des mythes parce que, s'étant détaché de l'arbre de Dieu, il ne connaît pas d'autre terrain pour remplacer celui dont il est exclu et il ne doute pas qu'à restituer l'aventure terrestre de Druon sous l'éclairage de ses imaginaires visions, à défaut de faire œuvre d'historien, il fera œuvre de poète, renvoyant à l'enfant d'Épinoy, et à l'homme qu'il deviendra, le miroir de sa sympathie et de son admiration.

Ainsi le mythobiographe rejoint-il Druon et le contemple-t-il, assis sur la pierre de saint Amand, au confluent de la Scarpe et de l'Escaut, au nord tout bonnement. Et il décide pour ce jeune novice en existence, ce qu'il eût voulu pour lui-même, à l'âge où il s'absorbait dans la conjonction de la Saône et du Rhône : un moment d'évasion au large, sur un bateau.

On ne saura pas si l'idée venait de Druon ou du mouton ou de l'Ange gardien, exécuteur des desseins de la Providence. Mais une barque était amarrée, juste à la pointe où les eaux confluaient, et avait tout l'air de les attendre. Au petit matin, tout remplis d'une inspiration à peu près insensée, ils y accédèrent, non sans difficulté, pour le mouton surtout qui semblait adhérer à la terre ferme comme à sa propre vie. Cependant comme il y a tout lieu de penser qu'en ce moment s'accomplissait la volonté de Dieu, l'audacieux Druon vit ses efforts couronnés de succès. Le mouton sauta littéralement dans la barque et s'installa à l'avant, campé sur ses pattes comme une figure de proue. Druon s'assit à l'arrière, en posture de spectateur des événements. La chaîne qui tenait l'embarcation attachée au rivage parut se décrocher d'elle-même. Il n'y avait pas de rames. On pouvait s'attendre à ce que le bateau, engagé dans le sens du courant, se mît tout simplement à suivre le mouvement des eaux et donc à descendre le cours de l'Escaut. Il n'en fut rien. La barque, d'abord portée d'une rive vers l'autre et mise en travers du fleuve, tourna sur elle-même, s'orienta vers l'embouchure de la Scarpe et commença à remonter la rivière, lentement, presque insensiblement. Le croira qui voudra, l'Ange de Dieu pilotait l'esquif quasiment fantomatique dans l'épaisseur de la brume, la pointe de ses ailes tenant lieu d'aviron. Ainsi, bien des siècles auparavant, en avait-il été de la barque qui avait amené Lazare et les saintes Maries jusqu'aux rivages de Provence.

La beauté du monde était à la hauteur de celle du miracle. La terre, le ciel et les eaux s'étaient dépouillés de toute trace

de brouillard. Le soleil tardif de la Saint-Martin resplen-
dissait. Du plus profond de la Scarpe s'évasait une douceur
toute maternelle, veloutée, voluptueuse et sombre. La
barque glissait sans effort, son passage ridant faiblement la
surface de la rivière. Le berges étaient recouvertes de joncs
ou de roseaux. Des bouquets d'osier, des petits saules
têtards s'égrenaient parcimonieusement, de loin en loin,
des vols d'étourneaux virevoltaient avant d'aller s'ébattre
dans les buissons. À l'avant, debout sur ses pattes, le mouton avait l'air de scruter les lointains du cours d'eau et, de
temps en temps, se mettait à bêler, avec de rauques tré-
molos pleins de mélancolie. À l'arrière, Druon se tenait
assis, perdu dans la contemplation du monde. Il ne sortait
de sa rêverie que pour réciter à mi-voix l'un ou l'autre
psaume de la pénitence, ainsi qu'il s'était juré de le faire
quotidiennement. Quelquefois, il s'accroupissait dans le
fond de la barque, passait son bras par-dessus bord et laissait longtemps sa main tremper dans l'eau fraîche. L'ange
nautonier ne se montrait pas. L'enfant et son mouton pouvaient passer pour les seuls habitants de l'univers.

Il y eut aussi le miracle du pain, attesté par le plus égaré
des biographes. Druon n'avait emporté qu'un quignon de
pain dur, reliquat des aumônes reçues. Il en donna de petits
morceaux au mouton et commença à grignoter le reste.
Mais sa portion ne diminuait pas. Pendant les deux journées de leur navigation, l'enfant et l'animal trouvèrent à
apaiser leur faim. Le morceau de pain qui les nourrissait se
reformait au fur et à mesure, comme un rêve persistant
dont personne ne désire se détacher, et qui se prolonge,
identique à lui-même.

Ils parvinrent ainsi jusqu'à l'embouchure d'un ruisseau
dont l'eau claire se déversait dans la masse toute sombre de
la Scarpe. La barque s'immobilisa, le flanc collé contre la
berge. C'était le matin du troisième jour. Druon, toujours
précédé de son mouton, mit le pied sur le sol. Ensemble ils
longèrent le cours d'eau, l'enfant toujours en proie à la
curiosité et à l'admiration, le mouton impassible, hâtant le
pas comme s'il connaissait la route.

Et comme ils arrivaient aux abords du village de Sebourg, le mouton bifurqua, s'engagea dans une sente étroite, sous les arbres. Au crépuscule, les deux compagnons se trouvèrent devant le portail d'un grand domaine : la bergerie de trois cents têtes que gouvernait Dame Élisabeth Haire. Jamais Druon n'avait imaginé, dans le genre, exploitation aussi vaste. Mais on était près de Valenciennes, la capitale du drap, qui dans ses centaines d'ateliers de filage, foulage, tissage, teinture, travaillait la laine des grands troupeaux épars dans le pays du Hainaut.

Dame Élisabeth était une jeune femme avenante, charmante de taille et de physionomie, en même temps qu'empreinte de gravité. Elle était mise simplement, portait la coiffe, mais se distinguait entre toutes les femmes autour d'elle, par une élégance de port que soulignaient quelques bijoux, colliers, bagues et bracelets de vermeil et d'argent. Druon apprit qu'elle avait été mariée deux fois et s'était trouvée deux fois veuve, avec la charge de trois enfants.

À l'entrée du domaine dont la porte était ouverte, elle paraissait attendre les deux compagnons qui avançaient sur le chemin. Et de fait, le mouton bêla à sa vue et vint se frotter contre elle à la manière d'un jeune chien. Druon resta à distance jusqu'à ce que la Dame lui fît signe de s'approcher. Alors, il s'inclina, et elle lui tendit la main. Je me nomme Druon, lui dit-il, ce mouton m'a guidé jusqu'ici, je viens pour vous servir, faites de moi votre berger. Je sais, lui répondit-elle, cela fait longtemps que tu es en route, entre dans ma maison et repose-toi un moment.

Ces propos, aucun des pieux auteurs qui écrivirent la *Vie* de Druon ne les a retenus. Ils sont de peu d'importance, en apparence. Et une *Vie* de saint n'ayant rien de commun avec un roman, il ne sembla pas nécessaire de consigner de banales paroles. Cependant, si l'ultime biographe, mytho-biographe, les donne ici comme citations authentiques, c'est qu'elles occupèrent longuement l'esprit de Druon, jusqu'à la fin peut-être. L'adolescent, l'adulte, le vieil homme aussi bien, aimèrent toujours se reporter, en mémoire et rêverie, à ce qui pouvait passer pour un commencement, et ressasser

avec émotion les mots qui fixaient tel moment, sur le chemin de la vie. Or, l'arrivée à Sebourg marquait bien une
étape entièrement nouvelle, et les premières paroles échan-
gées entre Druon et la Dame demeuraient dans l'esprit du
prétendant berger comme le signe initial et initiatique de
l'aventure intérieure qui allait occuper sa vie. Car la Dame
lui avait tendu la main, elle lui avait ouvert sa maison et
elle avait dit : Je sais.

Elle savait, d'une douce et pénétrante certitude, songea
souvent Druon, qui il était, pourquoi il s'était mis en route
et ce qu'il venait chercher en gardant les moutons. Elle
voyait clair dans l'opacité de son âme d'enfant orphelin. Il
s'en remettait à elle pour le guider sur la voie qui devait lui
rendre la paix du cœur – en quoi, bien qu'il ne fût pas
encore amoureux, il se trompait déjà. À son contact, subtilement tamisé, par les blanches ailes de son Ange, à sa
vision, rarement dispensée et de plus en plus indistincte à
mesure que montait l'enthousiasme et que l'attachement
se fortifiait, le bergeronnet éprouvait, comme un envoûte-
ment, le charme d'un phénomène aussi peu définissable
que sensible toutefois : l'expansion à l'infini du fond féminin-maternel de toute réalité. Il suffisait que Dame Élisabeth Haire se profilât dans les parages et aussitôt, contre
tout ce que laissait attendre la vertu symbolique de son
nom, les aspérités de la nature s'adoucissaient, les nids de
chardons s'attendrissaient, les épines se changeaient en
pétales, le sol gelé se réchauffait, le brouillard givrant du
matin fondait en humeur aqueuse et de longues mouillures
s'étiraient alors le long des ornières, la terre s'amollissait
sous la croupe nuageuse du ciel, dans les buissons, là où la
vie se tenait à l'abri, des frémissements se produisaient et
l'on voyait des oiseaux jaillir à tire-d'aile. En cette saison
froide, l'essence de beauté printanière de cette femme,
unique entre toutes, agitait, un instant, la totalité des
formes. L'impression était si forte dans le cœur du garçon,
qu'il se surprenait à chantonner. Des bribes de psaumes
d'allégresse lui venaient à la bouche. Lui aussi, comme tous
les êtres de la nature, et dans leur fraternité, était atteint.

Dans le terreau encore inaccessible de ses sens s'opérait confusément, presque imperceptiblement, une manière de préparation à l'extase. C'était infime. Mais cela suffisait pour qu'il se sentît être et heureux d'être. Sa minuscule âme virgilienne jouissait d'appartenir au monde, dans la proximité d'une Dame si belle.

Mais Dieu merci pour l'entêtement de l'enfant sur le chemin de la vertu et de la pénitence, Dame Élisabeth Haire ne se montrait pas souvent. La plupart du temps, la vie de Druon se déroulait dans la compagnie du vieux Pieter, de son chien Grouin et de son troupeau de moutons.

C'était une vie toute rythmée par le déroulement des saisons et par la répétition des tâches dont toute la finalité était le soin des bêtes pour le meilleur profit de l'exploitation. Au cours de la première année de son apprentissage de berger, Druon assista son maître pâtre dans tous les travaux, opérations et situations de moutonnerie : il accompagna le troupeau compact et fluctuant – environ une centaine de têtes – à travers la vaste plaine que coupe l'Escaut entre Valenciennes et Cambrai, attentif à ce que les bêtes eussent le plus souvent la tête dans leur ombre, évitant les zones marécageuses, recherchant les pâtis d'herbe drue, louvoyant entre les champs d'orge et les carrés de panais, guettant l'orage, mesurant la durée du jour, marchant sans arrêt, entraîné plutôt que poussant et dirigeant, avec le chien pour rabatteur, et l'escorte des oiseaux traverseurs d'espace. Il apprit à distribuer le sel au bétail toutes les deux semaines, à le fournir en foin et en feuillages, quand la neige et le gel rendaient le pâturage impraticable. Il sut bien vite traire les brebis et conserver le lait, à partir duquel les femmes confectionnaient le fromage. Il apprit à tondre les bêtes, au mois de mai, quand la lune est sur le déclin ; et aussi à les soigner lorsque se déclare l'une ou l'autre des dix maladies que l'on sait : l'affilée, le poucet, le rongne, le poacre, la bouverande, la dauve, l'avertin, l'enfleure, la runge et l'yrengnier, et pour cela, à cueillir les simples, à préparer les onguents, à brasser les emplâtres. Le vieux Pieter lui fit observer l'allure des brebis lorsqu'elles sont

en chaleur, et ensemble ils allaient quérir le mâle qui, toujours, paissait à part et qui, alors, couvrait la femelle en un
grand concert de bêlements. Et il assistait le maître berger
quand le moment venait, pour les brebis, de mettre bas. Il
aidait à dégager le nouveau-né hors des portes battantes
et de la plaie ouverte que formait alors la vulve, en son
excès. À lui, revenait ensuite de donner les premiers soins
à l'agnelet, et de lui apprendre à téter sa mère. À lui aussi
de surveiller les jeunes bêtes séparées des mères nourri-
cières, tandis que celles-ci retournent aux pâtis, et de leur
distribuer l'avoine, le sainfoin et l'esparcet. Et lorsque, au
milieu de cette gent nouvelle, les jeunes mâles avaient
grandi et que leurs génitoires avaient pris forme, le moment
venait de les châtrer, et Druon assistait à l'opération. Il
aidait à entraver l'animal et il voyait le sombre Pieter, d'un
coup de main habile, tordre, détordre et retordre les testicules, et vérifier ensuite que les attaches, au-dedans de la
bourse, étaient bien rompues. L'agneau avait poussé des
bêlements déchirants, presque des hurlements humains,
et Druon avait pleuré, tout en lui caressant la tête et les
flancs. La nuit, sous sa couverture, allongé dans la paille
qui sentait le suint du troupeau, il avait été sur le point de
tâter ses propres ballottes, s'efforçant de comprendre la
mécanique du geste que le berger avait accompli sous ses
yeux. Mais il fut retenu par un violent afflux du sentiment
d'indécence lié à une telle curiosité. L'Ange, qui ne l'avait
pas empêché de voir ce que son état d'apprenti berger lui
commandait d'observer, intervenait à présent pour lui
interdire de donner suite, sur son corps, à ses propres émotions. Et il en allait de même lorsque Druon assistait aux
accouplements du bélier et des brebis. Sa chair intime
s'échauffait. Elle n'était pas encore pubère, mais une tension insolite se faisait sentir en elle, qui appelait soulagement par la main – pression, caresse ou friction. Toujours,
alors, dans un aérien bruissement d'ailes, une distraction
survenait, l'attention se portait vers un autre objet. Ce
n'avait même pas été une véritable tentation, à peine la

poussée furtive de ce qui n'était pas encore un désir et qui, faute de nom, s'effaçait de la conscience.

L'Ange était encore très présent dans les premiers temps de cette nouvelle période de la vie de Druon. S'il avait connu un instant de distraction devant la beauté de Dame Élisabeth Haire, il s'était depuis lors tenu auprès de son protégé et son pouvoir de dissuasion sur les pensées malsaines, les frémissements de sensualité, les ruptures de ferveur religieuse du jeune berger, demeurait infaillible. Et c'était un secours considérable pour l'enfant car il faut bien comprendre que celui-ci était vraiment seul pour assumer dans toutes ses dimensions et directions son projet de sainteté pour lui-même et de salut pour l'âme de sa mère. Il avait perdu la forte présence du Bégard. Il n'avait personne auprès de lui à qui se confier, à qui poser des questions et demander des éclaircissements. Le vieux Pieter ne paraissait pas avoir de soucis spirituels et du reste il s'exprimait dans un patois des Flandres si difficile à saisir que Druon ne pouvait compter sur un échange de paroles avec cet homme pour conjurer l'incertitude dans laquelle il se trouvait, au fond, quant au bien-fondé de sa vocation. Il lui arrivait souvent de penser que sa place aurait pu se trouver parmi les moines du Cougnon, à Saint-Amand. À l'ombre du cloître, dans le commerce de religieux aussi savants que pieux et dans une institution précisément vouée à la rédemption des pécheresses publiques, il aurait pu grandir en savoir, en vertu, en conscience des intentions divines à son sujet, au lieu que, par curiosité pour un mouton intempestif dont il avait même perdu la trace, il se trouvait à présent sans recours humain face à la question de savoir s'il se tenait exactement dans la vérité et dans l'utilité.

Et certes, il avait en lui tout ce qu'il fallait – le silence, les mots, l'abondance du cœur – pour prier Dieu à toutes les heures du jour et jusque dans la nuit. Il avait conservé la mémoire d'un grand nombre de textes liturgiques qu'il répétait avec plus de confiance qu'il n'en mettait dans les simples créations de son esprit, car il était à un âge où il n'avait pas l'audace de parler en son propre nom, à Dieu surtout. La récitation des psaumes le rassurait infiniment plus que les oraisons de son cru. Cependant, toujours à mener les bêtes à paître, de longues journées entières sans contact avec les humains, après que Pieter s'était éteint dans le Seigneur, tout juste au bout du premier an de son apprentissage, Druon se mit à éprouver un grand désir de se rendre à l'église et d'assister à la messe. Son aspiration à la prière collective était si forte qu'un certain matin de printemps, un dimanche, comme il entendait sonner les cloches de Sebourg, il s'écria à l'adresse de l'Ange en lui montrant la longue et touffue théorie des bêtes paissantes : Garde-les un moment, si tu veux bien et, si tu ne veux pas, tant pis pour moi. Je vais à la messe. Au revoir.

Il fit comme il l'entendait. À l'église, il comprit que c'était le jour de Pâques. Quand il revint à la prairie, il courait, il dansait, il chantait à tue-tête : *Isti sunt agni novelli qui annuntiaverunt Alleluia.* « Voici les agneaux nouveau-nés qui ont annoncé l'Alleluia. » Son troupeau n'avait pas bougé. Les ouailles avaient brouté sur place, ce qu'elles ne font jamais, comme l'on sait. Dès que Druon apparut, dès que les bêtes entendirent le mot bien détaché d'*Alleluia*, elles reprirent leur marche, le museau dans l'herbe et les flancs gonflés, tandis que Grouin, hirsute et frétillant, saluait le retour de son maître en un bref concert de petits jappements et ronds de queue.

Par la suite, chaque dimanche, Druon trouva le moyen d'assister à l'office. L'Ange, à n'en pas douter, coopérait à cette pieuse escapade. Et peut-être fut-ce le sentiment, ou mieux encore la sensation puissante, de la transcendance du messager de Dieu par-dessus toutes les réalités de ce bas monde, à commencer par ce modeste troupeau de moutons, qui s'imposa aux bêtes et les impressionna tellement qu'elles s'immobilisèrent, se tenant à tirer, là où elles se trouvaient, les brins d'herbe qu'elles pouvaient, et à ruminer de la plus contemplative façon. Quant aux fidèles de Sebourg ou d'autres paroisses, ils ne tardèrent pas à remarquer le jeune pâtre que son costume distinguait. Ils comprirent suffisamment son manège, sans en saisir toute la portée. Ce furent eux qui fixèrent les mots de ce qui passerait plus tard pour un dicton, soulignant la merveille et l'ordinaire impossibilité de l'ubiquité : « Je ne suis pas comme saint Druon, à la fois au clocher et aux moutons. »

Lorsque Druon pénétrait dans l'église, la cérémonie était toujours commencée. Il se glissait discrètement au dernier rang, à l'ombre d'un pilier. Lorsqu'il levait les yeux, en direction du chœur, c'était bien pour adorer la sainte croix ou le grand ostensoir qui exposait l'hostie consacrée. Il se perdait dans une contemplation pleine de soupirs et de larmes. Il s'abîmait dans le sentiment de son péché et il était couvert de honte et de componction à la pensée des souffrances du Sauveur. Mais le sacrifice de la messe ne se déroulait jamais jusqu'au bout sans que Druon ne fût distrait à un moment ou à un autre par le souvenir de Dame Élisabeth Haire dont il cherchait la présence parmi les premiers rangs de fidèles. Vainement. Elle n'était pas là. Jamais il ne put l'apercevoir. Alors dans son désappointement teinté de mélancolie, il fixait son regard sur la statue de la Vierge Marie – naïve sculpture de bois noir, enveloppée d'un fastueux manteau doré, dont la richesse apparente et le sourire figé semblaient attendre, comme une offrande, les confidences des âmes en misère et en douleur. Quelque chose criait dans la silencieuse vénération de l'enfant : un appel de tout son être à l'adresse de la mère et de la maternité, de la femme et de la féminité, de la chair spiritualisée et de l'esprit incarné. Cette invocation sans paroles, Druon ne cesserait de la répéter. On pourrait suivre le pastoureau en toutes ses années bergères, à quinze ans, à dix-huit ans : dans ses stations retirées, au fond, presque à la porte, humble jusqu'à ne pouvoir s'avancer d'un pas vers les lumières de l'autel, il s'ouvrait, s'abandonnait, se délestait de toute espèce d'intérêt pour soi-même, et dardait son âme entière, jusqu'à vacuité, dans le regard qu'il portait à l'effigie de la Mère de Dieu. Dépouillement, offrande, il était à la Vierge, dans cette inspiration mystique, ce qu'il aurait voulu être sous le regard de sa maîtresse temporelle, Dame Élisabeth Haire – car il était d'un naturel porté vers les réalités sensibles. Il y avait, dans ses mains un énorme besoin de toucher ainsi que, dans chacun de ses sens poussé à l'extrême, un désir impérieux de jouissance. Mais il y avait aussi, chez lui, en contrepartie, une infinie capacité de renoncement par désir d'amour. Il aurait aimé que Dame Élisabeth reconnût en lui toute sa qualité d'âme amoureusement filiale. Mais comme il estimait que l'impossibilité d'une telle rencontre dépendait pleinement de son état de pécheur sans pardon, il renonçait à toute quête matérielle, parce que démesurée, et à tout espoir d'être reconnu et par là d'entrer dans la voie de possession amoureuse. Il venait à la Vierge comme l'exclu du festin de la terre. Vers elle il joignait ses mains parce qu'il les tenait vides de toute prise. Et parce qu'il ne possédait rien, il était poussé à se donner tout entier à cette entité spirituelle hors de prise, qu'était Marie, Mère de Jésus-Christ, au-dessus de toutes les femmes.

Au reste, ce fut surtout à l'adolescence, et comme il était devenu maître berger, régnant sur les brebis fruitières et les moutons couillus, que Druon, sentant monter en lui ses capacités de désir et s'élever jusqu'à sa face son admiration pour la beauté de la plus belle des femmes, se précipita, comme emporté par le mouvement d'une passion sacrifiant tout espoir, dans la dévotion amoureuse, dans la contemplation des images de la Vierge et du Fils, dans l'adoration.

En ce temps-là, il débordait d'amour. La même respiration qui gonflait sa poitrine et charriait dans son cœur les nobles sentiments de sa jeunesse appliquée à la gravité de toute chose, tenait tout son être en harmonie avec le paysage dans lequel il s'avançait, chaque jour, au gré de ses moutons : plaine à l'infini, tendue comme un drap, coupée de ces longues nervures que formait la résille des fleuves, des rivières et des ruisseaux. L'horizon était ce trait sans hésitation qui soulignait le ciel à perte de lointains. Rien ne venait distraire l'esprit du sentiment d'immensité. Si l'être voulait se dissimuler, ce ne pouvait être qu'en soi-même, car partout il était en vue, dans une ouverture sans

appel. Il était également impossible d'avancer sans avoir
l'air de fuir et c'était là une impression du cœur dont Druon
savourait de se sentir rempli, à mesure qu'il grandissait
sous le ciel de Sebourg. Car, depuis qu'il s'était évadé de
son château d'enfance, depuis qu'il avait rompu toutes
attaches avec son lignage et qu'il s'était arraché au plaisir
des Lettres, il avait choisi l'exil dans l'espace nu, l'inquiète
aventure de l'intériorité dans un monde dessiné pour les
traversées, les chevauchées, les houles fantomales, les
hordes ravageuses, les épidémies de folie, et où toutes les
images qui se présentent pour le caractériser sont de distance, de longueur de temps, d'attente illimitée. Pour
l'heure, avec son troupeau qui, vu du ciel, ressemblait à une
colonie de fourmis frappées de lenteur, Druon, sur ses
quinze ans, sur ses seize ans, jouissait intimement d'errer
dans un espace infini qui fait que tout ce qui est grand est
minuscule et que celui qui s'avance et qui passe est toujours devancé et dépassé – moins que rien dans la vastitude sans limite de la terre et du ciel.

Druon vivait dans la proximité toute chaleureuse, mou-
vante et odorante, émotive et primitive, de son bétail lainu.
Jour et nuit, il était à ces corps qui n'avaient d'autre raison
que de croître et qui pour cela faisaient vie, sans façon, de
tout ce que la vie leur apportait : la nourriture et l'abri, la
compagnie des congénères, la tendresse folâtre des petits,
le cycle des chaleurs sexuelles, l'assistance du berger, sa
vigilance, son ingéniosité, son bon sens, sa longue patience
à accompagner les bêtes et à les laisser profiter du temps et
des choses. Le jour, il marchait à l'arrière du troupeau, à
travers la campagne infinie, la houlette à la main. Il se
tenait au pas des moutons, que rien ne précipitait sinon,
en été, la survenue d'un orage. Grouin trottait sans répit
sur le flanc de la troupe et la rabattait, si Druon en donnait
l'ordre, afin de changer de direction. Au crépuscule, tout
le bétail regagnait l'étable. Après avoir pris part, avec
quelques servantes, à la traite des brebis, Druon rafraî-
chissait la litière des bêtes et leur distribuait le foin. Après
quoi, ayant mangé son écuelle de soupe et son morceau de

fromage, le berger allait se coucher dans la paille, tout près de la porte. Immergé dans la forte senteur du troupeau, bercé dans la répétition lourde et monotone des bruits animaux, le garçon était poussé à s'endormir bien vite. Mais Druon se raidissait contre la fatigue et le sommeil. Quelle que fût la saison, quelle que fût la longueur de la nuit, il s'efforçait de prendre le temps de veiller, s'adonnant à ce qu'il appelait, pour lui-même, dans sa pensée, hors de toute possibilité d'en faire confidence à quiconque, la garde du cœur. C'était une manière de rituel qui, au début, consistait à réciter quelques fragments d'églogues de Virgile, suivis sans transition de l'un ou l'autre psaume de la pénitence, du Credo et de litanies à l'adresse de la Vierge et des saints. Mais en grandissant, à mesure qu'il s'employa davantage à l'édification de son âme bergère, Druon enrichit ses exercices spirituels, sans autre guide que sa propre inspiration. Il n'avait aucun livre à sa disposition, mais sa mémoire était bien pleine de tout ce qu'il avait appris dans la compagnie du Bégard, à l'église d'Épinoy. Ainsi put-il reconstituer à peu près intégralement l'office des morts. Il se mit à le réciter, chaque nuit, pour le repos de l'âme de Marie d'Épinoy, d'abord à genoux sur la terre battue de l'étable puis, mû par une radieuse impulsion de son désir d'abaissement, d'humiliation et d'abjection, qui pouvait bien être alors son plus brûlant désir, il s'agenouilla dans la rigole d'évacuation des déjections animales et se considérant lui-même comme excrément du chemin sous le pied de Dieu, au nom de son indignité et de sa nullité, il suppliait le Tout-Puissant d'ouvrir son paradis à l'âme de sa mère car, rappelait-il en son besoin de le rappeler, elle n'avait péché que par égarement d'amour, non par malice, mais par générosité de cœur et vertige de chair, sans qu'il y eût jamais de méchanceté en elle. Elle était femme, créée en toute beauté de féminité. Si elle avait cédé au poids du destin inscrit dans sa nature, ce n'était ni par légèreté d'esprit ni par orgueilleuse perversité du goût, mais au contraire, par gravité d'âme séduite et fascinée, portée à l'abandon de soi. Comme Madeleine qui vous a tant aimé et que vous avez tant aimée, elle avait, au fond d'elle-même, la stature d'une sainte. Elle n'a pu la réaliser car elle est morte trop tôt – et c'est moi qui l'ai tuée.

Lorsqu'il arrivait à ce point de sa méditation, Druon ôtait sa chemise, s'emparait d'une laisse à chien solidement cloutée et se flagellait sévèrement, ainsi qu'avaient fait naguère les bonnes gens d'Épinoy sous l'injonction du Bégard. Mais à l'âge où se trouvait Druon et dans sa candeur préservée – encore qu'elle ne tarderait pas à vaciller – les coups de fouet qu'il s'appliquait prenaient naissance dans la componction de son cœur et n'avaient d'autre effet que d'entretenir sa volonté d'expiation. Simplement, à ce stade de sa jeunesse encore mal avertie en matière de piété, son goût pour la recherche de la douleur ne s'associait pas au culte de la Passion du Christ. Il n'avait pas encore rencontré le corps de plaies et d'injures, il n'avait pas fixé son attention sur les supplices du crucifié. S'il meurtrissait sa chair, c'était pour se punir, ainsi que les maîtres pratiquaient avec leurs valets, ce n'était pas pour s'engloutir dans la béance douloureuse du Fils de Dieu.

La compagnie des moutons lui convenait admirablement. Il aimait leur douceur un peu stupide, leur docilité sans discernement. En vérité, il était ému de sentir la grande confiance de ces bêtes en leur berger. Elles ne manifestaient jamais ni impatience ni hésitation et jamais elles ne regimbaient. Elles allaient là où l'homme les laissait aller, là où le chien les tenait serrées. Jamais de caprice, jamais d'obstination, jamais de ruse. C'était un bon troupeau homogène et capitonné. Il arrivait que Druon prît entre ses mains le museau de l'un ou l'autre de ses animaux et cherchât à plonger son regard dans leurs yeux. Il était émerveillé et par la tendresse des traits et par l'inexpressivité des globes oculaires saillants, dilatés et humides, capables de voir sans regarder, de percevoir distinctement sans comprendre. Cette pacifique et sympathique débilité le remplissait d'aise. Il la considérait comme un modèle de vie car, alors, rien ne lui semblait plus proche de la sagesse et de la sainteté que cette passivité béate devant la succession des choses incompréhensibles. Il appliquait à ses ouailles la grande parole de Jésus : Bienheureux les pauvres d'esprit, car ils verront Dieu. Et il sentait tellement la justesse, en même temps que la générosité de cette profération adressée aux plus humbles des bêtes, que le moment vint où il désira faire entendre cet évangile à son troupeau tout entier. Ainsi commença cette étrange détermination qui s'empara de Druon, vers quinze ou seize ans, et qui l'amena à enseigner le catéchisme aux moutons. C'est un aspect de son expérience spirituelle sur lequel tous les hagiographes ont fait silence. Mais aujourd'hui où les convictions de la foi religieuse paraissent hors d'atteinte du ridicule et où l'on peut tout dire puisque personne ne croit plus à rien, il ne faut pas se retenir, comme l'enseigne le mythobiographe, de révéler le nœud de conduites aberrantes qui se dissimule derrière la façade bienséante de la sainteté officielle. Il sera donc dit que, plusieurs années durant, Druon enseigna aux moutons les rudiments de doctrine chrétienne qui les concernaient et que, par là, il instilla dans la profondeur de leur âme viscérale et végétative un peu de métaphysique et, peut-être même, un peu de poésie.

Au début, il s'adressait aux moutons les plus proches qui se déplaçaient devant lui en broutant. Mais sa voix passait au-dessus de leurs têtes, sans les atteindre. Il disait *Jésus*, il disait *Marie*, mais les obtuses bêtes allaient de l'avant sans l'entendre, du moins sans l'écouter – jusqu'au jour où, par un bel après-midi de Semaine sainte, il cria assez fort pour que les bêtes de tête l'entendissent : Au Nom de Dieu, brebis, arrêtez-vous et écoutez-moi. – Effectivement, elles s'arrêtèrent. Et bientôt Druon pénétra jusqu'au centre du troupeau, comme un voyageur gagnant une clairière, au cœur d'une forêt. Les moutons, en cercle pressé, s'allongèrent à ses pieds et tendirent vers lui leur museau humide et rose, en attitude de docile écoute. Frères moutons, commença-t-il, et sœurs brebis, et vous mes agnelets, écoutez-moi. Je vais vous raconter l'histoire de Jésus qu'on appelle le *Bon Pasteur*. – Et ce jour-là et beaucoup d'autres qui suivirent, de la même façon, il leur narra quelques anecdotes tirées du Nouveau Testament, et les paraboles, et les prophéties, dans lesquelles sont à l'honneur les agneaux de Dieu, symboles d'innocence, promis au sacrifice. Tout cela en une suite de discours inspirés, tantôt en patois tantôt en latin – car le latin étant la langue catholique, c'est-à-dire universelle, il était impossible que les moutons ne la comprissent pas. En tout cas, pas un ne paraissait absent à ce discours qui était à la fois un spectacle et un enseignement. Comme au temps de Jésus, en ce petit canton du Hainaut, les bêtes, étonnées mais consentantes et approbatrices, devenaient, à leurs propres yeux, autre chose que matière à laine, à viande et à lait. Elles prenaient une dimension symbolique et exemplaire qui les plaçait, avec la colombe, avec les petits oiseaux des champs et, à un moindre titre, avec le veau gras, à un niveau de réalité spirituelle et de vérité existentielle qui les rapprochait singulièrement de l'humanité et même de la divinité – ce qu'elles durent comprendre lorsque Druon leur expliqua que Jésus, Fils de Dieu, était aussi l'Agneau mystique offert en sacrifice pour effacer les péchés du monde. Il apparut en effet, à partir de ce jour-là, que les brebis considéraient désormais leurs petits non seulement avec leur habituelle tendresse mais avec admiration : quelque chose d'infiniment plus haut qu'elles-mêmes était donc sorti de leurs flancs, à elles, pauvres brebis, pauvres femmes et mères sempiternelles. – Et après qu'il eut évoqué, pour ses ouailles, les événements fondamentaux, et les doctrines exemplaires, qui assurent la vérité du christianisme, Druon entreprit d'éclairer ses animaux sur la dimension morale de leur vie. Il leur apprit donc qu'en la toute-sagesse de Dieu, ils avaient été créés pour être des modèles de patience, de résignation, d'humilité et d'abnégation. Parce qu'ils étaient tout, étant spirituellement élevés à la dignité de figures symboliques de Dieu, ils devaient, dans la vie, dans le temps, accepter de n'être rien. Les brebis devaient supporter de se voir arracher leurs petits, les agneaux accepter d'être égorgés et rôtis à la broche les jours de fête, les moutons balourds et hébétés supporter sans révolte de renoncer, avec leurs génitoires, à leur orgueil de mâles et

tous d'être un jour la proie des loups. Et Druon racontait à
ses ouailles, pour les encourager et les édifier, quelques
vies de martyrs que le Bégard lui avait d'abord trans-
mises : les saints Innocents enlevés à leurs mères, saint Lau-
rent appliqué sur le gril, saint Exupère tranché au col,
sainte Blandine livrée aux fauves, et ce saint Inconnu que
les hérétiques obligèrent à manger ses testicules saisis sur
la braise. Il présentait à leur imagination l'immense cohorte
des martyrs chrétiens, à travers les siècles, se pressant aux
supplices avec l'obstination déterminée d'un troupeau de
moutons, et il disait : Voyez comme vous êtes aimés du
Christ puisque ses disciples vous ont pris pour modèles. Il
leur racontait aussi divers miracles qui avaient trait à
l'Agneau pascal – ainsi comment un agneau qui avait été
écarté du sacrifice parce qu'il était contrefait avait réussi à
glisser sa gorge sous le couteau du boucher, voulant par là
témoigner de sa ferveur pour la mémoire du Christ ; et cet
autre que l'on entendit prononcer le mot *Alleluia* au milieu
de ses bêlements, le matin de la Résurrection, avant de s'offrir au coutelas.

Les moutons de Druon ne parlaient ni ne prophétisaient,
mais ils écoutaient ses paroles avec, apparemment, une
extrême attention qui pouvait se lire sur leur museau tremblant et leurs oreilles tendues – ce qui est déjà un énorme
miracle en moutonnerie. Le jeune pastoureau leur expli-
quait les fondements de la foi chrétienne et leur promettait
le paradis pour récompense de toutes leurs vertus. Ce serait
l'Enfant Jésus en personne qui leur ouvrirait la porte et
serrés les uns contre les autres ils formeraient comme un
immense tapis de laine blanche conduisant au Tabernacle
du Ciel.

Druon éprouvait une grande compassion pour les jeunes
agneaux. Il les prenait dans ses bras, il les caressait, il les
portait à leur mère à l'heure de la tétée, il leur confection-
nait des colliers de fleurs et de feuillage, et si l'un d'eux
venait à tomber malade, il le soignait avec une tendre
obstination jusqu'au dernier souffle. Alors il l'enterrait,

plaçait une croix à l'endroit de la fosse et récitait les oraisons pour les défunts.

Son rapport aux brebis faisait vibrer de tout autres fibres
de sa sensibilité. Au début, il ne voyait en elles que de
bonnes grosses bêtes placides, capitonnées de tendresse
molle et de bonté pansue – généreuses laitières et mères
débonnaires, toujours prêtes à se laisser traire, passive-
ment, par la main des hommes ou la bouche des agnelets.
Elles respiraient, avec satisfaction, la béatitude stupide de
la maternité. Mais aux champs, mêlées au troupeau confus
qui ne semblait former qu'un seul organisme brouteur et
chemineur, tout en pattes et en croupes, les brebis ne se
distinguaient pas des autres moutons moutonnants, les
coupés, qui ont la particularité de n'être ni des mâles ni des
femelles.

Et donc, toujours au début, bien qu'il eût été, par état,
témoin d'accouplements et qu'il eût aidé le vieux Pieter
dans les opérations de mise bas, était-ce parce que l'Ange
lui avait bouché les yeux ou lui avait distrait l'esprit ? il
n'avait pas prêté attention au sexe des bêtes et avait continué de vaquer à sa vie ordinaire avec une innocence
dépourvue de tensions.

Vint le temps, cependant, vers sa seizième ou dix-septième année, où cette tranquille assurance dans l'indifférence aux réalités de la chair et du désir se mua en curiosité, en attirance pleine d'émoi et d'inquiétude. Cela
commença, un jour, à l'occasion de la tonte printanière –
opération pourtant familière au berger, qui s'y était toujours exercé sans autre considération que celle de la qualité du travail bien fait, pour la satisfaction de principe, abstraite, lointaine et théorique, de Dame Élisabeth Haire,
souveraine absolue du troupeau, et pour le bien-être des
bêtes. À l'aide de cisailles spéciales dont Pieter lui avait
appris le maniement, Druon savait enlever de larges portions de toison sans jamais blesser la peau. Au début, il
n'osait pas enfoncer assez profond la lame dans la laine, il
tondait trop court, ce qui devait donner lieu, en définitive,
à un produit filé de moindre qualité. Mais rapidement il

devint aussi adroit que n'importe qui en la technique et sut tondre au plus ras de la peau, sans piquer ni écorcher l'animal qui, généralement, se laissait faire avec beaucoup de patience. Au sortir de la séance, le mouton était nu comme un ver, de la tête jusqu'au bout de la queue, de l'encolure jusqu'aux ongles, sans une touffe laissée par négligence. Le berger le frictionnait avec du foin, lui faisait boire de l'eau, lui donnait une poignée de sel qu'il léchait à même le creux de la main. Ces petits coups d'une langue râpeuse et avide étaient fort jouissifs pour la bête, on peut le croire, et pour le garçon, c'est certain.

Or il arriva, ce jour-là – une chaude vesprée de mai tout embaumée de graminées, et alors qu'il tondait avec soin depuis le matin, exprimant son âme joyeuse en fredons de chansonnettes – que notre Druon, s'appliquant à une grosse mère tranquille de brebis, qui était la dernière de la journée, lui souleva la queue, ainsi qu'il avait l'habitude de faire, et comme il le fallait bien. Et alors – Dieu s'en prenne au bon Ange dont la vigilance défaillait et qui ne put rien dissimuler ! – il vit, en vérité ce qu'il n'avait jamais vu, et regarda, comme s'il découvrait soudain une chose aussi fabuleuse que nécessaire et qui, d'un coup, remplissait tout l'espace : la douce, la discrète et mystérieuse fente femelle, aux lèvres taillées comme celles d'une bouche. Cette *cougne* de brebis, exposée sans façon dans la lumière voilée de la fin du jour, apparut à l'adolescent, en un pur instant contemplatif soustrait au labeur en cours, comme une forme exquisement belle et émouvante, dont la seule existence suffisait à lui rassurer le cœur : en réalité une chose de beauté lui était révélée, comme d'elle seule à lui seul, sans qu'il pût rien en dire à personne – ni au Bégard qui était l'absence même, ni à Pieter qui était mort, ni à Dame Élisabeth Haire que sa perfection rendait inatteignable et sans écoute. C'était une vision close, apparue pour le secret, exclusivement, mais à la différence des visions surnaturelles dont le poids de matérialité échappe dès qu'on cherche à le saisir, la vision du sexe était attachée à une réalité physique, vérifiable à tout moment. Elle pouvait perdre de son énergie, elle pouvait s'estomper, elle pouvait disparaître de la mémoire, elle pouvait être évacuée et remplacée par d'autres visions, peut-être plus amères, plus tourmentées ou effrayantes – le sexe, lui, demeurait, il tenait sa place et rayonnait dans la totalité du corps. Mais quand bien même, il donnerait lieu à d'autres visions, au fil de la vie et de l'expérience, peut-être même jusqu'à l'absence de toute vision, étant alors réduit à n'être que cela, une chose physique, une banalité de chose organique – il resterait que, pour Druon, qu'il s'en souvienne ou qu'il refuse de s'en souvenir, la première vision du sexe de femelle fût une image de beauté. Dans la simplicité des heures où il menait sa vie et où son être croissait, il venait de saisir, d'un seul et premier regard, par-delà cette maternelle *cougne* de brebis, la perfection florale de la création. Et, sur le moment, c'était encore dans l'oubli de sa propre chair. C'était un jour heureux, dans la beauté du monde – cette beauté que même, alors, la conscience de son péché d'origine, en lui, meurtrier de sa mère, ne parvenait pas à ternir, comme si l'essence charnelle de Marie d'Épinoy avait fusionné avec les puissances de la terre et venait, à présent, jaillir en la forme toute pure d'une vulve de brebis, cependant que Druon, le fils, le berger, s'abîmait tout à la fois dans le bonheur de sa découverte et dans la douleur de sa perte. O Marie, gente mère, accordez-moi d'être sombre dans votre clarté, et clos dans l'immensité de votre cœur, et silencieux dans votre silence et paisible en votre paix. Mais de surcroît, donnez-moi de voir en toute chose la beauté, et tenez-moi fendu tout entier, en parfait secret de chair et d'âme, afin que je ne sois pas différent de vous-même dans l'éternité.

Surtout, n'allez pas demander au mythobiographe à quelle Marie – à la Vierge ou à la dame d'Épinoy – Druon adressait cette prière. L'homme qui est censé tenir toutes les ficelles du récit mais qui est plutôt tenu par elles au point qu'il s'aventure, contre toute raison claire, en des zones d'expression auxquelles il n'aurait jamais songé, a bien du mal à distinguer ce que Druon lui-même distinguait fort mal : la stature de la Vierge de la Pile, qu'il connaissait bien, et celle de sa mère, Marie d'Épinoy, dont il n'a aucune espèce de souvenir et dont il n'a jamais vu aucune image. La dame d'Épinoy serait, pour son fils, une pure fiction, s'il n'était, précisément, son fils, et il en invente la forme physique et les âmes diverses et captivantes à propos de tout ce qu'il rencontre de beauté sur la terre. Et s'il vient à s'abstraire du monde, alors c'est le paradis, hanté par la haute figure de la Vierge Mère. Et de la sorte, son esprit vaguant entre choses terrestres et entités célestes, tout ce qu'il sait ou imagine de la femme, il l'interprète sur le fond de sa vénération pour la Mère du Christ et pour sa propre mère – jusqu'à cette brebis toute en *cougne*, qui a tellement rempli son cœur de surprise et l'a soulevé d'admiration. Voilà du moins ce que le mythobiographe reconnaît pour sa part de création – de fiction, autrement dit. Car cette histoire de vierge que l'on regarde comme une mère, et cette existence d'une mère, que l'on voudrait abolir et absorber dans le culte de la Vierge, c'est toute une épaisseur de sa vie intérieure, dans les couches profondes de son enfance. Il est passé par cette osmose, cette communion, cette confusion d'espèces et de genres qui l'a conduit, bien qu'il fût n'importe quoi sauf un primitif, à la sacralisation de la femme et de son sexe et cela avec une certitude qui fait de ce qui pourrait être une simple idée dans l'échafaudage intellectuel d'une théorie, une véritable catégorie de la perception des réalités essentielles, en sorte que la femme, mère ou amante, mère et amante, ne peut faire autrement que régner dans l'empyrée des formes célestes avant de nourrir le feu du désir. Dès lors comment, attaché à ce jeune Druon comme à une image anticipatrice de son adolescence, entre quête d'une mère absente et idéalisée et application à un troupeau de bêtes bien présentes et fortement sexuées – en réalité des vaches et non des moutons – le mythobiographe, entré en écriture non pour occuper la scène des renommées mais pour spécifier son territoire intérieur, ne transfèrerait-il pas à ce modèle d'existence, sous la forme d'un berger, en plein Moyen Âge, des aspirations et des tourments de fond, qui appartiennent, lui semble-t-il, à tout garçon chrétien, authentiquement pieux, coupable d'avoir perdu sa mère pour l'avoir trop aimée ? Écrire, telle est l'aventure. Écrire de ces choses, aussi infiniment intimes et subtiles qu'elles ne peuvent être dites autrement que par le personnage d'emprunt d'une légende toute fraternelle, telle est la démarche mythobiographique dont l'outrecuidance n'a d'égal, au regard de l'auteur, que sa modestie sans appel.

Il faut donc suivre Druon, cette année-là, sans se référer aux bons hagiographes – les Bollandistes – qui, en l'occurrence, font plutôt figure de moutons, historiens et savants, que de bergers virgiliens, inspirés et aberrants. Il avait eu, au printemps, la vision assurément plus esthétique qu'érotique de la *cougne* d'une brebis – et se fût-elle répétée deux mille fois, en elle-même pour elle-même, sous le regard d'un garçon entièrement dominé par ses propres hauteurs d'idéal, elle serait restée ce qu'elle était dans l'instant : incarnation désincarnée par sa propre beauté, d'essence trop pure pour induire le péché. À l'automne, les choses devaient changer, les proportions d'idéal et de trivialité s'inverser. C'était un matin d'octobre, tout mordoré de soleil dans les feuillages roux, lorsque Druon conduisit l'une de ses brebis aux hommages du bélier. Cela se passait dans un enclos. Les béliers étaient exclus de la vie de troupeau. Ils formaient une caste réduite de solitaires occupés à brouter le même lopin d'herbage, presque sans bouger, sans autre pensée, si l'on peut dire, que de cultiver leur désir et, entre deux saillies, de remplir leurs génitoires. Avec leurs cornes enroulées, leur museau busqué, leurs formes trapues, les béliers avaient un air plutôt farouche. Mais lorsque le berger avait à s'occuper d'eux, ils montraient la même placidité, la même docilité que les ordinaires moutons. Et quand il leur amenait une brebis en chaleur, il semblait d'abord faire fête au garçon avant de s'intéresser à la belle de circonstance.

Il y avait eu, ce matin même, au lever, une crise d'humeur entre Druon et l'Ange de Dieu, ainsi qu'il arrivait, depuis quelque temps, de plus en plus souvent. Druon avait sacrifié une bonne partie de la nuit à la prière et à ses rites de pénitence. Puis il s'était endormi, d'un coup, il s'était enfoncé comme une masse dans sa botte de paille. Il avait alors rêvé qu'il était allongé nu dans la prairie et qu'un arbre était sorti de son corps, à l'endroit du nombril : d'abord un simple plant qui s'était mis à pousser très vite, à étendre ses branches chargées de feuilles, à hausser sa tête vers le ciel. Puis l'arbre s'était couvert de fleurs et des nuées d'abeilles étaient accourues, de toutes parts, et s'étaient mises à butiner, mais au lieu d'emporter leur butin dans les ruches, elles fabriquaient sur place un miel abondant, doré et parfumé, qui ruisselait parmi les branches et coulait le long du tronc. Et Druon voulait goûter à ce nectar dont la consistance et la senteur le ravissaient. Mais l'Ange, installé derrière sa tête, s'était penché sur lui et lui serrant fortement les avant-bras l'empêchait de bouger. À la racine de l'arbre, dans le creux de son ombilic, le miel s'accumulait, mais Druon ne pouvait y porter la main. Cette version du supplice de Tantale ne dura pas. Druon se réveilla, furieux contre l'Ange qui l'avait, une fois de plus après tant d'autres, empêché de cueillir le plaisir et de jouir. Et un peu plus tard, comme il poussait la brebis vers l'enclos du bélier, il fulminait encore contre son céleste gardien, clamant silencieusement à son adresse, au fond de lui-même : Va-t'en, retourne au Ciel, laisse-moi tranquille, je veux être libre de me sauver ou de me perdre par mes propres moyens. Tu m'encombres. Tu me barres le chemin. Tu m'empêches d'apprendre ce que tout homme doit connaître pour être un homme. Tu m'empêches de voir. Et de toucher. Et de sentir. Il est vrai que j'ai fait vœu de sauver l'âme de ma douce mère. Mais comment le pourrais-je si tu ne me laisses approcher d'elle par les voies qu'elle a suivies. Je ne veux pas la suivre jusque dans ses erreurs et ses fautes, j'ai assez de mon péché pour me remplir de tout le mal nécessaire à l'humiliation de l'homme. Mais je voudrais seulement connaître, par moi-même, le premier maillon de la chaîne qui l'a entravée pour la suite de ses

jours. Je t'en supplie donc, ôte-toi de mes côtés. J'ai besoin
d'être seul.

Druon était tout rempli de la rumination de ses propos
lorsqu'il ouvrit la barrière qui séparait le territoire du mâle
de tout le reste de la terre. Il tenait la brebis par un licol
dont il se servit pour l'attacher à un pieu, planté là tout à
fait comme un poteau d'exécution. Il n'eut pas besoin d'appeler le bélier : celui-ci sortait de sa hutte au moment même
où la femelle et son berger faisaient leur entrée. C'était un
bélier noir, une bête massive aux cornes annelées, enroulées deux fois sur elles-mêmes. Une forte odeur émanait
de sa toison et l'environnait comme une aura de sauvagerie, de puissance charnelle, toute mêlée de terre et de sexe,
de buissons brûlés, d'humus trempé de suint – obstination
d'une archaïque lourdeur d'être, dans l'expansion, consumée à l'infini, des senteurs phalliques et macérations de
semence ; lourdeur d'orage entretenue dans l'épaisseur
insondable du désir animal et qui, sans aucune chance possible d'évasion vers les créations de l'expression, ne pouvait
que venir crever dans les flancs de l'autre bête – la même
à sa façon – la femelle en chaleur, dont la vulve saillait et
palpitait. Lui, le bélier, parce que le désir le pressait sans
toutefois l'obnubiler, prit le temps de venir se frotter contre
les jambes de Druon, comme pour le remercier de l'aubaine
qu'il lui procurait et comme pour lui faire entendre que la
scène qui allait se jouer promettait d'être un sommet, non
seulement dans le champ d'affirmation de l'animalité, mais
en vérité dans celui de la vie, en sorte que le spectacle
auquel Druon se préparait à assister méritait d'être contemplé comme une haute œuvre de la nature : ce que la terre, le
désir et le temps offrent de plus beau avant que ne s'ouvre
la sphère des mystères religieux.

La vue et, on peut le croire, l'odeur de la femelle agissaient puissamment sur le mâle. Tandis que celui-ci flai-
rait l'arrière-train de sa partenaire – et peut-être le léchait-
il, pour peu que, les yeux clos par excès d'émotion, on se
représentât, en imagination, le déroulement des faits – le
phalle sortait de sa gaine, flamboyant comme un long tison

le long de l'abdomen, avec sa tête violente et congestionnée, implacablement tendue vers sa fin. L'instant était si intense que le jeune Druon, tout entier possédé par l'esprit d'émerveillement, put croire que c'était bien la puissance d'érection du sexe même qui soulevait le corps énorme du bélier, presque à la verticale et lui permettait, allongeant ses pattes antérieures sur les reins de la brebis, de couvrir largement sa femelle comme la plus douce, la plus soumise en même temps que la plus complice et la plus offerte de toutes les proies. Alors, bien arrimé à l'arrière, le museau levé au-dessus de la masse désirante dont la chaleur d'appétence extasiait la vulve, le mâle poussa sa tige à son sommet et la plongea dans la fente vive. Il donna quelques coups de boutoir, longs et bien appliqués et, ensemble, les deux bêtes émirent une caverneuse rumeur de souffle qui ne ressemblait en rien à leurs bêlements ordinaires, mais qui associait à la respiration de tout leur être charnel, la jouissance, le soulagement de toutes les tensions, et la durable plénitude du corps satisfait. Le bélier se laissa glisser lourdement de l'arrière-train de la brebis, son sexe rentra dans sa tanière et disparut comme un souvenir de fête et d'incendie. L'animal s'éloigna de sa femelle sans lui jeter un regard. Il vint de nouveau se frotter contre Druon, puis il se mit à brouter tranquillement. Dans l'écart de ses pattes arrière, Druon pouvait voir l'orgueilleuse attestation du mâle prêt à recommencer : sa paire de testicules rebondis et balancés, ostensiblement exposés au regard du connaisseur, de l'artiste et du rêveur.

O mon Ange, où te cachais-tu, tandis que, pour la première fois, je ne baissais pas les yeux devant le spectacle du sexe de gloire ? Je ne me détournais pas, je ne me refusais pas, j'attachais mon regard à tous les détails de la conjonction, j'agissais en pensée et en désir avec le mâle, je subissais avec la femelle, j'anticipais, en toute inexpérience, la jouissance de l'un et l'autre, l'un par l'autre, l'un en l'autre, selon la trame éprouvée – immortelle et éternelle – de l'amour humain. À travers ces deux bêtes soudées en une seule par l'urgence et l'assouvissement du désir, je tendais, du plus profond de ma solitude et de ma chétivité, à la rencontre charnelle, spirituelle, existentielle, de l'homme que j'aspirais à devenir avec la femme inaccessible – la mère qui dominait mon passé, l'amante qui surplombait mon présent et mon avenir, sans aucune possibilité de les rejoindre, en dehors du rêve où elles régnaient. Comme je te l'avais demandé, o mon Ange, tu m'avais laissé à moi-même. Je cessais d'être un enfant. Je regardais les deux masses conjointes de l'animal et je cherchais mon visage et l'image de mon être tout entier dans cette confusion des ombres sans frontière. Jamais mes yeux n'avaient été aussi ouverts, ni aussi ouverte, ma bouche, qui peinait à respirer dans l'abondance des émotions. Je n'aurais pu faire un pas. Je n'aurais pu bouger mon corps. J'étais sidéré et subjugué. J'avais beau savoir, au fond, qu'il n'y a pas plus bête qu'un mouton, j'aspirais véhémentement à être à la fois le mâle et la femelle, tout en l'un, tout en l'autre, également et sans demi-mesure. Mon goût de la beauté, non seulement ne me détournait pas du spectacle des corps et des sexes, mais s'exaltait en cette contemplation. La verge rouge du bélier allant et venant dans la fente noire de la brebis représentait alors pour moi, sur mes seize ans, sur mes dix-sept ans, la vision la plus parfaite possible de la force accomplie dans la douceur, de l'intransigeance fondue dans la réceptivité et dans la tendresse, et cet équilibre des contraires était alors ce que j'étais le mieux disposé à recevoir dans ma quête encore très obscure de la perfection esthétique. Cependant, o mon Ange, je ne doutais pas que ce temps d'arrêt, pendant lequel mon haleine oppressée demeurait en suspens, ne fût pleiment rempli de l'œuvre du péché et que le mal ne fondît sur moi du haut du ciel, avec la même impétuosité sans parade qui avait marqué les débuts de ma vie dans le sein de ma mère Marie. Je regardais les deux bêtes tout à leur passion de sexe comme si, toujours dominé par mon interrogation sur le secret de mon origine, et par là de mon être, j'étais doté d'une vue plongeante sur mes commencements – et ce regard aussi était le mal. J'étais doublement pécheur et chaque fois entièrement : pécheur dans le plaisir que je prenais à observer en acte les sexes du couple animal – et pécheur à découvrir, par-delà ce tableau, la faute de mes géniteurs, avant que je ne fusse conçu. Or c'était la première fois, o mon Ange. Je t'avais chassé et tu t'étais retiré. Dans l'impératif de ma supplication, j'avais mis toute la force de mon désir. Et ma voix avait porté. Toi qui étais censé n'obéir qu'aux ordres du Très-Haut, tu avais répondu à ma dérisoire crécelle par ta vaste absence, laquelle m'abîmait dans ma liberté. Avec un peu plus d'appétit que je n'en pouvais posséder, j'aurais pu m'approcher du couple et entrer dans son jeu – ainsi prendre dans ma main l'organe du bélier et tenir sous mes lèvres celui de la brebis. Il y avait en moi, dès cet instant premier, tout ce qu'il fallait pour faire de moi, Druon, un nouveau satan, à l'image de mes père et mère. Seule la force me manquait ; peut-être aussi la capacité d'à-propos. La vertu dans laquelle ta vigilance m'avait confiné, o mon Ange, était le signe de ma faiblesse. Je ne suis pas taillé pour les grandes œuvres, du bien comme du mal. Je ne suis pas le Bégard, moi, je suis seulement un fils.

Ainsi allaient les pensées de Druon – que l'on imagine car enfin, nul ne pouvait les connaître ; mais puisqu'il a beaucoup donné, on est bien loisible de lui prêter. Pour l'heure, il avait détaché la brebis et la ramenait à la bergerie. La bonne bête végétait horriblement dans sa placidité comme si, pour elle, rien ne s'était passé. Elle faisait corps avec son assiette, pleinement. Sa queue, protectrice du secret, s'était rabattue sur sa grosse mandorle de vulve. Et c'était, seul, l'esprit de Druon qui allait de l'avant, qui volait, en marge de l'espace et du temps, vers la question de la signification de l'expérience – revivant, à tout moment, l'émoi qui l'avait dominé, refusant avec horreur l'attrait de la faute, adhérant avec bonheur à la joyeuse affirmation de la vie, sympathisant sans réserve avec l'innocence animale et s'affligeant, tout autant, d'avoir perdu la grâce, sans que son intention fût méchante, par curiosité pour toutes les expressions de la vie.

Les hagiographes disent que, par la prière et par la grande rigueur de sa vie, Druon triompha du démon qui s'était installé dans son troupeau – *Diabolus in grege*. Mais en vérité il faudrait appeler *diable*, tout simplement, le désir qui, à présent, tourmentait Druon, dans sa chair, et qui se fortifiait, justement, de la proximité physique des bêtes alors que chez celles-ci nulle complicité avec les pulsions humaines n'était à redouter. Aucune bête n'était consciente de ce qui se jouait, à son propos, dans le cœur de Druon. Aucune brebis ne cherchait à provoquer l'intérêt sensible et sensuel du berger. Si elles épanchaient autour d'elles leur troublante odeur de femelles, si elles étalaient le doux massif de leur sexe chaque fois qu'elles urinaient, si la tendresse du pis fondait en longs frissons de plaisir entre les doigts habiles à traire, si la grande stupidité du regard passait pour consentement aux fantaisies du désir humain, ce n'était pas que les esprits mauvais se fussent installés en elles comme ils l'avaient fait, aux temps évangéliques, dans les troupeaux de porcs. Simplement Druon avait grandi, ses yeux s'étaient désillés et le bon Ange n'était plus de saison. Une agitation et une tension extraordinaires s'emparaient de lui, au contact de ses moutons, et ne le lâchaient ni jour ni nuit. Rêvant tout éveillé, il aspirait avec une véhémence douloureuse à force d'être insatisfaite, à entrer au milieu du troupeau, non pas pour l'évangéliser, mais pour participer à sa vie, tout entier soumis à l'instinct dont la puissance d'accomplissement n'a rien à voir avec le mal ni avec la faute. Il rêvait, et d'autant plus que l'hiver était rigoureux, de s'installer dans la chaleur des brebis, de se serrer entre leurs pattes, enfoui dans les odeurs de lait et de sexe, et de sucer et de lécher et d'associer la fougue de son désir à la tempérance béate des fortes femelles. Il aurait voulu rejoindre le nid d'inconscience où la vie s'enracine et qui lui donne toute l'énergie d'ignorance dont elle a besoin pour continuer de procréer et de prospérer. Comme si son âme était déjà fatiguée de penser, de s'interroger, de s'évaluer et même épuisée de prier Dieu et de chanter hymnes et cantiques, il imaginait le bonheur d'oublier les

mots et les phrases et de s'enfoncer dans la rumination sans
parole, sensitive et végétative, indifférente aux significations, somnolente aux émotions, mais toute comblée par
la paisible répétition du même petit nombre d'actions, sous
l'horizon des saveurs, des senteurs et des ravissements du
toucher. Heureuses, pensait-il, les âmes frustes, les chairs
lourdes, les confuses communions des corps épais. Mais
de cette idéale torpeur de rêverie et de lassitude, il était
tiré, à toute sorte de moments du jour ou de la nuit, par de
subites et intenses érections de son phalle. Or il ignorait le
geste qui, dans l'instant, aurait pu le soulager. Il n'avait
d'échappatoire que dans l'agression contre son corps à
l'aide des pratiques brutales de la flagellation et de diverses
macérations, selon l'inspiration qui lui venait, à grand renfort de choses coupantes, piquantes, écorchantes, brû-
lantes, à quoi s'ajoutait la prière : les inépuisables psaumes
de la pénitence indéfiniment répétés selon l'enseignement
du Bégard. À la fin, rompu, l'esprit vidé, le sexe torpide,
Druon s'évadait de la prison de ses désirs et flottait vaguement, entre sensations et imagination, dans un espace sans
bornes, au point de convergence infinie de l'absence et de
la présence. Son troupeau qui avait pris, un moment, une
allure de horde cauchemardesque – femelles en surchauffe,
mâles en rut, jeunes agneaux lascifs – parce que Druon le
voyait dans le miroir de ses obsessions, redevenait ce qu'il
était : une procession, sous le regard de Dieu, toute
grouillante et appliquée à son chemin et débarrassée de
turpitudes. Aussi bien, Druon n'en revenait pas, de cet
incessant mouvement de sa conscience qui lui offrait successivement, mais dans des limites extrêmement proches,
des images de bacchanale animale et des images d'une
communauté de saints errants, à la recherche des célestes
pâturages. Et comme le temps passait, comme le désir ne
capitulait pas, comme le troupeau n'était pas près de gagner
le paradis, Druon ne savait que faire de son phalle qui l'en-
combrait et qui ruinait la paisible construction de son être
à laquelle il s'était appliqué jusqu'ici. Il eût bien aimé le
sacrifier à Dieu, de la façon dont les bergers usaient quand

ils châtraient les jeunes moutons, mais la castration portait sur les ballottes et non sur le membre lui-même et, du reste, Druon savait bien qu'il ne suffisait pas d'être eunuque pour être chaste. Ce n'était pas le sexe qu'il fallait mutiler, mais le cœur – ce cœur débordant d'amour que le jouvenceau ne contenait que par l'abondance et la force de ses soupirs ; cœur assurément comblé et hypertrophié par l'absente présence de cette mère également réelle également imaginaire qui répondait au doux nom de Marie d'Épinoy – espine-moy, gente mère, moi l'épi noir ou encore l'épi-noué, mère des buissons épineux, Marie d'espines de nuit, ma mère espine-moi. Et Druon, à présent phallophore en phallophanique rêverie offrait tous ses membres et jusqu'à son Membre même à piquer, déchirer, lacérer en impossible, inaccessible et noir buisson d'épines, à travers l'espace vide et le temps immobile, soumis, désirait-il, aux ongles et aux dents – ongles à carder, dents à déchiqueter – de sa sainte mère de damnation, vierge noire et sanglante et femme déserte, abandonnée en tiers lieu, entre enfer et paradis. Or voici ce que Druon voyait monter en lui-même lorsque, au plus aigu de son attentive attente, il se penchait sur son cœur : l'image-mère, la très sombre – si sombre qu'il était impossible d'en discerner les traits – se dédoublait, et une forme plus claire se détachait de l'épaisseur de fond, un vrai visage de femme, dont l'excès de beauté faisait mal, et que Druon reconnaissait selon la même évidence indiscutable avec laquelle il eût reconnu le coin de ciel de son pays, et qu'il pouvait, en silence, nommer : Dame Élisabeth Haire. Et pourquoi cette femme, émanée de l'ombre indistincte de sa mère ? Druon la connaissait à peine. Il l'avait vue, à la lumière ordinaire du jour, lorsqu'il était arrivé à Sebourg, précédé par le mouton et suivi par l'Ange de Dieu. Ensuite, il ne l'avait guère aperçue qu'une fois l'an, le jour de Noël. Dans la grande salle du domaine, elle réunissait les bergers avec tous les domestiques, hommes, femmes et enfants. Elle leur adressait un bref discours, les remerciant pour le bon mesnage de la maison, des troupeaux et des champs, les exhortant à continuer de la sorte par l'application de leurs talents et de leur bonne volonté, demandant à Dieu de répandre sur tous sa bénédiction, et déposant dans la main de chacun, au fil d'une longue et déférente procession, une grosse pomme rouge. En dehors de cette cérémonie, jamais l'occasion de rencontrer Dame Élisabeth Haire n'avait été donnée à Druon. Le vieux Pieter lui avait expliqué, une fois pour toutes, que la Dame était au courant de tout ce qui se passait dans l'étendue de son domaine, que rien ne lui échappait, qu'elle régnait dans un esprit de justice et de miséricorde mais que, pour ce qu'il aurait pu savoir, il ne savait rien de ses occupations, de ses fréquentations, de ses habitudes de vie. Elle était veuve, disait-on, et ne se gênait pas de plaire aux hommes, avec sa subjugante beauté qui les aplatissait à ses pieds. Elle était très présente dans l'effectuation de toutes choses, en ce sens que tout ce qui s'accomplissait advenait selon sa volonté, mais elle était, par ailleurs, très absente. Aucun berger ne l'avait jamais réellement approchée, aucun n'aurait pu dire où se trouvait sa chambre.

Il est certain que dans le cœur de Druon, en pensées, rêveries et à présent, aspirations et désirs, Dame Élisabeth Haire occupait une place grandissante et parce que, en fait, elle vivait à proximité, dans la familiarité de l'espace et du temps, elle tenait, pour ainsi dire, toute la place, la douce, la chaleureuse, l'aimable profondeur secrète et silencieuse des sentiments de prédilection – auprès de quoi Marie d'Épinoy existait comme la nuit inscrutable et impénétrable. Et c'était là l'entier domaine des mères. Le reste appartenait à Dieu et à son vicaire et homme de main, le Bégard – autre monde, que la noire lumière de l'Esprit illuminait comme pour mieux en affûter le tranchant.

Je suis certain, moi, le mythobiographe, qui façonne ce jeune Druon non pas simplement à l'image de ce que je fus, mais de ce que nous aurions pu être, que notre héros ne connaissait pas plus grande satisfaction que de se savoir aimant, occupé, par-dessus tout, à abonder dans l'hommage, le service et le respect de son amour, et de s'émerveiller que celui-ci fût comme dédoublé entre deux polarités

complémentaires, aussi éloignées l'une de l'autre, aussi
nécessaires l'une et l'autre, que Soleil et Lune, Lumière et
Ténèbres, Masculin et Féminin. Il éprouvait le sentiment
d'une grande et multiple force de pouvoir réunir en lui-
même, à égalité de ferveur, et sans que l'unité de son cœur
fût menacée, amour féminin-maternel et amour masculin-
paternel : d'un côté Marie d'Épinoy, Dame Élisabeth Haire,
mais aussi la masse du troupeau, les prairies embrumées,
les terres labourées et odorantes, les rivières lentes et
sinueuses ; et de l'autre, le Dieu Tout-Puissant, Père, Fils et
Saint-Esprit, le Bégard, les livres, les mots et les discours,
Virgile, les chiffres secrets qui tiennent le monde en leurs
combinaisons et les instruments par lesquels on mesure,
on creuse, on construit, on guide et on domine. Et l'équilibre harmonieux et la vivante abondance des deux sources
de son cœur le remplissaient du grand bonheur d'être au
monde et d'être berger – masculin dans son enveloppe physique et par le grand chapeau que sa tête portait comme
une couronne, féminin par la qualité de commisération
qu'il mettait dans le souci des bêtes, par sa tendresse pour
toutes les formes porteuses de vie et de beauté, et par la
grande obscurité qui entretenait ses pensées à la façon des
rêves. Il m'est impossible de concevoir Druon autrement
que dans le bonheur de fond qui lui venait de sa dualité et
qui lui assurait, dans toutes les contradictions de son être,
sinon la réalité accomplie, du moins la promesse en marche
de son unité – ou alors ce n'est pas la peine d'écrire cette
Vie, ce n'est pas la peine de polir ce miroir dans la profondeur duquel une certaine image de moi, jamais assez poursuivie, s'efforce de rejoindre, une fois de plus, l'une de ses
esquisses très antérieures, que la nuit des songes tient
encore celée.

Je n'ai donc pas à hésiter par scrupule de réalisme histo-
rique. Je ne me suis pas lancé dans une entreprise de
fouilles archéologiques et de reconstitution sensée. Là où
je vais, là où je pousse mon personnage, c'est là où je suis
sûr de le rencontrer, de me rencontrer en lui, sur la voie
que je connais pour m'en être approché au point de la

regarder comme le pur tracé d'une inspiration qui aura
guidé et éclairé toute ma vie : une queste amoureuse dont la
raison ne m'est jamais apparue.

Or donc il y eut un printemps, entre sa dix-septième et sa
dix-huitième année, et une nuit de printemps saturée des
odeurs des lilas et des seringas et que transverbérait le
chant des rossignols. Cela faisait plusieurs nuits que Druon
n'avait pas dormi. Son désir ne le lâchait à aucun moment.
Ni les psaumes de la pénitence cent fois répétés ni la discipline quotidienne ni le feu des orties et des chardons ne
mollissaient ses sens que semblaient irriguer tous les
effluves de la saison. Sous sa houppelande, et sa houlette en
main, on eût dit que Druon avait subi la métamorphose
d'un jeune dieu ithyphallique, un pâtre chèvre-pied trous-
seur de nymphes et de dryades. Mais tandis que les dieux,
on peut le croire, sont invulnérables à la fatigue et demeu-
rent lumineux, transparents à eux-mêmes, jusque dans
leurs passions, Druon, ballotté plutôt qu'installé dans l'insomnie, avait perdu toute idée saine ; dans le vide et la
confusion de son esprit, il n'avait d'autre pensée que l'effectuation jusqu'au bout, de son désir. Il n'appartenait plus
au monde du bon sens et des plans réfléchis. Il agissait
comme un somnambule, envoûté par une obsession toute-
puissante qui le guiderait peut-être infailliblement là où il
devait se rendre mais qui pouvait, tout aussi bien, le précipiter dans un abîme de démesure impardonnable et d'inconvenance. Quoi qu'il en fût, il avait déjà passé les limites
de sa propre résistance à la fascination intérieure qui le
poussait à accomplir son désir jusqu'à la perte de soi-
même. De la même façon qu'il avait, une fois pour toutes,
rompu avec son château d'enfance, contre toute la sagesse
du monde, et sous la pression d'une seule pensée, qui était
la certitude de sa faute, aujourd'hui, avec le même sens de
l'absolu, il choisissait, contre le havre assuré de la bergerie
et la tendresse des bêtes, l'effraction de son cœur par la violence du désir et l'effondrement de tout l'édifice de ses
saintes résolutions jusqu'en sa pierre angulaire de pitié,
d'abnégation et d'ascèse pour le salut éternel de sa mère

pécheresse. D'un seul coup, comme si le vent des inspirations de l'Esprit avait complètement tourné, il dénonçait la résolution de sainteté à laquelle il s'était accroché, il fermait les yeux, il se bouchait les oreilles, il agissait en forcené ou en possédé – parce qu'il y avait trop de printemps dans la ténèbre ordinaire, beaucoup plus qu'il n'était possible d'en tolérer, et que toutes les puissances ramassées et unifiées de la Vie elle-même, à travers les bêtes, les champs à l'infini, la profondeur du ciel et les abîmes du cœur humain convergeaient au point de présence d'une femme, seule et unique, à l'horizon du temps, cette Dame Élisabeth Haire en attente de laquelle Druon se tenait dressé dans sa chair visible et tout ouvert en son âme obscure, cependant que, délirant comme un jeune démon qui n'a jamais eu aucun usage du monde, il croyait fermement, vastement, au sommet de son innocente jeunesse, que cette Dame l'attendait de même, et se préparait à le recevoir là où justement il se préparait à la rejoindre : en cette chambre close qui existait d'autant plus que personne n'en savait rien.

Il y avait eu un temps, en vérité pas très lointain, où Druon, quand il désirait se rendre à l'église, demandait à son bon Ange de garder son troupeau, en son absence. Aujourd'hui, en cette nuit de folie printanière, le berger était seul avec lui-même. Il l'était depuis qu'il avait donné son congé à son céleste compagnon afin de pouvoir regarder en face, très librement, la manœuvre du bélier aux prises avec la brebis. Depuis lors, la même scène d'observation passionnée s'était répétée maintes fois, et le désir de Druon s'était enraciné dans cette répétition. Le garçon était impatient d'éprouver de nouveau la violence d'émotion qui le transportait alors au plus haut de sa propre chair. Aussitôt qu'une brebis donnait des signes manifestes de son prurit sexuel, Druon s'occupait de la conduire au mâle. Il la pressait d'un pas précipité. En lui-même quelque chose haletait qui n'était pas seulement son souffle dans ses poumons, mais un vertige de perdition dans la puissance du souffle. Rien ne pouvait alors le retenir de river son regard dans l'engrenage des corps en chaleur et des

sexes dont la congruence de voracité le ravissait. Mais sitôt
achevé l'instant festif de tous les sens, un énorme poids de
tristesse, de honte et de solitude lui tombait dessus. Il avait
toujours la mine basse lorsqu'il ramenait la brebis dans son
étable. Plus d'une fois, il supplia son Ange de revenir auprès
de lui et de lui faire sentir sa présence par un signe. Mais
alors, comme n'importe quoi pouvait passer pour signe,
dans son esprit tourmenté, il ne savait plus ce qu'il fallait
croire – s'il était encore dans la miséricorde de Dieu ou s'il
était abandonné.

Mais quant à la nuit qui nous occupe, elle était, pensait-
il, celle de la miséricorde d'une femme et de l'abandon du
Ciel. Les dés avaient été jetés, les serments rompus, les
réserves dépensées. À son chien Grouin qui manifestait
quelque inquiétude à le voir se tenir, prêt à partir, sur le
seuil de la bergerie, il montra d'un geste le troupeau vau-
tré dans la paille, et il lui dit : Garde-les, garde-les bien,
attends-moi. – Ensuite, il piqua sa houlette dans une botte
de fourrage comme si elle était la part attentive de lui-
même qu'il voulait laisser pour la confiance des bêtes. Puis
il sortit sans bruit sous un ciel de pleine lune tout criblé
d'étoiles, et dans le crissement inlassable des grillons.

Depuis que sa vie l'avait fixé à Sebourg, jamais Druon ne
s'était trouvé à marcher ainsi, seul, dans la nuit, sans autre
attente que l'accomplissement de son désir – un désir dont
il n'aurait jamais pu parler à personne, pas même au
Bégard, – non, pas au Bégard – tant la tension de chair qui
le poussait, quand même elle emportait son âme avec elle,
restait une apparence d'œuvre honteuse, désastreuse, mal-
propre et malsaine et donc indicible et inavouable. En cette
expédition tout à fait insensée dont le dessein secret était
d'irruption, de rapt et de possession, il était hautement sou-
haitable de ne rencontrer personne. Druon qui n'avait jusqu'alors rien eu à cacher ne supportait pas, en ce moment,
l'idée d'un regard – un simple regard du premier venu – qui
se porterait sur lui et risquerait de deviner le secret de son
péché, lequel n'était encore qu'une intention, une décision
qu'il s'était arrachée à lui-même depuis le ténébreux

magma de ses organes. Oui, il lui semblait que tout était possible si un regard étranger venait se ficher dans le sien : la fuite, au hasard, dans les hurlements et les sanglots ; l'évanouissemênt sur place, un simulacre de mort ; l'affrontement violent, dominé par la volonté de faire mal, d'écraser, peut-être de tuer. C'était là la solution virile, celle qu'il souhaitait, mais qu'il n'était pas sûr de suivre, car il était, en vérité, écartelé entre la honte de son appétit, qui le rejetait au néant, et l'orgueil de son désir qui voulait le triomphe à tout prix. Cependant le chemin qui conduisait de la bergerie au corps de bâtiment dans lequel devait se trouver la chambre de Dame Élisabeth Haire était parfaitement désert.

On sait que la campagne, aux confins de l'Artois et du Hainaut est merveilleusement plate et que l'horizon de ces terres peut prendre selon les saisons, les jours et les heures, au gré des variations atmosphériques, une véritable mobilité de mirage. Au bout d'un long moment de marche qui eût suffi largement à le conduire à sa destination, Druon eut soudain conscience que le chemin qu'il suivait était légèrement escarpé et, même, que sa pente allait s'accentuant à mesure qu'il s'avançait et alors, comme il levait sa face en direction de la demeure qu'il voulait atteindre, il ne vit rien, ni murailles ni toiture, qui désignât une maison, mais il put constater que la nuit était faite entièrement d'une lumière rougeâtre, telle qu'elle ne lui était jamais apparue. Il avait connu des aurores magnifiques quand il avait erré dans le pays de Saint-Amand, mais à l'automne quand le premier soleil dispute sa place au brouillard, et l'effet ne durait pas longtemps. Il était rapidement dissipé soit par le triomphe de la lumière soit par la ténacité des brumes. Mais ici, à présent, c'était tout autre chose. La minuit était à peine passée. Le soleil était loin de se lever. La lune était à son plein et se tenait à son sommet, mais c'était bien d'elle, toutefois, qu'émanait le halo de clarté rouge sombre qui avait alerté Druon. En regardant bien, celui-ci pouvait constater sur une frange du disque lunaire quelque chose comme une entaille, une blessure dans le

flanc, une zone de sanguinolence d'où s'effusait, comme
une hémorragie l'inquiétante couleur de la nuit. Or la pensée de Druon était alors entièrement dominée par l'image
de ce qu'il voulait atteindre contre tous les obstacles et
toutes les fantasmagories : la femme, sous les traits de
Dame Élisabeth Haire – sous ses traits mais aussi sous sa
robe et, pour ainsi dire, sous sa peau tant il la désirait dans
la profondeur de sa nudité, tant il la voulait femelle, de
chair abrupte et vaste faille : un précipice pour son être tout
entier, à lui, Druon, filial et, jusqu'à cette heure, virginal, et
pécheur déjà consacré dans son vouloir et bientôt achevé
dans son action. Or, comme il regardait cette lune blessée
en plein ciel et cette sanglance épandue sur la vaste terre,
pour la terreur et la confusion des vivants, il se rappela soudain quelques propos qu'il avait entendus de la bouche des
garnements du château d'Épinoy : que les femmes, à la
pleine lune, saignaient de la *cougne* et qu'il y avait alors
grand danger à les fréquenter car elles pouvaient rendre
fou l'homme qui les voyait ou les touchait, ou empoisonner
celui que son insanité portait à goûter de leur sang. Maintenant, cette lune rouge entrée entièrement dans le clair
de ses yeux et ruisselant sur sa face soulevait en lui un appétit inimaginable. Fou, il l'était déjà, et félon de surcroît et
damné. Il n'avait plus rien à perdre. Il pouvait donc voir. Il
n'était sorti que pour cela. Il n'avait tourné le dos à son
troupeau que pour contempler, contre toute chance d'absolution et de salut, la fontaine sanguine du corps féminin.
À Épinoy, avant sa naissance, un miracle avait eu lieu : la
Vierge de la Pile avait saigné publiquement. À Sebourg, à
présent, c'était à lui de voir s'écouler le sang lunaire et
n'était-ce pas un autre miracle, à lui seul réservé, que, dans
la condition la plus humble qui était la sienne, ce fût lui, le
berger Druon, qui était appelé à contempler la part secrète
et noire de la plus belle des femmes – de sa maîtresse en
titre et en droit, Dame Élisabeth Haire, souveraine du chep-
tel, des terres et des gens. Il se préparait donc, dans son
cœur, à regarder, car sa vie n'avait plus d'autre raison, et
comme si son cœur était, au centre de lui-même, un œil

énorme, ardent et impudique, fouilleur, dévorateur et ténébreux. Au point de sa marche où il se trouvait engagé, il
avait encore l'innocence de l'inexpérience et ne se représentait pas le sexe de la femme autrement que celui des
brebis, atone, passif, démuni, inspirant la pitié. Et il se
disait que, si du sang sortait de là, ce ne pouvait être que par
l'excès d'une douleur inconnue des hommes. Et lui, Druon,
qui avait d'abord voulu racheter sa mère des flammes de
l'enfer, voici qu'il s'obstinait dans sa marche vers la maison
absente et la femme inatteignable, afin, pensait-il, d'apaiser la douleur de la beauté. Sur le mal et la source du mal,
il poserait la main et, puisqu'il était fou et qu'il ne lui restait plus qu'à mourir, il poserait ses lèvres pour le plus long
des baisers tandis que le poison du sang – si ce qu'il avait
entendu dire était vrai – descendrait en lui et achèverait
de l'obscurcir.

Depuis qu'il s'était mis en route et surtout depuis que la
lune l'avait éclaboussé de sang féminin, Druon avait senti
s'apaiser, et jusqu'à s'effacer son désir initial. Il n'était plus
entraîné sur sa voie par l'arrogance du phalle. Derrière cette
vanité de façade, se dissimulait une famine – une indigence
radicale : de n'être jamais qu'homme, empêtré dans sa virilité, sans aucune chance de posséder un jour ce qui lui manquait le plus et après quoi il soupirait, son complément et
sa plénitude de féminité. Il avait quitté la bergerie comme
fasciné par son désir de viol. Il voulait contraindre, saisir,
plier et rompre, afin de posséder la femme jusqu'aux
moelles. Il avait une âme et un phalle de bélier et il croyait
que rien ne l'arrêterait dans sa course. Cependant le chemin
s'était allongé démesurément, le temps était entré en une
durée qui ne paraissait pas avoir de fin, la lune avait saïgné,
Druon avait compris que cette blessure-là, ouverte au-dessus de tous les hommes, appelait reconnaissance, commisération, miséricorde. Tel était donc le terme éthique de sa
marche dans la nuit, tel était le sens de sa queste : il oublie-
rait son désir et s'en dessaisirait, il irait jusqu'à la femme
et jusqu'à la source du sang qui était la même que la source
des larmes. Il lui baiserait la main qu'elle aurait retirée

toute sanglante de dessous sa robe. Il l'assurerait de sa fidélité et lui ferait serment de son dévouement corps et âme.
Il lui demanderait seulement ce qu'elle attendait de lui, afin
de soulager sa douleur – cette douleur d'être, qu'il voulait
prendre en charge ou du moins partager, tel un nouveau
Messie, lui qui était déjà le Bon Pasteur, pour rédimer, à
sa mesure – celle d'un amant lié et courtois – la malédiction portée, au commencement, sur le sexe de la femme.
Si la Dame lui offrait de coucher avec elle, il la rejoindrait
dans son lit. Si elle lui demandait d'aller prier pour elle à
Jérusalem, il irait. Si elle voulait qu'il s'enferme dans un
cloître afin que son renoncement à toute chair la purifie de
la pestilence installée, à l'origine, dans son corps de femme,
il quitterait tout pour le moustier. Et si elle n'attendait rien
et ne voulait rien attendre de lui et le congédiait à tout
jamais hors de sa vue, il partirait sur les routes et mendie-
rait son pain, heureux de souffrir par elle et pour elle, pen-
sant : je suis inutile, je ne vaux rien, je ne suis rien, mais je
l'aime. S'il y avait un désir en lui, désormais, ce n'était plus
de jouir du corps de la plus belle des femmes, mais de s'approcher, le plus près possible, du cœur ou centre de son
malheur et de sa souffrance. Il voulait par une extrême
contention de tout son être charnel et spirituel – à en mourir peut-être – introduire en lui-même l'essence malheureuse de la féminité, accéder de la sorte à l'être de la femme,
non pour le plaisir mais pour la vérité.

Ainsi, à mesure qu'il marchait dans la nuit, à mesure qu'il
s'élevait, car le chemin ne cessait de monter, Druon assistait, au fond de lui-même, à la transformation de son désir
– à sa transvaluation en un projet de plus en plus idéal et
dépouillé et débarrassé de tout caractère possessif, et par
là lui revenait le sentiment de son unité – tout au moins
de la possibilité de cette dernière, comme une chance à
l'horizon du renoncement. Son âme était donc considérablement allégée lorsque soudain il aperçut à quelques pas
devant lui le vaste ensemble de bâtiments constituant la
demeure de Dame Élisabeth Haire. Le portail était fermé
mais il céda sans difficulté à la poussée de son bras contre

les vantaux. Tout paraissait se dérouler avec l'aisance que l'on connaît dans les rêves les plus heureux où rien ne presse et où le cours des choses s'effectue en une succession de moments sans tension ni effort, surtout sans angoisse, la passion ayant atteint le point d'équilibre intérieur qui lui dispense la sérénité. Aussi bien Druon avançait-il comme s'il tenait ses yeux fermés. Les quelques molosses qui gardaient le domaine et, pour l'heure, allaient et venaient dans la cour, le laissèrent passer dans une totale indifférence, sans pousser un jappement. Il ouvrit d'autres portes, il longea des vestibules, il traversa d'autres cours, il pénétra dans des pièces où dormaient des gens qui ne se réveillèrent pas quand il passa. À la fin, tâtonnant à la surface des murs, car il ne voyait goutte, il monta la spirale des escaliers d'une tourelle. Au sommet, la lueur tremblante d'une chandelle, à travers l'interstice d'une porte, annonçait que la chambre close était occupée. Le souffle retenu, Druon que l'émotion de son audace bouleversait soudain, frappa trois coups espacés et attendit.

Il y eut un instant de silence, puis la porte s'ouvrit lentement avec un léger grincement. À la vue de Dame Élisabeth Haire debout sur le seuil, Druon s'inclina, fit une génuflexion, puis il se redressa, tendit vers elle son visage, lui offrit toute la lumière de son regard et toute la gravité de son sourire. Il allait parler, mais elle eut un geste du doigt pour lui signifier le silence. *Je sais...* lui dit-elle. Un autre geste l'invita à pénétrer dans la chambre. Elle ferma la porte. Ils se tenaient debout, face à face.

Elle répéta : *Je sais...* Et dès lors dispensé de prendre la parole, Druon n'eut qu'à écouter le discours de la Dame, accordant son cœur et son esprit aux mots qui lui venaient d'une si divine beauté. Il écoutait avec bonheur et humilité, elle aurait pu dire n'importe quoi, parler grec ou hébreu, il était là pour entendre sa voix plus encore que pour s'emplir de significations claires. Il était là pour la musique et pour le souffle et pour l'influx charnel qui impulsait le rythme et le débit. En même temps qu'il recevait les paroles, il recevait la forme de la femme, s'ouvrant à sa grâce, à sa tendresse, à sa générosité, à la présence puissante de ses appétits. Souvent il fermait les yeux afin de concentrer son écoute mais aussi pour mieux la contempler et savourer sa beauté. À un moment d'attention divagante, rêvant sans doute plus qu'il n'écoutait, la pensée lui vint que Dame Élisabeth Haire aurait pu être sa mère, car il lui paraissait qu'elle avait à peu près l'âge que Marie d'Épinoy aurait eu aujourd'hui. Et cette intuition le combla d'un troublant plaisir. Il aurait voulu s'approcher d'elle, sentir sa chaleur et son parfum, mais il n'osait pas, il restait immobile, à distance, dans une attitude de déférente attente. Quand il levait les yeux, il voyait le visage de la Dame souriant parmi les mots, sa chevelure dorée nattée jusqu'aux hanches et, sous la simple robe étroite qu'elle portait, sa poitrine toute gonflée de tendresse. Que n'était-il le page autorisé à toucher les vêtements de la souveraine ! Lui, avec sa méchante tunique serrée par une corde sur ses pauvres braies, il n'était que le berger. Même dans la situation parfaitement insolite dans laquelle il se trouvait, il ne perdait pas de vue l'écart infini qui le séparait de la Dame. Les images débridées qui avaient agité sa rêverie – images de blessure féminine, de sang lunaire, de corps mis à nu, offert, possédé, travaillé, rompu – s'étaient évanouies. En son âme, le garçon n'était peuplé que par le bonheur d'être là, sans projet, et par le souci d'être, en tout point, digne de cet instant – instant d'éternité, ainsi l'éprouvait-il, tant sa conscience était absente à l'écoulement du temps.

Je sais, lui disait-elle, voilà maintenant six ans que tu es venu à Sebourg. C'était, pensais-tu, pour garder mes moutons. J'ai fait semblant de te croire, pour te rassurer et te préparer. Mais je savais bien qu'il ne s'agissait pas de cela. *Je sais.* Dès le premier jour, j'ai lu dans tes yeux que tu as une mission à accomplir qui n'est pas, comme pour le vieux Pieter, des soins à donner aux bêtes. De la façon dont tu es arrivé à Sebourg, sur cette barque sans pilote au gré de la rivière, te pliant aux courbes et gagnant les eaux profondes, j'ai compris que ton voyage avait un but beaucoup plus lointain et beaucoup plus noble que mes étables. Et comme ton

regard est tout à la fois étrangement limpide et plein d'obscurité, et que tu portes en toi le goût de la beauté des mots
et de la noblesse de la pensée – car les vers latins que tu
récites sont venus chanter à mon oreille – *je sais* que tu
n'es pas promis pour le bien-être des moutons, mais pour
le salut de la femme. Pour que tu sois venu à Sebourg, tout
seul, à un âge encore tendre, il a fallu que ta mère soit
morte. *Je sais* qu'elle est morte. À ton goût pour le silence
et le recueillement, j'ai compris que tu te fais du souci à
son sujet. On m'a dit que tu viens souvent prier à l'église et
que tu abandonnes alors les moutons à la garde de Dieu.
Abandonner les moutons, c'est une faute pour laquelle j'aurais pu te chasser. Je ne l'ai pas fait. *Je sais* qu'en ton
absence les moutons se sont toujours tenus tranquilles. *Je
sais* que tu es un protégé de Dieu, son élu, peut-être, parmi
les hommes. *Je sais* que ta mère est en grand danger d'être
damnée si tu ne lui gagnes pas sa part de paradis.

Ici, Dame Élisabeth Haire tendit la main à Druon. Il la
prit et la serra, avec un tremblement de tout son être. Alors,
elle l'attira vers elle, presque à se toucher, corps contre
corps. Et la face de Druon tenait entièrement dans le souffle
de la femme. Elle poursuivit...

Je sais. Je sais pourquoi tu es venu jusqu'ici, cette nuit.
Il t'a fallu beaucoup de temps pour rêver et beaucoup de
temps pour renoncer à tes rêves, aussi ton chemin fut-il
fort long. Mais tu es encore très loin d'obtenir ce que tu
désires en ce moment et qui est ce que tu désires le plus
sur cette terre. Comprends bien que je pourrais être ta mère
et que, en vérité, c'est ta mère que tu vois en moi et dont tu
ne cesses de t'approcher depuis que tu t'es mis en route. Si
tu viens à moi comme à ta mère pour la femme que je suis,
alors l'amour entre nous ne peut être que prodigieux. C'est
pourquoi, il ne faut pas se hâter de le consommer, au risque
de l'épuiser. Tu dois attendre encore et te préparer en te
soumettant à l'épreuve que je vais t'imposer.

Dame Élisabeth Haire se mit alors à parler très bas et très
vite, murmurant force indications et explications, d'une
voix à peu près inaudible. Druon essayait d'entendre. De

loin en loin, il saisissait quelques mots en relief, tels que *route, pénitence, Rome, pape*, mais tendant l'oreille il se trouvait si proche de la femme, si proche de la bouche effusante et susurrante, qu'il n'entendait plus rien du tout et il avait l'impression de se pencher et de tomber doucement comme une fleur dans un rêve de vide. Et peut-être serait-il tombé effectivement, au point de léthargie où les mots, devenus pure musique et pur bercement, le portaient à son entière pesanteur de corps et d'âme. Mais ce fut à cet instant que Dame Élisabeth Haire l'entoura de ses deux bras, le serra fortement contre elle, et lui tint le front sous ses lèvres, dans la lenteur et la puissance d'un immense baiser. Et Druon put alors chavirer sans retenue, non dans l'espace physique occupé par les corps et les choses, mais comme au plus profond du dedans de silence et de nuit de son être tout entier. Il vacilla, il chancela, il se coucha sur le flanc, il prit eau et sombra. La femme le nouait par la taille, pressait son ventre contre le sien et oscillait très doucement en un infime mouvement de balancier, cependant que ses lèvres glissaient du front et prenaient possession du visage jusqu'à la bouche. Et comme elles se posaient là et demeuraient, quelque chose d'extraordinairement violent, déchirant, jubilant, excessif bouleversa soudain le corps de Druon qui tremblait entre les bras de la femme comme les branches du Buisson ardent. Son phalle se dressa, poussa à toute allure le long de son ventre et sembla se fendre avec une véhémence irrésistible. Quelque chose éclata. Quelque chose jaillit. Druon ouvrit la bouche, dans la stupeur d'un plaisir inouï. Les lèvres de la femme se précipitèrent en elle, attirant et attisant la chaleur vacante remontée de la nuit du désir – dans le partage du souffle. *Ad te (Domina) omnis caro veniet.* « Vers toi (ma Dame) viendra toute (ma) chair. » (Introït de la messe des Morts, modifié pour cause de passion.) Le gémissement qui s'effusa de l'arrière-fond de sa gorge fut comme d'un arbre dont toute l'écorce s'affaisserait soudain, glissant, unique et dernière tunique, jusqu'au pied de ses racines. L'homme était dépouillé de lui-même, débarrassé de ses apparences – mort à sa facticité.

Et Druon aurait pu voler et sinuer entre Ciel et Terre, avec ses ailes de plain-chant, loin du monde et de Sebourg – appuyant de ses deux mains contre son cœur le visage de Dame Élisabeth Haire – si, brusquement, une douleur aiguë n'avait fulguré au travers de son corps, exactement au creux de l'ombilic, pour lors tout engorgé de gluance glacée. Un tel saisissement le précipita dans la réalité des choses, dont il ne s'était évadé que le temps de fermer les paupières. Il se vit donc, déversé de toute illusion, dans l'intenable situation du berger amoureux, dont le désir a outrepassé toute décence. Et devant lui, l'un et l'autre debout, la femme traquée dans son repaire d'attente et d'adoration, amoureuse elle aussi, et déversée à son tour. Ils se tenaient là, encore que tout habillés, comme Adam et Ève expulsés du Jardin.

C'était la saison des nuits les plus courtes. Lorsque Druon regagna la bergerie, l'aube pointait à l'horizon. Grouin se jeta dans ses jambes et, le nez levé, fouillant du bout de son museau les vêtements de son maître, il put se repaître de l'inédite odeur du péché. De sa main droite, Druon tenait alors une houlette d'un genre nouveau : un bâton, gaillardement sculpté en forme de phalle. Un courtier en drap, au service de Dame Élisabeth Haire, l'avait ramassé dans l'herbe, à la porte de l'abbaye de Wisques, et l'avait offert à sa patronne dont il paraissait connaître les goûts. Celle-ci à son tour, l'avait remis à Druon, en souvenir de leur rencontre nocturne. Elle lui avait dit : Emporte ce bâton avec toi lorsque tu prendras le chemin qui conduit à Rome. Ainsi tu ne ressembleras à aucun autre pèlerin ici-bas, et le pape te recevra avec égard. Elle lui avait aussi remis une ceinture qu'il devait porter sous sa tunique, directement sur la peau. Elle était tissée en poils de chèvre fort rudes, mêlés de touffes de chanvre brut. Voilà, lui dit-elle, ce que les saints de tous les temps ont appelé une haire, ce n'est pas moi qui l'invente. Serre-la fort sur ton jeune ventre et sur tes reins. À toi qui entreprends de gagner le paradis pour ta mère et pour moi-même avant de le gagner pour toi, elle te rappellera, jour et nuit, qui je suis et que mon amour fait mal.

L'été approchait. Il n'y avait pas de meilleur moment pour se mettre en route. Druon avait une idée fort vague de la situation géographique de l'Italie, des chemins qu'il devait emprunter de préférence et du temps qu'il mettrait pour se rendre à Rome. Mais il savait qu'il lui faudrait traverser de hautes montagnes, infranchissables à la mauvaise saison.

La veille de la Saint-Jean Baptiste, il arrêta son troupeau en un coin de prairie d'où l'on pouvait voir, au loin, le clocher de Sebourg. Grouin s'activa pour que toutes les bêtes fussent bien serrées et immobiles, les unes contre les autres. Alors, Druon prit la parole : Moutons et brebis, je vous accompagne aujourd'hui pour la dernière fois. Demain je prendrai la route qui mène à Rome et j'irai aux lieux où reposent les plus glorieux martyrs prier et faire pénitence. Je prierai pour vous, mes bons amis, car votre compagnie était douce et vous m'avez beaucoup appris : la patience, la résignation, la tendresse, la régularité, l'humilité, la confiance et la fidélité. Vous m'avez appris aussi le désir. Et avec lui, c'est un monde nouveau et infini qui s'est ouvert à moi, le plus exaltant et le plus dangereux des mondes possibles. Je prierai pour vous, mes bons amis, pour que l'herbe reste grasse et l'eau fraîche et pour que le couteau du boucher ne vous fasse pas souffrir inutilement. Je prierai tout spécialement pour l'innocence des agneaux, pour la fécondité des brebis et pour l'obstination à prospérer et la bonhomie des infortunés moutons. Adieu, mes amis, je vous promets que le Bon Dieu ne vous oubliera pas dans son paradis. Allez, mes braves, continuez de moutonner, et ne pleurons pas.

LES ANNÉES PÈLERINES

Ici, moi, le mythobiographe, délégué de mes parts obscures, engagé désormais sérieusement dans le récit recréé de la vie de saint Druon, mais circonspect quant à la portée des interférences entre cette biographie et la mienne, hésitant à établir des rapprochements significatifs entre des expériences vécues à si longue distance l'une de l'autre, voici, je marque le pas. Lorsqu'il s'agissait d'évoquer les sensations et sentiments du berger, dans la proximité de ses bêtes, mon imagination s'appuyait sur des souvenirs restés vivaces en moi : pour l'essentiel, c'était le trouble que provoquait, dans mes sens, aux confins de l'enfance et de l'adolescence, l'expression de la sexualité animale, donnée comme une réponse illustrée, dans le vif, à ma curiosité et à mon angoisse. Je pouvais me représenter le jeune Druon, selon ma propre image, fasciné déjà, entièrement, par le dessin de la vulve des brebis, comme je l'avais été à propos des vaches que je gardais – et transporté au spectacle de l'accouplement du mâle et de la femelle, émotion que je connaissais bien, qui agissait immédiatement et intensément sur ma prompte chair, sans que je pusse alors imaginer quelque chose d'analogue, se déroulant entre un homme et une femme – comme si l'accomplissement du désir, chez l'animal, avec sa mise en scène de corps fougueux, trépignants et haletants, ne pouvait pousser le garçon que j'étais, au-delà d'une autosatisfaction mesquine et honteuse. Druon restait chaste, lui. Sa légende le veut ainsi. Sa solitude était empreinte de grandeur. En vérité, si je l'avais connu au versant de mes douze ans, si son effigie s'était trouvée à orner l'église où j'allais prier, abîmé tantôt dans la ferveur et l'exaltation, tantôt dans la confusion et la dépression, je lui aurais adressé maintes oraisons, comme à un personnage céleste, tutélaire et fraternel, dans l'âme intercédante duquel je pouvais soulager ma peine. À cet âge déjà, j'aurais attribué à Druon quelques traits de ressemblance avec moi, comme je le faisais dans l'obscurité de mes sentiments, pour d'autres saints auxquels je vouais un culte très personnel. Ainsi saint Roch, soulevant sa tunique jusqu'au milieu de sa cuisse où s'étalait la plaie que son chien léchait amoureusement ; saint Sébastien dont les flèches plantées dans son buste faisaient saillir les seins comme des seins de femme ; saint Exupère surtout, le centurion à la gorge ouverte, aux hanches larges, aux jambes nues, exposant sa blessure comme la couronne même de toutes ses puissances de sensualité sacrifiées pour l'amour de Dieu. J'aurais donc pu ajouter à ceux-ci et à quelques autres, saint Druon conduit par un mouton, confiant aveuglément sa destinée à un animal de troupeau, qui connaissait mieux que lui la volonté de Dieu, car moi aussi, que le péché, comme la rêverie, retranchait et isolait, j'aspirais à tenir mes yeux clos et à me lier les poings, afin de suivre le mouvement et de disparaître dans la masse amorphe des non-pensants et non-sentants, sans possibilité de m'en séparer et sans chercher à savoir si la longue marche conduisait au paradis ou au chaos. J'avais cru comprendre que seuls les idiots avaient chance de voir Dieu. Je cherchais dans la stupidité des autres le reflet d'une splendeur dont j'étais exclu. J'étais dehors. Je ne voulais rien de plus que pénétrer dans l'étable dont la porte était fermée. Si j'avais connu l'existence de saint Druon, je l'aurais invoqué. Il m'aurait, d'un geste, indiqué l'Agneau pascal, allongé sur la pierre d'autel et prêt pour le sacrifice. Ensemble nous aurions bêlé.

Mais à présent, Druon a troqué son costume et son attirail de berger contre ceux du pèlerin. Il faut l'imaginer à partir de l'iconographie médiévale bien connue, avec son grand manteau tiré jusqu'aux chevilles, son chapeau à vastes bords, sa besace en bandoulière, sa gourde en peau de mouton, son bourdon qu'il a orné de branches de buis pour en dissimuler le pommeau outrageusement phallique. Tout cela lui a été remis, avec des vivres pour le premier jour et quelques sols, par Dame Élisabeth Haire, et bénit par le curé de Sebourg, lequel lui a délivré une lettre attestant de sa qualité de pèlerin, et destinée à lui ouvrir quelques portes utiles le long de son chemin, presbytères, monastères, hospices. Et le voilà donc en marche pour la Ville éternelle. Il est parti à l'aube, il va d'un bon pas, le nez dans le vent. Il n'a pas encore adopté la mine basse, les épaules tombantes et le dos rond des chemineaux de sanctuaires, accablés par le poids de leurs péchés. Il n'a pas vingt ans. Il a l'air guilleret d'un ménestrel en route pour le château où l'attend sa belle. Cependant, sa marche serait plus alerte s'il n'éprouvait pas une douleur sourde, lancinante, qui lui vrille le nombril − cette douleur qui a traversé sa première jouissance d'amant, et qui n'a pas cessé depuis. Son pas est donc plutôt mesuré, mais il sent dans ses reins toute la capacité d'élan et la réserve de force pour aller jusqu'au bout − à Rome aux Sept Collines.

À cet instant initial, je le vois très bien, Druon, je vois son ombre allongée dans la clarté du grand chemin, je rejoins son cœur plein de promesse. À l'aune de ma propre expérience, je peux encore mesurer ce qui pousse Druon vers l'horizon de la campagne pleine et immobile, et apprécier, comme un secret qui se passe de paroles, sa détermination à aller de l'avant, qui n'a d'égal que sa réceptivité à tous les possibles survenants. Par là je retrouve toute la jeunesse de mon désir d'absolution et de rénovation de mon âme lorsque, sur mes quinze ou mes seize ans, je marchais, sac au dos, en direction de l'église de Notre-Dame d'Orcival, quelque part en terre auvergnate tourmentée de volcans. Depuis notre base de départ, où les scouts que nous étions avaient dressé leurs tentes, le pèlerinage représentait deux journées de marche, dont une nuit sur la paille d'une grange. Nous étions une petite troupe à nous déplacer, mais je me souviens surtout de la solitude de mes pensées. Sur le chemin varié, sinueux, interminable, insidieusement épuisant, je m'avançais d'un bon pas, pas après pas, comme si j'étais seul au monde, en tout cas seul à penser ce que je pensais, à attendre ce que j'attendais, à prier moins avec des mots qu'avec la ferveur de mon corps dont le désir inapaisé se faisait invocation de miséricorde et de salut. Je portais en moi le souvenir tout à la fois ardent et désastreux de mes dernières fautes charnelles et je croyais fermement qu'il m'était possible de me démettre de ce poids entre les mains de la Vierge Marie, par la prière, par le chant, et par une confession radicale que j'étais bien décidé à avouer au premier prêtre qui m'attendrait, installé dans son confessionnal. Je marchais donc, inspiré et soutenu par un réel espoir de délivrance. Il me semblait, sensiblement, que chaque pas me rapprochait du moment où le profond de ma vie allait basculer dans la lumière de la rémission et de la salvation. Aussi, je portais en moi un espoir plein de ressources qui m'empêchait de sentir la fatigue et qui me tendait constamment en avant, dans l'ouverture de l'espace et du temps. Je suis sûr que Druon a connu cette exaltation toute mêlée de joie et gravité. Je suis sûr que son visage tourné vers la seule vraie bonne direction – celle du pardon – tirait son corps, le poussait à s'affranchir de sa pesanteur intérieure, ne se lassait pas de scruter l'horizon où, un jour, toutes les limites céderaient dans l'évidence de la terre promise enfin conquise et dans la certitude du salut à portée de main. Assurément, mon expérience comparée à la sienne est microscopique. Combien de jours lui fallut-il, et de saisons entières, pour se rendre de son minuscule village de Sebourg, aux confins de l'Artois et du Hainaut, jusqu'à Rome ? Moi, au bout de deux journées de marche, j'étais à Orcival, immergé dans la beauté du monde, saisi au corps par la puissance d'ombre et de recueillement de l'église mais en même temps atterré et transi par la claire conscience de ma pesanteur pécheresse, laquelle ne pouvait que me précipiter plus bas, toujours plus bas, plus loin de la lumière et de la grâce. Il était dit que je ne me confesserais pas, que je ne soulagerais pas mon cœur. Il était dit que je resterais longtemps à contempler les fers de galériens, les chaînes et les liens de prisonniers, accrochés en ex-voto à même la porte du sanctuaire. Notre-Dame avait délivré tant de captifs autrefois, les hommes rentrés au pays sous l'horizon de leur montagne avaient déposé ici leurs entraves, souvenir de leur misère et hommage à Marie. Moi, je priais jusqu'aux larmes, face à la statue d'argent noirci de la Vierge de majesté. J'étais un mauvais pèlerin. Je répétais à l'adresse de mon âme inerte, comme si des mots, fussent-ils sacrés, avaient pouvoir de lui rendre vie, cette objurgation retenue d'une antienne au Magnificat : *Consurge, solve vincula colli tui, captive filia Sion.* « Lève-toi, brise les chaînes de ton cou, fille captive de Sion. »Mais naturellement, je restais attaché par tous les liens de la chair et du désir, le pèlerinage serait inutile.

Tel est le point fixé dans la mémoire de mon adolescence à partir duquel je vais tenter d'accompagner Druon en son immense pérégrination.

Les Petits Bollandistes sont, pour l'hagiomythobiographe, l'alpha et l'oméga, et j'y reviens toujours, même si je dois prendre mes distances par rapport à leur récit et me lancer dans des interprétations complètement hétérodoxes, nées de mon souci de comprendre l'aventure de mon héros non pas à partir de la tradition pieuse et du discours convenu auquel elle aboutit, mais à partir de ce que j'engage de moi-même dans la figure que je recrée, la rejoignant dans le creuset de mes fantasmes et de mes réminiscences. C'est ma façon d'aimer. J'accède à l'autre dans le mélange de nos substances. Je lui donne de moi autant que je prends de lui. Et naturellement, lorsque le récit officiel est vide de détails, de renseignements, d'indications susceptibles de fournir à l'expérience un contenu concret, original, je m'engouffre dans les lacunes et interstices pour y déposer, comme chyle et comme chyme, le précipité de mes visions, destiné à nourrir et engraisser ce corps de texte qui a pour nom *Les Errances Druon.*

Or si je m'attache à la métaphore de la connaissance comme d'une immense terre vierge, de l'autre côté d'une muraille qu'il faut franchir et d'un portail qu'il faut ouvrir de force, voici ce que je lis, en avant de tout ce dispositif de protection et d'occultation de la *terra incognita* qu'il me reste à explorer à mesure que je l'inventerai : « Après avoir passé six ans dans l'humble condition de berger, Druon, aspirant à une vie plus pénitente, quitta Sebourg, malgré les sollicitations de sa maîtresse et de presque tous

les habitants, puis il entreprit de longs pèlerinages de dévotion, pour mortifier son corps par la faim et la soif, par le
chaud et le froid, par les fatigues et les périls des chemins.
Il fit neuf fois le voyage de Rome, et visita beaucoup
d'autres sanctuaires. »

Il ne faudrait pas penser, comme on veut nous le faire
accroire, que Dame Élisabeth Haire ait cherché à retenir
Druon auprès d'elle et de ses moutons. C'est elle qui lui a
fixé le but et qui l'a jeté sur la route. Cela faisait six ans
qu'elle occupait le cœur du bergeronnet, discrètement,
d'abord, distraitement, en latence, en soupir, puis en sourdine crescendante et finalement en tapage et effraction
lorsque Druon en vint à se complaire au spectacle des
accouplements de ses bêtes. Alors son Ange gardien s'était
envolé à tire-d'aile comme celui qui avait tout fait pour que
l'enfant ne jouât pas avec le feu et qui était le premier à
s'enfuir quand l'incendie éclatait. Le désir s'était installé,
s'était exalté, il s'était répandu en ravage de sensations et
de pensées et, là où l'Ange avait dispensé ses bénédictions
et étalé ses ailes pudiques, il soulevait la chair et la poussait à l'incandescence. Et les prières de Druon sombraient
dans l'éruption qui se préparait. Ses Alleluia, ses Magnificat, ses *Te Deum* se coulaient dans la violence de son appétit pour le porter plus loin et plus haut, comme si l'âme formait l'extrême floraison du sexe et comme si le Paradis,
délaissant la sphère céleste, allait s'en tenir à des horizons
terrestres de possession amoureuse et de jouissance infinie.
Ainsi Dame Élisabeth Haire avait littéralement envahi tout
le territoire de sources vives que sont les sensations sensuelles, les fantasmagories de l'imagination, les aspirations
du cœur. Lorsque Druon s'était évadé de sa bergerie, dans
la nuit, lorsqu'il avait reçu, comme une visitation du regard,
la vision de l'écoulement du sang lunaire, il s'était jeté dans
l'espace à la façon des bestioles qui sentent, à des milles et
des milles, le parfum décisif de leur reine – et rien ne peut
plus les retenir, rien ne peut les arrêter, tout leur être étant
conçu, uniquement, pour aller jusqu'au bout de leur course.

Or Élisabeth Haire n'était aucunement la sainte femme évoquée par les Bollandistes. Comme Marie d'Épinoy dont elle paraissait être l'ombre sororale, elle avait flambé dans les lits adultères et les couches d'infamie. Elle était de ces pécheresses aux quarante démons capables de se trousser jusque sur la croix, mais traversée, elle aussi, tout comme Marie, par des transverbérantes lumières de grâce qui l'atteignaient jusqu'aux racines de ses ténèbres et déchiraient pour elle, sous la forme de visions, toute l'épaisseur du Ciel et du Temps. Ainsi connaissait-elle des instants où la toute-pressante présence de Dieu la contraignait à de véritables cures de solitude, de silence, de continence et d'abstinence, et où, son regard déchiffrant des signes prémonitoires et télépathiques, elle savait soudain, clairement, ce qui lui était réservé dans les détours occultes et les lointains de son histoire.

C'était précisément en un tel moment de retrait en elle-même et de lucidité surnaturelle que Druon était venu la trouver. En songe, elle l'avait vu en Bon Pasteur, portant un agneau blessé dans ses bras. Peut-être était-ce un loup qui avait déchiré le flanc de l'animal. La blessure était longue, pulpeuse et noire comme les lèvres secrètes de la femme. Du miel et du lait coulaient de cette fente. Élisabeth tendait la bouche pour y goûter. Mais le berger l'écartait d'un mouvement de son buste, et lui disait : Non, madame. Ce miel est amer et ce lait est tourné. Attendez que j'aie prié pour vous.

Elle était toute remplie de cette image lorsque Druon frappa à sa porte. Elle avait souvent pensé à lui depuis le jour où l'enfant s'était présenté à elle, guidé par un mouton. Elle avait saisi, à même sa face de garçon très pur, une auréole surnaturelle annonçant qu'il avait partie liée avec les anges de Dieu, et une vocation de messager pour les missions de l'Esprit. Aussi l'avait-elle accueilli dans sa domesticité avec une satisfaction considérable comme un elfe porte-bonheur. Elle l'avait ensuite laissé grandir, laissé mûrir au contact des bêtes, dans la solitude des vastes prairies, sans autre lumière de connaissance que les intuitions de son cœur. Et lorsqu'il avait quitté l'étable, cette nuit, et s'était aventuré à sa rencontre, au clair de lune, elle avait senti monter en elle, absolument comme si son âme et celle du jouvenceau gravitaient de concert, un étrange désir, tout nouveau mais également très ancien : comme de changer de peau, comme de se délivrer de sa nature et de son histoire, comme de retrouver la pureté perdue. Et tandis que Druon venait à elle poussé par son outrecuidante concupiscence et sa dévorante curiosité, elle, Dame Élisabeth Haire, au plus haut de son domaine, aspirait de tout son être à la paix des sens et à la réparation de ses péchés. Le rêve qu'elle venait de faire de son berger secourable à la blessure de femme, inscrite au flanc de l'agneau, la confortait dans sa pensée que le monde allait, pour elle-même, changer de face.

Et comme Druon frappait à sa porte, ce qu'elle lui ouvrait, l'invitant à pénétrer, n'était pas seulement la porte de sa chambre, mais l'intimité inquiète et douloureuse de son âme. Cependant, comme elle était tout le contraire d'une femme prude, et qu'elle était aussi, jusqu'en son désir de paix et de salut, hantée par les pulsions de sa chair, elle donna son corps pour appui à l'errant de toute une nuit de printemps, le serrant sans le vouloir, l'étreignant sans chercher autre chose qu'à lui dispenser son maternel réconfort, mouvant son ventre selon le rythme d'une nostalgie de tendresse, aussi chargée d'apitoiement pour son pauvre berger que de curiosité pour ses propres sensations. Et elle s'était mise à parler, inventant à mesure qu'elle parlait, un plan auquel elle n'avait jamais songé. Tout se précipitait, dans la lenteur du temps suspendu et dans le puissant vertige qui aspirait les corps. Elle demanda donc à Druon, non comme un ordre, mais comme une supplication, de pèleriner, tout chargé non seulement de ses propres péchés, mais de ceux de sa mère et de ceux d'elle-même, Dame Élisabeth Haire, et, député des femmes, envoyé par procuration, de les déposer à Rome aux pieds du Saint-Père, et de ramener l'absolution. Elle lui demandait aussi de chercher, parmi toutes les églises qui foisonnaient sur les Sept Collines, la chapelle du Santo Pilo, dont elle avait entendu parler et qui abritait une statue de la Vierge ainsi qu'un reliquaire, offrant à la vénération des fidèles, un poil du pubis de la Mère de Dieu. On l'avait assuré qu'une invocation fervente à la Vierge du Pilo répandait la grâce sur les femmes de mauvaise vie, les mères adultères et incestueuses, les amantes dévergondées. Elle demandait à Druon d'aller prier pour elle et, pour cela, de conserver son corps à l'abri de toute souillure et de tenir son cœur dans la forteresse d'une chasteté sans faille. Elle éprouverait bien, elle-même, à distance les bienfaits d'une telle prière.

Elle parlait moins qu'elle ne chuchotait, si bas et si vite, comme dans un halètement de mourante, que Druon ne saisissait pas le sens de ses paroles. Son attention était, du reste, détournée sur lui-même et toute fixée sur les sensations exorbitantes qui montaient en lui, depuis le bas de son ventre jusque dans le fond de sa gorge. Et lorsque sa semence jaillit, brûlante et aussitôt glacée, Dame Élisabeth Haire suspendit son discours. Il n'était plus nécessaire de parler. De toute évidence, pour elle, Druon était bien l'amant qu'elle attendait et dont elle allait faire son chevalier servant, le seul qui puisse lui sauver son âme déjà (songeait-elle) presque entièrement périe. Un peu plus tard, cependant, comme son preux berger d'amour semblait avoir repris ses esprits, et comme elle lui remettait le précieux bâton phallomorphe ramassé devant le portail de l'abbaye de Wisques, elle lui demanda instamment de déposer cet objet, en offrande, dans la chapelle ou peut-être la crypte, elle ne savait guère, du Santo Pilo, persuadée qu'il attirerait la bénédiction du Ciel sur le petit cercle des trois pécheurs selon le désir de chair : Marie d'Épinoy, Élisabeth Haire et Druon. L'emblème qui les liait les représentait et il demeurerait, pour la suite des temps, dans le sanctuaire de Notre-Dame-du-Désir, comme le témoignage de leur commune vénération et de leur commune obédience.

C'est donc ainsi qu'il faut se représenter Druon jeté sur le chemin par la volonté de rédemption, à peu près désespérée, d'une femme qui en cachait une autre : commis, chargé de mission, expédié au cœur de la chrétienté par Dame Élisabeth Haire au nom de Marie d'Épinoy. Et c'est donc enfemminé, emmaterné, l'âme grevée du péché des amantes, que Druon prend la route, en juin 1136. Son incommensurable faute d'avoir été, avant de naître, le meurtrier de sa mère, est alourdie du poids d'une énorme luxure, dans laquelle il n'est pas entré, personnellement, mais dont il hérite par dette filiale et amoureuse. Et dès lors le jouvenceau qui marche à journée faite sur la route de Rome, n'est pas un pécheur ordinaire, préoccupé par son seul salut. Il assume en lui-même l'état de trois âmes étroitement conjointes, brassées et embrassées dans un même destin de désir, de péché et d'inassouvissement. Doublement fils et amant de deux mères amantes, il est tout au féminin de son être. Il s'avance dans l'espace infini du monde comme s'il entrait dans la substance charnelle de la Terre et du Temps et alors qu'il a tout à découvrir et que chaque pas le porte vers un nouvel horizon, il éprouve le sentiment très étrange d'être déjà passé par là et de reconnaître les lieux, les choses et les êtres comme s'il les avait fréquentés depuis toujours, et dès lors il se trouve considérablement rassuré quand il comprend que ce voyage qui doit le conduire au Saint-Père s'annonce moins comme une aventure extérieure que comme un enfoncement en soi-même, prolongeant ce que sa vie de moutonnier lui avait appris : l'homme épris d'absolu ne sort jamais, il ne fait que revenir – en cela à l'image du troupeau dont le vagabondage parmi les prairies dessine une vaste courbe qui le ramène à l'étable comme à son centre. Druon se disait donc que le pèlerinage à Rome n'était qu'un détour de la voie qui devait nécessairement le rendre à Sebourg où l'attendait sa Dame. Il reviendrait, croyait-il, portant en main l'acte papal d'absolution et d'indulgence destiné à Élisabeth et l'attestation de sainteté de Marie d'Épinoy attachée à hauteur de son cœur par une cordelette. Il était à peine parti qu'il se voyait déjà de retour, avec tous les droits conquis de l'amant dont la mission fut bien remplie.

Assurément, la sainteté de Druon n'est pas donnée d'avance. On le voit bien, quand il quitte Sebourg par cette belle matinée de juin, toute grisante de foins coupés, et comme les hirondelles s'en donnent très haut dans le ciel et que les abeilles butinent ardemment les buissons de chèvrefeuille, le jeune homme a moins l'allure d'un pastoureau que d'un bachelier né pour explorer les arcanes du cœur féminin et les mystères de l'amour. Son âme virgilienne l'emporte, pour le moment, largement, sur sa part grégorienne et psalmodienne. À travers le souvenir insistant de Dame Élisabeth Haire, il devine tellement la beauté de sa mère, et il en est tellement inondé et illuminé au fond de lui-même, que l'ombre du péché lui semble se dissiper dans un infini de bienveillance et de pardon qui est comme le don de la campagne toute charnelle à travers laquelle il semble que son pas le fasse moins marcher selon la cadence du corps que voguer selon le rythme du souffle. Il a tout l'air d'un berger d'églogue, en congé de son troupeau. Il porte en lui un reste de cœur païen, hérité, à son insu, des ardeurs de ses père et mère et, sans doute, et par les femmes, d'adhésion archaïque à la terre des désirs et des étreintes et, s'il va vers Rome pour implorer le pardon de Dieu, il n'en va pas moins, dans les douces ondulations des prairies et des champs et dans les obsédantes senteurs du printemps, vers les antres rêvés des nymphes et des naïades et vers les couches sans façon des vieilles divinités rustiques. Il a quitté sa bergerie et il va, sur le chemin, comme un moine en rupture de couvent, comme si le monde l'attendait, avec des fleurs qui n'ont d'odeur que pour lui, un paysage dont toute la beauté lui appartient, une nature jaillissante et débordante qui ne se déploie que pour lui faire fête.

Tout ce pan de l'être qui rayonne de chaleur lumineuse et vivante, je le devine en Druon parce que je l'éprouvais jusqu'à un certain point – c'est-à-dire moins manifestement moins magnifiquement, n'étant prédestiné à rien de considérable – dans la modestie de mes ressorts, tandis que je pèlerinais sur la route d'Orcival. Dans la même étendue de ma conscience se conjoignaient indissociablement des transports de jouissance devant la beauté du monde et des accablements, moroses et épuisants, de pécheur sans horizon. Mon âme chrétienne était, je crois, infiniment plus pesante, empêtrée, enlisée, suffocante et malsaine que ne pouvait l'être celle de Druon – que je vois toujours assurée dans son innocence et sa fidélité. Mais il n'empêche, nous allions, chacun par notre voie, au-devant de la beauté et des sensations qui exaltent et qui réjouissent, dans l'intensité de l'instant, en même temps qu'au-devant du renoncement, de la souffrance et de la pénitence, dans la durée grise d'un présent sans avenir. Nous étions le champ clos d'une contradiction permanente entre amour du monde sensible et haine de nous-mêmes, séduction par les formes et mépris pour notre corps, plaisir de la grâce et de la force des mots de poème et de prière et enfermement dans la solitude, la taciturnité, la mélancolie.

Il y a, je crois bien, Druon du matin et du jour et Druon du soir et de la nuit. Dès qu'il est debout, au réveil, et tant qu'il marche de sentier en sentier, de chemin en chemin, le jeune pèlerin se laisse gagner par la lumière. Il récite ses prières, il chante ses hymnes et ses cantiques, il a le cœur rempli des présences aimées, il sait où il va, chacun de ses pas le rapproche du but pour lequel il s'est mis en route. Il est en communion de sens avec la nature entière sous toutes ses formes, car tout ce qui naît de la terre est là pour exprimer la gloire de Dieu et la puissance de l'amour. Et la beauté même, celle du paysage, celle des arbres, des plantes, des animaux de toutes espèces, est en vérité le sourire laissé par Dieu, au suprême degré de finition de la création. Lui, le garçon, avec son bâton de phallophore qui l'aide à tenir le pas, est tellement immergé dans la splendeur du monde et de la vie, que chaque pulsation de son cœur et chaque mouvement de son souffle valent pour action de grâces. Et comme aucune pensée ne pourrait alors l'empêcher de croire que son dessein est juste, que le Seigneur Jésus-Christ et sa Vierge Mère veulent son accomplissement et pour ce, à tout instant, protègent le pérégrin,

Druon est tout entier dans la plénitude de son être. Sa jeunesse, en ce commencement du voyage, n'est pas insoucieuse. Druon est conscient des dangers et périls de l'interminable chemin sur lequel il est engagé ; sa confiance ne lui vient pas de l'appréciation de ses propres moyens, en fait de résistance à la fatigue et de force morale, mais de sa capacité d'abandon à la providence divine – laquelle ne résulte pas d'une contention et d'une persuasion de son esprit par lui-même, mais se manifeste comme un pur don de Dieu qu'il n'a aucunement mérité et qui fructifie en lui si généreusement que l'on pourrait croire à une qualité de sa nature propre. Cela, pour le fond ; pour la continuité, si l'on y songe bien, de ce qui dure depuis le commencement.

Cependant, avec le déclin du jour et celui de la saison et du temps qui passe et avec la nuit qui vient, avec l'espace qui oppresse, avec la solitude qui pèse, avec les séductions des esprits de ténèbres, vient le moment où la joie replie ses ailes, où cesse l'évidence du bien, où la foi tend à se retirer. C'est l'heure où les heureuses présences qui remplissaient le cœur se métamorphosent en puissances de tentation, obscurcissant soudain, en ce retournement, le sens mystique de l'entreprise, car c'est l'heure de la chair. Le plus souvent, Druon a trouvé abri dans la paille d'une grange ou sur la litière d'une étable – car il évite de traverser les villes et va plutôt de villages en hameaux par des chemins buissonniers et des sentiers de chèvres. Il a mangé le quignon de pain qu'on lui a donné en aumône, et bu son écuelle de lait. De bonnes gens l'ont fait parler quelquefois, sur le pas de la porte, tandis que la nuit tombait. Il a raconté quelques histoires de Sebourg, il en connaît très peu et il lui arrive d'en inventer, pour les besoins de la cause, mais il ne parle jamais d'Épinoy. Il dit qu'il va à Rome, qu'il a fait vœu d'aller prier une fois sur le tombeau des apôtres et qu'il priera pour tous ceux qui l'auront aidé au cours de son voyage. Ensuite, il se retire, pour la nuit, à l'endroit qu'on lui a désigné, la plupart du temps dans la proximité des bêtes. Il est fatigué, il a sommeil, mais il ne se reposera pas avant d'avoir récité posément les sept psaumes de la pénitence, d'avoir imploré le pardon de ses fautes et d'avoir appelé la miséricorde de Dieu sur l'âme de sa mère et sur Dame Élisabeth Haire. Il voudrait s'allonger ou se recroqueviller jusqu'au matin dans la paille ou dans le foin. Ses jambes sont lasses, ses pieds sont douloureux, surtout il éprouve des élancements aigus au milieu de son ventre, dans le creux du nombril précisément. Cette sensation le ramène aussitôt au souvenir de la jouissance démesurée qu'il a connue lorsque Dame Élisabeth Haire l'a serré dans ses bras. En fait, il n'est pas de nuit où il ne chute dans cette obsession. Il la repousse, il récite un *Ave Maria*. Dès que la prière est finie, l'ombre de la Dame le rejoint, se déploie en lui, le tracasse dans ses chairs. Le désir durcit et se tend dans ses chausses. Druon serre la ceinture de crin qu'il porte à même sa peau. Ses reins et ses hanches sont talés. Il a l'impression que son corps se consume, à la taille, et une démangeaison intense se développe sur toutes les parties recouvertes par la haire. Il serre les poings, il se griffe la paume des mains dans sa volonté de ne pas céder au besoin de se gratter. Son désir, au bas de son ventre, ne s'est pas détendu. Druon appelle le secours de son Ange, il s'entend le supplier tout haut et sa voix est soudain étrange à l'extérieur de lui, mais la paix ne lui vient pas en réponse. Il sent la présence du bétail, dans l'obscurité, ses fortes odeurs de sexes et d'excréments, la vastitude chaleureuse de ses respirations, la rumination infinie des maternelles femelles, incitatrices de rêveries aberrantes et débondées, comme d'entrer, tête en avant, dans leur vulve grande ouverte, et se pousser au-dedans à la façon d'un Jonas in utero, pour la suite des temps, ou encore de se coucher sur leur litière, entre leurs pattes et de se laisser recouvrir entièrement de bouse et d'urine jusqu'à s'absorber pleinement et disparaître dans la matière du fumier – être ainsi délivré de son âme pensante, souffrante et adorante et entrer sans réserve dans la paix des choses infectes mais fécondes, quel vertige d'éternité matérielle! Druon y aspire, dans le creux du temps, lorsque sa volonté de pureté commence à désespérer d'elle-même.

Il arrive aussi que des journaliers, employés au travail de récolte, partagent la grange ou l'étable qu'on lui a assignée. Hommes et femmes s'étreignent dans l'obscurité. Druon connaît désormais le remuement, la soufflerie, l'acharnement, le concert des plaintes et des cris. Il ne voit pas. Il peut fermer les yeux. Il les ferme, intensément. Mais il ne peut pas ne pas entendre. Sous ses yeux clos, par le seul canal de l'ouïe, il a la vision des corps en danse et en transe. Il ne voit rien, en réalité. Mais c'est exactement comme s'il voyait. Il les voit donc, son désir les contemple : hommes-béliers, hommes-boucs, hommes-étalons, hommes-taureaux, et la femme sous leur poussée – ondulante, trémoussante ou trépidante, ouverte, écartelée. Il voudrait s'écarter de la scène de ce théâtre de concupiscence, et s'enfoncer, loin de toute réalité, dans le silence de son cœur. Mais il ne peut se soustraire à la rumeur montante des couples engrenés. Et lorsque celle-ci, finit par s'éteindre, d'un seul coup, son cœur est tellement agité, encombré, désuni qu'il ne se reconnaît plus, qu'il n'a soudain plus de lieu spirituel enfoui en soi, plus d'abri, plus de centre, et qu'il voudrait s'exiler de son être, dans une mort sans au-delà. De cette stupeur accablée, il n'émerge que par une violence méchante acharnée sur son propre corps. Il déroule la lanière qu'il transporte dans sa besace et se fouette longtemps, finalement vaincu par la fatigue de son bras plus que par la douleur. Il s'écroule ensuite dans un pesant sommeil traversé de rêves. Dame Élisabeth Haire vient à lui, l'air courroucé, la taille raide : Qu'as-tu fait de ta promesse de chasteté ? lui demande-t-elle. Est-ce ainsi que tu me sers ? Comment mon âme pourra-t-elle être sauvée si tu n'en as que pour ta jouissance ? Allons, Druon, ressaisis-toi. Rengaine ton désir. Écoute-moi bien : Distance et indifférence, il n'y a pas d'autre voie. Debout, mon ami, et marche droit.

Dès les premières lueurs de l'aube, Druon est sur le chemin. La fraîcheur du petit matin le revigore, le purifie, lui permet de remettre à leur juste place les fantasmagories de la nuit et du sommeil. Il se dit que ce n'est pas sa Dame qu'il a vue, en songe, et qui l'a sermonné. Ce ne peut être qu'une diablesse accourue de l'enfer pour le tenter. Dame Élisabeth Haire est une noble femme, pleine de tendresse et de compassion pour son pauvre berger. Elle sait que Druon met tout son cœur à la servir fidèlement. *Distance, indifférence*, ces mots ne sont pas les siens. Elle n'est, elle-même, que proximité et sympathie. Du reste, lorsque Druon pense à elle, et parce qu'il pense à elle, le monde s'amplifie en beauté, en grâce, en équilibre, en harmonie – et c'est là un spectacle de révélation d'une telle évidence que le jeune penseur, qui s'éveille en l'esprit de notre pèlerin, est porté à croire que la terre sur laquelle il marche, là où il pose ses pas, échappe à la loi générale du péché, en sorte que le chemin que sa marche semble inventer est bien, en vérité, chemin d'innocence. Non que Druon soit plus pur que n'importe qui – mais parce que l'amour qui le conduit est incorruptible et que son cœur, au plein, est immuable. Quand je n'aurais pas de corps, songe Druon, mon amour ne serait pas plus pur qu'en ce matin où je marche pour vous.

Son exaltation – sentiment immense de l'élargissement de son cœur, auquel nul désir ne se mêle – monte en lui selon la courbe ascendante du soleil, pour décroître ensuite et se replier presque insensiblement, mais inexorablement. La fatigue physique et surtout la douleur au ventre interviennent chaque jour comme des épreuves charnières qui font basculer l'enthousiasme en lassitude d'être et, à l'approche du crépuscule, en sourde angoisse, prélude à une nuit tumultueuse et insomnieuse.

La douleur abdominale est quelque chose de très étrange. Elle se tient longtemps dans une épaisseur de sensation confuse, pour ainsi dire latente – une promesse de malaise avant que le mal ne se fasse vraiment sentir. Passé le milieu de l'après-midi, quand la fatigue commence à peser dans les jambes, la douleur pousse brusquement une pointe aiguë qui traverse le nombril et vient tarauder les entrailles. À la nuit, tout le ventre est irradié. Ce ne sont pas les contractions bien connues des coliques, mais plutôt un pincement obsédant, une piqûre, une morsure. On dirait qu'un

animal s'est logé dans un repli d'intestin et que, une fois
sorti de sa somnolence, il attaque. Est-ce un ver? Un
insecte? Une tique peut-être? Druon s'est quelquefois
arrêté à ce genre d'explication, qui serait rassurante s'il
pouvait s'y tenir. Mais il ne peut oublier que la douleur est
apparue la première fois tout de suite après que sa semence
eut jailli, dans la pression et la précipitation de son désir,
la nuit où sa Dame l'embrassa. Cette fulguration au mitan
de la chair n'a d'autre cause que le péché. Elle n'est pas le
fait d'un animal. Mais le doigt de Dieu s'est appuyé là, sur
la cicatrice de l'antédiluvienne blessure de naissance, pour
rappeler à Druon qu'il a, cette fois-là, dépassé les bornes –
ayant souillé son amour après avoir tué sa mère.

Nous ne sommes ici qu'au tout commencement de la
période pèlerine de Druon. Or il convient d'avoir en vue
que notre héros – de moins en moins berger, de moins en
moins jouvenceau – fit neuf fois le voyage à Rome, depuis
Sebourg, arpentant le pays étendu entre ses deux pôles de
prédilection : pôle de désir et pôle de pénitence et de
rédemption, et que ses allées et venues, du Septentrion au
Midi et de la Ville éternelle au village d'éternité couvrit
vingt années de sa vie. Il faut donc entendre que toute la
charge intérieure de sensations, émotions, sentiments, et la
conscience de soi et la vision du monde et la conception de
la vie évoluèrent grandement chez Druon et se transfor-
mèrent en sorte qu'au terme de sa pérégrination, dans son
corps, son cœur et son esprit, par la seule accentuation des
traits les plus remarquables de sa personne, il était devenu
un autre soi-même, sans cesser d'être le même.

Ainsi, simplement, pour ce qui fut son mal d'ombilic, il
faut dire que celui-ci ne cessa de se développer. Un jour,
Druon constata que son nombril était enflammé, et putres-
cent. On aurait dit que la ligature s'était desserrée et que,
par un interstice infime, une goutte d'humeur s'écoulait.
Druon se contenta de l'éponger, du pan de son manteau.
Plus tard, il la goûta. L'odeur était fétide, la saveur âcre et
tenace lui souleva d'abord le cœur, mais il persista dans
cette dégustation, cueillant soigneusement la liqueur avec

son doigt et la léchant. Au début, il y eut la curiosité pour les choses qui venaient de son corps et semblaient s'extraire de profondeurs inusitées. Ce fut ensuite par esprit de pénitence et pour corrompre son goût qu'il avait naturellement sain, enclin aux aliments sapides, mais paisibles et convenus. Mais lorsqu'il s'aperçut qu'il prenait plaisir à cette horreur de saumure pourrie qui sortait de sa chair, il cessa de la porter à ses lèvres. Et de même lorsque des furoncles ou des abcès se formèrent à différentes parties de son corps, surtout dans les plis reculés et indécents, il commençait toujours par goûter, dans un esprit d'humilité et d'abjection de soi-même, et finissait par s'abstenir quand il sentait venir la succulence. Or il lui arriva souvent, en cours de route, de rencontrer infirmes ou malades dévorés de purulence. Jamais il ne pensa que les baisers qu'il eût pu répandre sur leurs plaies pouvaient apporter quelque soulagement à la souffrance d'autrui. Il n'avait pas assez d'estime pour sa propre capacité de sympathie et n'avait aucune raison de se croire nanti de pouvoir thaumaturgique, aussi se contentait-il de regarder avec compassion la misère physique des autres sans chercher à la réduire ni par les lèvres ni par la langue ni par la caresse de la main. Il aurait aimé être le chien de saint Roch, porté à lécher efficacement les pires infamies du corps. Lui, dans son humilité, qui était à peu près toute sa puissance de résistance à la perversité de sa nature, il se retenait de toucher, il se retenait surtout de sentir et de goûter. Les enfants pourtant l'attiraient, les estropiés, les dégénérés, les morveux, les foireux, traversés de fistules ou gonflés d'apostèmes. Il avait vu, une fois, couchée sur la paille d'un grabat, une jeune fille au beau visage, dont les deux seins pourrissaient, hantés de vers dans le vrombissement des mouches. Il n'était ni Jésus pour lui imposer les mains, ni un saint aveugle et dépris de son sexe pour lui imposer les lèvres. Il ne pouvait même pas la bénir, il n'avait aucun pouvoir de clerc ; ni la consoler avec des paroles, les larmes qui coulaient jusque dans sa bouche et les sanglots qu'il retenait l'empêchaient de parler. Il emporta avec lui, et cultiva longtemps dans son souvenir, l'odeur de décomposition associée à l'image de la beauté. Plus d'une fois, dans la solitude de sa conscience pécheresse, il se prit à pleurer à la pensée de cette charmante enfant et, dans son cauchemar éveillé, il la voyait totalement proie de vermine, toute sa chair dévorée, tout son corps vidé, et sa peau flottant comme une étoffe autour de ses os.

Il avait alors une trentaine d'années. Son ventre ne le tenait plus en repos. Son ombilic hypertrophié saillait comme la bonde d'un tonneau. Il était percé d'un méat par où s'écoulait un mince filet de liquide jaunâtre et puant. Quand Druon s'arrêtait pour se reposer, quand il s'asseyait, quand il s'allongeait, il sentait distinctement la présence et le mouvement d'un doigt, ou plutôt de deux doigts, s'ingéniant, lui semblait-il, à dénouer le cordon, à élargir l'orifice, à trafiquer dans ce petit canton de chair malade, pour y créer quelque chose de bizarre et d'indécent comme une ébauche d'anus ou de vulve – un trou ardent dans une cavité toute de lèvres et de replis. Cette finesse du doigté, cette délicatesse et cette précision du toucher, ne pouvaient être qu'affaire de femme. Si c'était bien le doigt de Dieu, violent et vengeur, qui avait ouvert la plaie, c'était à présent une main toute féminine et maternelle qui opérait comme si, dénouant enfin le cordon des origines que la vie avait décidément par trop serré, la toute-puissante Mère du Destin rappelait à elle, pour le ramener à son sein, l'enfant que Druon avait été, avant le commencement, en l'innocente inconscience qui avait précédé son crime. Ainsi notre acharné pèlerin put-il penser, sur la route, que Marie d'Épinoy se rappelait à lui – à lui qui n'avait jamais cessé de penser à elle. L'âme de feu de la mère, amante, adultère et sacrilège s'était installée ici, au milieu du ventre filial. Elle était sortie de l'enfer. Elle entamait son purgatoire, avec la compacité infinitésimale d'un esprit chtonien, dans la chair toute close de son fils Druon. L'immortel enfant qui demeurait toujours en l'homme, à présent dans la force de l'âge, aurait voulu honorer délicatement cette présence occulte qui le peuplait désormais. Rien ne lui aurait plu

davantage que de piquer quelques fleurs dans le petit
conduit cloacal qui, songeait-il, conduisait au centre. Mais
il eût fallu pour cela ôter la haire de Dame Élisabeth – ce
qui était proprement impensable parce qu'interdit, absolument. En Druon, la femme s'était scindée : il y avait la
mère qui creusait son trou et l'amante qui ceinturait et liga-
turait. Cette contradiction était infranchissable. Il ne restait au fils qu'à se prosterner dans les abîmes de la prière.
Dieu interviendrait peut-être.

Il faut entendre toute cette partie de la vie de Druon –
vingt années du même et incessant pèlerinage – comme
un perpétuel tourment, encore que rien ne pût l'empêcher
de chanter ses laudes à la gloire de Dieu devant les beau-
tés de la création. Mais ce cantique du cœur, à la répétition
duquel il se vouait, avait souvent valeur de refuge plutôt
qu'il n'était encore la gracieuse effusion juvénile de ses sentiments. Beaucoup de temps avait passé. L'homme marchait. Il continuait de piétiner en lui-même, en quête d'une
délivrance apparemment hors d'atteinte ou qui paraissait
même toujours lui être refusée. En effet, lors des neuf
séjours qu'il fit à Rome, jamais il ne lui fut donné de rencontrer le pape et de se confesser à lui. Il l'aperçut de loin,
ombre blanche soulevée de terre par les ombres rouges des
cardinaux, au-dessus de la foule agitée, pressante et obscure dans laquelle il se tenait, lui, Druon. Il arriva souvent
que d'un séjour l'autre, c'était un nouveau pape qui régnait
sur la Ville sainte. En moins de vingt ans, huit se succédè-
rent. Druon put ainsi contempler, comme dans le rêve de
sa propre impuissance, le défilé des grotesques couronnés
de la tiare, encensés et portés aux nues et aux nuages : Ana-
clet II, Innocent II, Victor IV, Célestin II, Lucius II, Eugène
III, Anastase IV, Adrien IV. Le pape bénissait, les cardinaux se dressaient, les évêques battaient de la crosse, des
prêtres et des moines tourbillonnaient autour comme des
moustiques – tandis que lui-même, Druon, prosterné dans
l'horreur de son crime et de tous les péchés des mères,
appelait sur sa tête le secours du Saint-Père : Père, écoute-
moi ; Père, attends-moi ; Père, penche-toi sur moi ; Père,

pardonne-moi. C'était la supplication qui revenait le plus souvent dans sa bouche : Pardonnez-moi, mon Père, parce que j'ai péché. Autant les Mères avaient pu l'induire en tentation et le pousser au mal en pécheresses qu'elles étaient, autant il était du pouvoir du Père de dispenser l'absolution. Naturellement, au milieu de la foule secouée de vivats, de mont-joie, d'alleluias, la voix du fils était sans portée, en cela conforme à son corps sans relief, à son histoire sans grandeur, à ses talents sans éclat. Ni le jouvenceau qu'il était lors de son premier pèlerinage, ni l'homme qu'il était devenu dans l'interminable déroulement de sa marche n'avait quelque chance de se faire entendre et d'aborder le souverain pontife. Il avait montré le bout de parchemin signé par Dame Élisabeth Haire. Il avait essayé de s'expliquer, en latin, auprès des prêtres ou des religieux, dans les églises qu'il fréquentait. On lui avait donné des conseils pour lui impraticables. On lui avait indiqué des démarches mais lorsqu'il les entreprenait, elles n'aboutissaient jamais. Le Vatican était, à son échelle, une forteresse inaccessible, un nid d'aigle hors d'atteinte, au-dessus de tous ses désirs.

Il avait, au commencement, fait ses dévotions au tombeau des apôtres, il avait jeûné, il avait récité toutes ses prières, il n'avait pas communié car le péché qu'il portait lui interdisait le recours au sacrement. Il avait suivi des yeux, avec une admiration pleine d'humilité, la longue file des pèlerins qui s'avançaient près de l'autel et recevaient l'hostie. Là, songeait-il, se tenait la réserve de force pour les pauvres fidèles, et là, s'offrait au cœur la source de la vraie joie, en comparaison de laquelle le plaisir qu'il prenait à chanter ou siffler le long du chemin, à humer les fleurs des champs, à réciter les vers de Virgile, lui semblait chose légère, insignifiante, l'amusement d'un enfant. Mais lui, Druon, était exclu de la fête.

Un jour, agenouillé dans l'église Sancta Maria (dite, depuis, *Scala Cœli*), il fut témoin d'une scène étrange : un moine, âgé mais superbe d'allure, célébrait la messe avec une ferveur qui émerveillait véritablement l'âme de notre Druon. Arrivé au moment où l'officiant ayant consacré l'hostie l'élève au-dessus de sa tête comme une offrande tendue à l'adoration des fidèles – lesquels, alors, baissent les yeux et tiennent leur front courbé vers le sol, le célébrant de ce jour fut littéralement saisi d'extase et resta fort longtemps à prolonger le geste de l'élévation. Druon que la durable immobilité du moine impressionnait commença à hausser son regard. Il vit le visage du prêtre tout auréolé d'une surnaturelle lumière et il lui sembla que les pieds de l'homme, chaussés de grossières sandales, ne touchaient plus le sol, en sorte que le corps paraissait soulevé de quelques pouces au-dessus des dalles. Mais, l'instant d'après, tout était rentré dans l'ordre. L'office reprit son cours ordinaire. Or quand il eut prononcé l'*Ite missa est*, comme Druon n'avait pas bougé et qu'il était à présent le seul fidèle à rester dans l'église déserte, le moine s'approcha de lui et lui demanda en français s'il n'avait pas vu, lui aussi, une immense échelle dressée depuis le sol de l'église en direction du ciel, bien au-delà des voûtes. Druon répondit que, pour sa part, il n'avait rien aperçu. Et le moine lui dit alors : Ce que j'ai vu te concerne au plus haut point ; car, tout le long de cette échelle des âmes s'élevaient vers le ciel. Elles venaient du purgatoire et des anges les accompagnaient. C'était là, uniquement des âmes de femmes, la plupart de grandes pécheresses. Aie confiance en Dieu, mon fils, et continue de le servir sans t'occuper des apparences de succès ou d'insuccès qui remplissent ta vie. Cependant, comme Druon allait à son tour, poser des questions, le moine fit le signe de la croix sur ses lèvres. Aucun mot ne put alors sortir de sa bouche. Druon était comme frappé de léthargie. Ce n'était pas l'extase. Son cœur ne débordait pas de présence. Une stupeur, entre inquiétude et espérance, le remplissait. Notre berger de Sebourg garda longtemps les yeux clos, tout à lui-même et au vide de sa pensée. Quand il revint au monde et au lieu, le moine s'était retiré, depuis longtemps, Druon ne savait pas s'il avait rêvé ou s'il avait réellement vu et entendu l'officiant de cette messe dédiée aux âmes pécheresses, aux femmes perdues pour lesquelles un purgatoire avait été spécialement créé.

Il interrogea quelques fidèles qui auraient pu être témoins de l'événement. Apparemment, personne n'avait rien remarqué. Il réussit seulement à apprendre que le prêtre, célébrant de ce jour, était un moine très fameux, venu de France, et qu'il se nommait Bernard de Clervaux. Par la suite, Druon essaya vainement de le retrouver. Mais comme le pape, il était hors de prise, et même tout simplement hors de rencontre. Lui seul cependant aurait pu éclairer Druon sur le sort de Marie d'Épinoy, lui dire sur quel degré de l'échelle du Ciel elle se trouvait.

Or, dès son premier séjour à Rome et cela jusqu'à la fin, Druon, entre toutes les églises dispersées parmi les Sept Collines, affectionna presque exclusivement celles qui étaient consacrées à la Vierge Marie. Il y en avait alors près d'une quarantaine formant, à partir de Sainte-Marie-Majeure comme centre suréminent, toute une constellation de lieux de retraite, de méditation et d'oraison – une généreuse floraison de sanctuaires de haute sainteté et haute féminité : Notre-Dame du Transtévère, Notre-Dame de la Rue Large, Notre-Dame du Portique, Notre-Dame de l'Impératrice, Sainte-Marie du Peuple, Sainte-Marie de la Minerve, Sainte-Marie in Aquiro, Notre-Dame de la Paix, Sainte-Marie in Cosmedin, Notre-Dame des Martyrs dite la Rotonde, Sainte-Marie in Monticelli, Sainte-Marie in Vallicella, Sainte-Marie della Guercia, Notre-Dame du Jardin, Notre-Dame de l'Humilité, Sainte-Marie de la Visitation, Notre-Dame in Campitelli, Sainte-Marie de la Compassion, Notre-Dame de la Place, Sainte-Marie in Cocaberis, bien d'autres encore, mais deux, surtout, entre toutes, Sainte-Marie Libératrice, dite Sancta Maria de Inferno ou encore Sancta Maria libera nos a pænis Inferni, et Sancta Maria in Fornice – à quoi il faut ajouter, mais cette fois hors les Murs, sur la voie Appienne, Sancta Maria Domine, quo vadis ? dite vulgairement Sainte-Marie des Plantes.

Dans cette dernière, Druon allait pieusement baiser la trace laissée sur un pavé par le pied du Christ. C'était là le témoignage miraculeux de cette rencontre, rapportée par la légende, entre saint Pierre fuyant Rome et la persécution,

et Jésus revenu sur terre pour y subir une nouvelle cruci-
fixion, à la place de son disciple qui la refusait. *Quo vadis,
Domine* ? Où vas-tu Seigneur ? C'était Pierre qui avait posé
la question. Et il était en droit de le faire, dans la violence
de son étonnement, face au Ressuscité qui marchait vers
Rome. Mais quelle autorité et quelle familiarité chez
l'apôtre ! Depuis lors, depuis que le temps avait tourné la
roue des siècles, personne ne pouvait plus interpeller le
Christ car personne n'avait chance de se trouver dans une
telle intimité avec Dieu, ni le pape, ni le grand Bernard de
Clervaux. Tout ce que pouvait faire l'homme d'aujourd'hui,
et tout particulièrement le pèlerin qui n'avait d'autre engagement que satisfaire à la volonté divine, c'était d'entendre
la question que le Seigneur lui posait, peut-être : Où vas-
tu, mon fils ? Et si ce n'était pas le Seigneur en personne,
peut-être était-ce quelque prêtre, son représentant, son
délégué. Ainsi pouvait-il arriver que la voix du Bégard
retentisse dans le cœur de Druon, avec cette question : Où
vas-tu ? Où vas-tu, toi que j'ai aimé, toi que le Seigneur a
béni, de toute éternité, en dépit de ton péché ? Et que
répondrait-il, Druon ? – Aujourd'hui, je suis à Rome. J'ai
cru trop facilement que j'étais arrivé. Je crois plutôt que je
n'arriverai jamais, car ou bien les portes utiles que je voudrais pousser restent closes ou bien celles que je pousse
s'ouvrent sur le vide. Aussi puis-je bien dire que je ne vais
nulle part. Je vais d'une église à l'autre, de Notre-Dame à
Sainte-Marie et de Sainte-Marie à Notre-Dame, mais je
n'avance pas. Mon péché demeure en moi tel qu'il fut
depuis toujours. Je ne puis rien pour moi. Une Dame m'a
confié une haute mission, pour le salut de son âme et de
celle de ma mère, mais je suis incapable de la remplir. Et si
demain je reprends la route, ce sera pour aller où ? Je ne
connais que des lieux sans importance, qui sont comme s'il
n'était pas de lieu. Ma certitude est donc que si je vais ce ne
peut être que vers la mort, pour laquelle tous les lieux se
valent, aucun ne valant quelque chose.

Ainsi le mythobiographe entend-il les réflexions qui tra-
versaient l'esprit de Druon après qu'il avait pressé ses lèvres

sur l'empreinte pédestre du Christ, comme si le dessin du
divin pied devait s'imprimer sur son visage conformément
à la parole du psalmiste, *scabellum pedum tuorum*, (que je
sois) l'escabeau de tes pieds. Il les entend pour les avoir,
lui-même, ruminées dans la détresse de la fin de ses années
croyantes. À celui, prêtre pour l'éternité selon l'ordre de
Melchisédech, qui lui avait demandé : Où irez-vous quand
vous nous aurez quittés ? ou encore : Qu'allez-vous devenir, mon pauvre ami ? il n'avait rien trouvé à répondre car
l'espace était vide et le temps vacant. Comme Druon dont
il renouvelait la légende, se l'appropriant comme fil de
trame dans son fil de chaîne, pour un tissu qui fût juste
plutôt que somptueux, il ne savait ni ce qu'il était, ni ce
qu'il pouvait, ni ce qu'il voulait. Des femmes – des mères,
faut-il le préciser ? – s'exprimaient à travers lui, agissaient
à travers lui, le poussaient sur la voie d'une destinée qu'il
n'avait pas choisie. À la question *quo vadis* ? il ne trouvait
aucune réponse. Il vivait dans un monde privé de lumière,
dans le brouillard et l'obscurité. S'il baisait des traces de
pas inscrites dans la pierre comme des fossiles, ce n'étaient
pas celles de Jésus, mais d'une amante qui l'avait traversé
sans le retenir. Et tandis que, pour Druon, les églises regor-
geaient de présence en sorte que, s'il y venait faire station,
c'était pour s'abîmer en adoration, pour lui, mythobiographe en gestation, elles étaient très vides, toujours plus
vides, et leur silence était d'une tombe fermée à toute pensée d'immortalité. Peut-être les quelques siècles qui le sépa-
raient de Druon avaient-ils asséché la source de la foi, de la
joie, de la signification. Ce serait déjà comme un miracle de
l'esprit qu'il puisse, un jour, beaucoup plus tard, reconstituer les vestiges de ce qu'il avait adoré et les incorporer,
dans sa mémoire et son imagination, à la substance de son
expérience – s'approchant ainsi de Druon, le rejoignant
par empathie, malaxant en une seule légende les éléments
disparates de leurs biographies. Mais *quo vadis* ? il n'en
sait pas davantage et ne considère pas que l'écriture soit
une réponse à la question.

Druon aussi était fasciné par les images du passé. Il ne songeait guère à l'avenir sinon pour se dire que l'existence de l'homme est précaire et que, face à l'imminence de la fin, la meilleure certitude est moins d'être ici, présent, mais d'avoir été – d'avoir élaboré une énormité de passé, à peine issu de l'ombre matricielle de ses commencements – ombre qu'il n'avait guère le moyen de se représenter autrement que sous la forme d'un puits, d'une profondeur insondable, offrant à sa contemplation précautionneuse les reflets nocturnes de sa nappe d'eau. C'était la perception concrète de cette fantasmagorie qu'il venait chercher dans l'église de Sainte-Marie-d'Enfer, dite par les optimistes, par les croyants pleins de confiance en les intercessions surnaturelles, Sainte-Marie-Libératrice – Notre-Dame-du-Perpétuel-Secours. Car il la fallait bien, en effet, à tout moment, de toute urgence, cette médiatrice de toutes les misères, physiques et morales, de toutes les angoisses et de tous les accablements d'âme et de cœur, le mythobiographe en sait quelque chose, beaucoup plus que Druon lui-même, très probablement. Car enfin, en dehors du péché originel, qui est le lot de tout humain, et de cette charge d'avant-naissance, qui le faisait se croire pour meurtrier de sa mère, Druon n'avait pas grand-chose dont il pût s'accuser. La curiosité sensuelle qui l'avait tenu en haleine sur les accouplements des bêtes, et cette jouissance involontaire qui l'avait surpris dans son premier et unique contact physique avec la femme, plus filial, au fond, que réellement amoureux, c'étaient fautes légères, vétilles sans malice, sans commune mesure avec ce que le mythobiographe, au même âge, pourrait avouer s'il s'agissait plus précisément de lui, dans ce récit, et surtout, s'il faisait fi de la honte et de l'humiliation qui enveloppent toute confession intégrale. Cependant, à Sainte-Marie-d'Enfer, Druon était extraordinairement fasciné par le puits qui s'ouvrait et s'enfonçait dans le recoin le plus ténébreux de l'édifice. La croyance, attestée par la tradition, faisait de ce puits un soupirail de l'enfer. On disait qu'aux alentours de minuit, en se penchant par-dessus la margelle, on pouvait ouïr les soupirs lointains et toute la rumeur des damnés. Mais à une telle heure, l'église était toujours fermée. Druon en était quitte pour imaginer tout un monde sonore que son oreille ne pouvait capter. Aux heures matinales ou vespérales où il lui arrivait de se trouver là, il se contentait de s'appuyer sur le bord de ce puits avec pour seule certitude le sentiment qu'il était capable de se jeter dans l'abîme et de s'y couler jusqu'au fond sans fond pour peu qu'il entendît alors la voix de sa mère l'appeler, le supplier, lui traduire de quelque façon l'absolu de sa douleur. Aussi lui arriva-t-il une fois, obsédé par cette pensée, de se laisser enfermer dans l'église, comme il l'avait déjà fait à Épinoy, avec le même désir, avec la même volonté implacable de vivre quelque chose de supérieur en même temps qu'interdit. Comme il n'avait aucun sens de l'heure, il s'accouda sur la margelle et prêta l'oreille, en attente des bruits qui monteraient du fond. Or en réalité il n'entendit rien car le sommeil le surprit. Il rêva cependant qu'une femme, à peu près sans visage, l'invitait d'un geste à monter la garde tandis qu'elle se dévêtait avant de prendre son repos. Et lui, pudiquement, détournait son regard, tandis qu'il devinait les vêtements de la Dame choir sur le sol, les uns après les autres, en un long bruissement d'étoffes pareil aux frissons qui agitent les peupliers. Il ne saisit rien d'autre et il ne vit rien de ce qu'il désirait tellement connaître par-dessus tout. Car alors, quel que fût son souci de rester sans faille attaché à la loi de Dieu et de tenir son cœur dans l'enclos de la prière, il croyait sincèrement, naïvement peut-être à moins que ce ne fût trop savamment, trop subtilement, que la contemplation, un instant, de la nudité de la femme, qui ne pourrait être que celle de sa mère, le soulagerait d'un énorme poids d'angoisse et de doute – comme si le regard, soudain porté sur la beauté de ce corps-là, au-dessus de tous les corps possibles et de ce qu'il y a de désirable en tout corps féminin, trouvait enfin sa véritable destination, en sorte qu'il n'y eût désormais plus rien à regarder – nulle quête du visible, nul souci des êtres soumis au changement et empêtrés dans leur jeu de séduction. Il n'y aurait qu'une

seule femme, un seul corps, une seule chair aimante et désirante, un seul nom pour l'évoquer – le doux nom de Marie
qui ne fait pas plus de bruit, dans la bouche, quand il est
prononcé, que le frisson de la lumière sur une eau immobile. La vision du rêve, encore qu'inaccomplie selon l'ordre
du désir et de la véhémence, était si belle, que Druon put
croire, s'appuyant en cela sur l'insinuation du dit de Bernard de Clervaux, que Marie d'Épinoy n'était pas en enfer,
mais qu'elle faisait route vers le ciel, accordée à la lente
vitesse avec laquelle son fils progressait vers la sainteté.

Il progressait, assurément, sans le savoir, toujours à s'appliquer à la mission d'amour et d'absolution dont il était
chargé et toujours à pratiquer les rites de prière et de pénitence, dans la constance du temps qui passait : il jeûnait, il
mendiait quelques rebuts de nourriture, à Rome il couchait
sous les porches des églises, à même la dalle, enveloppé
dans son manteau qui n'était plus qu'une loque, il serrait sa
haire, il se cachait pour se flageller, il s'absentait du monde,
demeurant les yeux clos des journées entières, mais les
visions qui le peuplaient ne passaient pas par les organes
de la vue, elles remontaient du fond de sa ténèbre intérieure avec la vivacité du souvenir et l'émoi du cœur
vacillant, sans pouvoir se fixer, entre les intimations de la
chair et les pures aspirations de l'esprit. Et là-dessus, son
corps se dégradait, sa santé devenait précaire. Non seulement son nombril ouvert n'en finissait pas de produire pus
et puanteur, mais un flux de bile remontait dans son estomac avec des sensations de brûlure intense et de dévorante
amertume. En outre, ses articulations malmenées par les
intempéries s'ankylosaient et la marche qui lui avait procuré tant de bonheur dans ses premières années de pèlerinage devenait pour lui un supplice. Souvent il était en proie
à des fièvres brutales : il transpirait abondamment, il cla-
quait des dents, son intestin se vidait dans ses chausses
quelquefois lourd d'une cargaison de petits vers blancs. Il
avait renoncé aux soins élémentaires de la toilette. Son
visage était enfoui dans la masse informe de la barbe et des
cheveux. Poux et puces proliféraient dans son poil. Il avait

l'air d'un prophète exilé des profondeurs de la terre et de la nuit. Mais ses yeux, de ce bleu transparent des hommes du Nord, éclairaient sa face et la faisaient resplendir d'une douceur, d'une bonté et d'une innocence hors d'âge. C'est pourquoi les enfants des rues, malingres, estropiés, chapardeurs, l'entouraient, se pressaient contre lui, venaient se blottir dans son sommeil. Il leur parlait avec les mêmes intonations et les mêmes mots inventés dans ses sermons aux moutons. Du reste, il les appelait « mes petits agneaux, mes agnelets de lait, mes ouailles de paille, mes petits toisonneux besogneux... ». Il leur racontait les épisodes de la vie de Notre-Seigneur Jésus, il leur apprenait des cantiques, il leur enseignait quelques principes élémentaires de morale, il leur faisait comprendre surtout la valeur de la charité, de la beauté et de la souffrance. Les petits Romains l'appelaient « Drouo ». Il leur récitait parfois une page de Virgile.

Cependant, à toute compagnie, quelle qu'elle fût, il préférait toujours la solitude. Il goûtait celle-ci comme un bonheur sensible dans la jouissance duquel son âme se ressourçait. Quand les hasards du jour faisaient que nul enfant ne se collait à lui, il saisissait cette occasion de liberté pour aller se recueillir au sanctuaire de Sainte-Marie in Fornice.

Des archéologues, à l'époque des grandes fouilles exhumatrices de la Rome antique, vers 1860, avançaient que le nom de cette église rappelait qu'elle avait été construite sur les ruines d'un aqueduc, et qu'elle occupait exactement l'espace d'un arceau (fornix) de ce prestigieux édifice. Du reste, une fontaine coulait dans une de ses chapelles. On pouvait y voir la reconnaissance commémorée des eaux qui avaient, sous l'Empire, alimenté la Ville. C'étaient à présent des eaux de purification spirituelle, dans lesquelles les pécheurs venaient laver la partie de leur corps qui avait péché, selon une symbolique analogue à celle qui se trouvait associée au fameux ruisseau Lavamentula, proche de Saint-Jacques-de-Compostelle. Et de fait, des luxurieux pouvaient discrètement, car la fontaine de la Vierge – *inviolata, integra et casta* – occupait un caveau très obscur, y tremper leur verge, ou les femmes s'y mouiller l'entrecuisse. D'autres y plongeaient leurs mains, des avares peut-être ou de grands masturbateurs, ou la langue, des gourmands ou des médisants. Il y avait toujours une part de corps, plus pécheresse que tout le reste, à laver dans cette eau très pure et très froide. À l'époque de Druon, ce rite était largement pratiqué. Mais tout le monde s'accordait à penser que le nom de *fornice*, qui remontait à la nuit des temps romains, se rapportait à quelque temple de Vénus, à quelque lupanar sacré, lieu par excellence de stupre et de fornication, dont les chrétiens des premiers siècles s'étaient emparés et sur lequel ils avaient édifié leur église. La fontaine, bruissante et purifiante, avait dû être autrefois une lavavulva – ce que l'on a appelé depuis un bidet – en usage dans les mauvais lieux. De fait, son bassin avait une forme facile à chevaucher. Mais en vérité, hommes et femmes, jeunes et vieux, se pressaient sur ses bords, sans ostentation, dans la honte, l'affliction, le remords.

Pour Druon, Sancta Maria in Fornice était un lieu de recueillement électif et de contemplation. Devant l'image de la Vierge en vêtement de deuil, il implorait le pardon pour les deux femmes dont il était assuré qu'il portait, en lui-même, tous les péchés – de ceux, très particulièrement, qui font les pécheresses. Sa méditation vagabonde, car personne ne lui avait enseigné de méthode, l'amenait immanquablement à réfléchir, avec, toujours, le même douloureux étonnement, sur la convergence et la complicité de la beauté et du mal. Il aurait eu grand besoin des lumières du Bégard sur la question de savoir pourquoi la beauté des corps de l'homme et de la femme et même des enfants pouvait allumer le désir, provoquer la tentation, le péché et la perdition. Lui-même l'avait éprouvé et il l'avait vécu avec scandale et consternation, face à la plus belle de toutes les Dames. Il se souvenait que son Maître en esprit dénonçait toute splendeur de chair comme un ennemi personnel dont il eût subi la persécution. Il avait en horreur les femmes, les sexes, la procréation, mais il faisait montre d'un goût délicat en matière de musique et de poésie. À Épinoy, Druon était trop jeune pour poser des questions et demander des explications. Il se trouvait à présent, à trente ans, à trente-cinq ans, avec les mêmes rudiments de culture qu'il possédait lorsqu'il était arrivé à Sebourg et s'était mis au service de Dame Élisabeth Haire. Il avait continué de grandir, de mûrir, mais dans une grande solitude, sans possibilité d'échanges intellectuels, sans occasion de lecture. Il avait appris le langage des moutons mais c'était là un plaisir du cœur et des sens plutôt que de l'esprit, sans avancée métaphysique. Dans sa vie de berger et ensuite dans ses années de pèlerinage, il avait pu seulement entretenir la mémoire de tout ce qu'il avait appris à Épinoy, au contact du Bégard. Il connaissait les quatre évangiles, en latin, et le psautier complet; avec les églogues de Virgile, tout son bagage – ou plutôt son baluchon – intellectuel se tenait là. Cela lui suffisait pour prier, pour rêver, pour instruire une poignée d'enfants perdus. Mais il éprouvait péniblement l'étroitesse de ses moyens lorsque, dans la toute-solitude de sa réflexion, il essayait de creuser quelque problème philosophique ou théologique.

Recueilli en lui-même, assis sur ses talons au pied d'une colonne de l'église Sancta Maria in Fornice, à quelques pas de la fontaine où pécheurs et pécheresses venaient laver leurs membres coupables, il s'interrogeait sur la complicité de l'apparence physique, du désir et du mal. Pourquoi la grâce et le charme de Dame Élisabeth Haire avait-elle soulevé en lui une tempête de tous ses sens jusqu'à lui faire perdre de vue l'abîme de péché dans lequel il se précipitait? Il pensait bien qu'il y avait là une suite déplorable de la faute originelle. Mais pourquoi la beauté? Pourquoi ce qui était censé élever l'âme au plus haut d'elle-même devenait soudain le principe du désordre et la cause de la chute? Druon pensait à Marie Madeleine qui, dans la première partie de sa vie aurait bien pu être une pensionnaire de la Fornice – la plus belle et donc la plus coupable. Quel excès de perfection des formes, en elle, depuis sa superbe chevelure jusqu'à la gracieuse plante de ses pieds, s'était dévoyé et perverti? Comment la pure beauté avait-elle pu mettre

son rayonnement au seul service de la concupiscence? Et
sur quelle intime et radicale partie de cette femme la seule
présence du Christ avait-elle agi pour inverser complètement le tableau dans l'instant décisif et infini de la conversion?

De Marie d'Épinoy, il ne savait à peu près rien – si ce n'est
qu'elle avait fauté et que lui, Druon des moutons et des chemins, était son fils, bâtard autant que meurtrier. Mais, en
suivant la pente secrète de Dieu sait quels désirs, il lui
inventait une vie et finissait par croire exactement ce qui
était le fruit porté de son imagination. Il lui prêtait donc
une foule d'amants. Il se disait que la renommée de ses
attraits se répandait si loin que de nobles seigneurs, de
toutes parts accourus, venaient la presser de leurs hommages. Et comme cette femme ardente était généreuse dans
son plaisir, elle ne défendait pas sa porte et se donnait sans
réserve. Elle n'avait pas le cœur corrompu, mais sa chair
était impatiente, sa sensualité fastueuse, et elle se dépen-
sait et se dilapidait dans l'intimité envoûtante du temps,
attendant ses amants, les accueillant, les comblant de tous
les trésors de sa beauté, de sa tendresse, de la profondeur
de son savoir de chair et de la grâce de son esprit féminin
– en sorte que les hommes, les vieux seigneurs, les jeunes
chevaliers, les guerriers intrépides, les pimpants jouvenceaux, ne s'attardaient pas longtemps auprès d'elle : sa
supériorité absolue en la variété et l'infinité de la matière
d'amour leur donnait une leçon. Ils prenaient conscience de
leur petitesse et retournaient bientôt sur leurs terres, met-
tant à profit tout un capital de rêves et de passions pour
perfectionner leur sensibilité et conquérir cette intériorité
du cœur hors de laquelle le désir, ils l'avaient compris, n'est
qu'une gesticulation indécente. Ainsi Druon, dans les
arcanes d'un culte qui lui était nécessaire, construisait-il
l'image de sa mère, en souveraine des sens et maîtresse des
mâles appétits. Et il se disait qu'elle était morte trop tôt –
car il l'avait tuée, lui, le monstre moral produit de mille et
mille copulations avides de Ciel et d'éternité, en quête de
salut et désespérément inaccomplies. (Et de quoi, sinon de

qui, procédait-il donc ? Il le voyait en lui-même, à travers sa nostalgie sans fin, à travers son écrasante culpabilité et l'inassouvissement de son désir d'exister hors du monde et du temps : il était le rejeton des amours perdues et condamnées.) Et il se disait encore que si Marie d'Épinoy avait pu vivre plus longtemps, elle aurait poursuivi son ascension vers la beauté et la vérité et, comme la Madeleine, elle aurait ouvert son cœur à la lumière du Christ. Elle était morte en chemin. Elle se préparait. Elle nourrissait attente et promesse de rencontre. Elle n'était pas coupable. Il était nécessaire que Dieu ait pris en compte, dans la balance du Jugement, toute cette intention d'être qui la portait vers lui. Et il était nécessaire également que le poids des péchés de la mère fût reporté sur le fils. À bien entendre le sens du destin, il n'avait été conçu que pour cela.

Aussi était-ce bien pour mieux s'approcher de l'esprit de sa mère, que Druon aimait à se recueillir dans la pénombre de Sainte-Marie in Fornice. Il ne connaissait pas de lieu plus propre à sa méditation. À travers les fondements inaccessibles de cette église, montant le long des colonnes jusqu'à la voûte – image même du Ciel à portée de main – il devinait la mêlée confuse des corps épris et les plaintes amoureuses des courtisanes des temps antiques. Mais ces convulsions des passions et des chairs, avec l'infini gémissement qui en résultait, ne s'adressaient pas aux hommes, partenaires occasionnels d'un temps furtif. C'était une prière à l'adresse du Dieu inconnu, une invocation et une supplication à l'Amour éternel, dispensateur du salut. En bas, la femme ouvrait son corps, elle agitait ses membres, elle perdait le souffle au milieu de ses cris ; par la bave, par le sang, par l'urine, par tous les écoulements de son sexe, elle était une profération vivante – insensée – et seul Dieu pouvait saisir dans ce déchaînement le silence couvert par le râle, et la prière au fond de ce silence. Au fil du temps, la procession des vierges folles, des filles de joie, des pécheresses, des amantes ne cessait de grossir et de s'allonger. Marie d'Épinoy faisait partie du chœur, mêlant son souffle à tous les autres souffles, fondant sa voix dans toutes les

autres voix, grossissant de son *De profundis* la supplique
entière de douleur et d'agonie des femmes – depuis qu'elles
sont femmes, depuis qu'elles ont une fente et qu'elles jouissent contre l'ordre et contre la raison. Et sa Dame de
Sebourg, pauvre Druon, son Élisabeth, elle aussi était
emportée par la danse, mais comme elle se trouvait encore
tenue au monde des vivants, il restait possible que la flèche
de la grâce la transperçât. Pour obtenir ce miracle de Dieu,
Druon s'abîmait en oraison et suppliciait son corps, mais à
mesure que le temps passait, à mesure que l'âge le serrait
dans ses mailles, il se dépouillait de toute confiance en la
vertu de sa prière, et se répétait souvent que Dame Élisabeth Haire ne pouvait choisir plus mal que son misérable
berger pour la servir auprès de Dieu.

De pèlerinage en pèlerinage, dans ses séjours à Rome, au
long de vingt années, il fouilla toutes les églises de la ville,
à la recherche du Santo Pilo, dont sa maîtresse était seule
à lui avoir parlé. Chaque fois qu'il avait abordé le sujet
auprès des prêtres ou de quelques fidèles, il avait obtenu
pour réponse le geste que l'on fait pour désigner le cerveau
dérangé des fous et des idiots. Il avait donc, sans autre res-
source que sa seule obstination, exploré les innombrables
chapelles votives qui forment, dans les églises, autant de
lieux privilégiés pour la piété particulière et les rituels
intimes, à l'écart des cérémonies publiques. Beaucoup de
ces chapelles étaient consacrées à la Vierge Marie et
offraient au regard effigies et reliques de la Mère du Christ.
Ainsi Druon put-il porter sa vénération devant un fragment
de voile ou de robe, une goutte de lait, quelques rognures
d'ongle, un peigne, une burette de larmes (de celles que
Marie versa au Calvaire), un portrait de la Vierge exécuté
par saint Luc... Mais nulle part il ne vit cette chose émouvante entre toutes, près de laquelle Dame Élisabeth Haire
voulait laisser, en ex-voto, le bâton de phallophore sur
lequel Druon s'était appuyé à longueur de route – ce poil
unique recueilli du pubis de la Sainte Mère de Dieu. À son
chevalier servant de berger, la Dame avait dit : Quand tu
auras vu le Santo Pilo et que tu lui auras fait l'offrande du

bâton, tu reviendras auprès de moi, tu me feras une description exacte de cette relique et, ensuite, je serai toute à toi. Druon avait senti Dame Élisabeth Haire en proie à une étrange exaltation : elle poussait des soupirs, des larmes lourdes coulaient sur ses joues, elle entrelaçait les doigts de ses mains convulsivement, comme si la sainte touffe de la Vierge la concernait personnellement dans son souvenir ou son désir ou, peut-être, dans le souvenir de son désir. Aussi Druon, parti sur le chemin de Rome, avait-il à cœur de remplir cette particulière mission que la Dame lui avait confiée et qu'il regardait comme une épreuve qui devait lui permettre de faire montre de sa valeur et lui assurer la récompense réservée à l'amant. Cette pensée l'avait largement soutenu dans ses tout premiers voyages, quand il croyait encore possible, à dix-huit ans, à vingt ans, de concilier l'exigence d'amour terrestre avec l'impératif de sainteté. Il ne savait pas comment pourrait se résoudre cette contradiction : parfaire son amoureuse connaissance de la Dame et assurer le salut des trois âmes dont il avait la charge. Il voyait bien l'impossibilité d'un tel dénouement et il éprouvait l'énorme tension, en lui-même, qui en résultait. Dès lors, il pouvait seulement faire état de sa misère, dans les prières qu'il adressait à Dieu, à la Vierge Marie, à tous les saints du Paradis, et s'en remettre entièrement aux mains de ceux qui veillaient sur lui, pensaient pour lui et le surpassaient infiniment. L'amertume de ses échecs dans la quête du Santo Pilo eut un effet décisif sur la conduite de sa vie dans les années suivantes et sur son intelligence du sens de ses constants et épuisants pèlerinages.

Car voici bien ce qui se passa, dont les Bollandistes ne disent mot, mais que le mythobiographe, s'appuyant sur la mémoire de quelques-unes de ses expériences, se représente clairement et conçoit comme une lumineuse nécessité.

Le premier de ses pèlerinages amena Druon à Rome au seuil de l'hiver. Quand arriva le printemps suivant, il fut pris du désir insurmontable de retrouver sa Dame afin de lui faire le récit de tout ce qu'il avait vu et entendu et de ce

qu'il avait accompli. Il reprit donc la route du Nord, tenant
en main son bâton phallique soigneusement encapuchonné
en bourdon. Par petites étapes, il refit approximativement
le chemin qu'il avait parcouru l'année précédente et arriva
au voisinage de Sebourg quand l'automne était déjà bien
entamé. Tout le long de la route, il avait vagabondé en
esprit vers les retrouvailles auxquelles il aspirait. Cela
durant le jour, mais, la nuit, il se repentait de la vivacité de
son amour et s'infligeait la discipline. Cependant, lorsqu'il
ne fut plus qu'à deux ou trois journées de marche de
Sebourg, il comprit qu'il n'irait pas plus loin. Il n'était pas
digne de revoir Dame Élisabeth Haire, n'ayant rempli
aucune de ses missions. Il n'avait pas rencontré le pape. Il
n'avait pas vu le Santo Pilo. Il n'avait pu déposer son bâton.
Il revenait, les mains vides et le cœur soucieux. Son désir
le tourmentait comme au premier jour. Un si long voyage,
mené avec tant de ferveur, n'avait servi à rien. Il avait honte
de son échec et n'avait pas assez d'humilité pour en faire
l'aveu à sa Dame.

Alors, il commença à errer sur les terres sans fin de l'Artois, du Hainaut, de la Flandre, mendiant son pain, couchant sur la dure, se recueillant en prière dans les églises,
les chapelles, les oratoires, les monastères du plat pays. Il
s'approcha d'Épinoy, soudain possédé par l'envie de retrouver le Bégard et de lui livrer la confession générale de ses
fautes. Mais il craignait d'être reconnu par les gens du village et que le château fût averti de sa présence. Or il s'était
une fois pour toutes arraché à ces lieux, il avait rompu avec
son enfance, avec ses titres de noblesse, avec la plus grande
affection qu'il ait connue pour un homme. Il avait choisi
l'exil. Il ne pouvait plus refranchir la frontière du côté de
son premier passé. Il pouvait seulement tourner, comme
un animal exclu, comme un cheval aveugle, à distance du
centre irrejoignable. Peu à peu, il s'éloigna de son terroir et
de ses horizons familiers. Il prit la direction du sud. Il traversa la Champagne, la Lorraine, la Franche-Comté, la
Savoie et se trouva au pied des Alpes, attiré par la lointaine
Rome, avec la volonté, en lui-même, de reprendre toutes

choses comme à son point de départ initial et supputant qu'à la condition d'amender son âme, de se tenir à une règle de vie plus sévère, de s'appliquer davantage à la prière et de pratiquer plus généreusement la charité, il pourrait, cette fois, donner pleine satisfaction à Dame Élisabeth Haire.

La traversée des Alpes était pour le voyageur solitaire, même par les plus belles journées de printemps ou d'été, une épreuve presque surhumaine. Il fallait une endurance extrême, soutenue par une solide santé, pour triompher des difficultés du relief. Il fallait, tout autant, une âme intrépide, nourrie d'un désir sans faille, pour affronter la solitude des espaces en haute montagne. On sait combien l'homme des plaines se sent écrasé, ruiné en lui-même, anéanti dans sa volonté, en présence des sommets alpins. Non seulement il est traversé par le vertige et épuisé par l'effort de l'ascension, mais il éprouve jusqu'au délire le sentiment cosmique de perdition. Dans ces très longs et très périlleux moments, Druon sentait affluer en lui et se creuser, un vide d'une tout autre qualité que les abîmes ouverts sous ses pieds – une vacuité installée en lui depuis les commencements, dans le silence, dans la solitude et l'absence. C'était le noyau creux de son être et de son histoire, la place laissée vacante, après que le lien d'origine avait été rompu. Ainsi, menacé de chute dans les précipices extérieurs et d'effondrement dans le sentiment submergeant de son impuissance à être, Druon ne pouvait presque plus avancer. Il aurait pu mourir sur place dans l'absolu désert des monts. Or, ce qui le tira constamment de son immense faiblesse, ce fut son acte de foi, total et toujours renouvelé, en l'amour de la Dame qui l'avait jeté sur le chemin et condamné à marcher. Il trouvait en lui-même une telle certitude d'aimer et d'être aimé qu'il tendait toutes les puissances de sa volonté vers le but de sa pérégrination. Souvent il arriva qu'il fut aidé dans la poursuite de son dessein par la beauté d'une fleur, la fraîcheur d'une cascade, le vol parfait d'un aigle et, plus sûrement encore par la présence d'une de ces croix de pierre qui jalonnent les sentiers, ou d'une minuscule chapelle, témoignant que d'autres hommes, jadis, pèlerins et constructeurs, avaient suivi le même chemin, le cœur rempli de la seule pensée de Dieu.

À l'aller comme au retour – neuf fois de suite pendant vingt ans – Druon recommença le même itinéraire qui le menait de la Savoie au Piémont, du Piémont à la Savoie et ensuite à travers les doux pays français. Cependant, après le cinquième ou sixième pèlerinage, sa santé commença à se délabrer. Il lui fallut beaucoup plus de temps pour faire la route. Sa résistance à la fatigue diminuait. Son corps devenait chose de douleur et d'embarras. Toutes ses fonctions vitales périclitaient. Lors du dernier voyage, ce fut miracle qu'il ne s'effondrât point, sur le bord du chemin, dans l'Alpe déserte, hostile, inhumaine.

Toujours vêtu des mêmes loques qui ne le protégeaient guère, il supportait grande chaleur et grand froid, tempêtes et sécheresse, brouillards, averses, chutes de neige. Il connaissait la faim et la soif, l'accablement de la lassitude et de l'insomnie, le sentiment débilitant d'affronter un destin démesuré, très au-dessus de ses forces et de ses moyens. Il ne cessait d'éprouver le brûlant amour, et c'était bien là ce qui continuait de le pousser et de le soutenir, mais il n'avait plus la capacité de répondre à l'amour par l'accomplissement des actes qu'il commandait. Une grande lourdeur d'inertie le dominait. Il ne multipliait plus les visites aux sanctuaires, à la recherche du Santo Pilo. Il demeurait le plus souvent affaissé dans le même coin d'ombre, aussi loin que possible de l'agitation des fidèles et des visiteurs, murmurant des litanies à n'en plus finir, fredonnant des psaumes jusqu'à l'hébétude. À la fin de la journée, les sacristains le poussaient dehors et la petite troupe d'enfants faméliques qui écumait la place s'emparait de lui. Il ne sortait guère de Sancta Maria in Fornice. C'était décidément le lieu le mieux accordé à ses sentiments. Il se ressaisissait parfois, songeant au temps qui fuyait et à tout ce qu'il n'avait pas encore accompli. Il allait à travers les ruelles, en clopinant, jusqu'au Vatican. Dans la pourpre, les dorures, les acclamations, le pape passait très haut et très loin au-dessus de lui. Druon sentait l'infinie distance qui le séparait du Saint-Père. Ni l'un ni l'autre ne paraissait exister ni pour l'un ni pour l'autre. Il restait donc avec son péché inviscéré dans les profondeurs de son être. Le mal était incurable. Il était né avec. Il mourrait avec. Il n'y aurait rien de changé, en dépit de toute la ferveur et de toute l'obscurité d'une vie intransigeante dans ses austérités, dans sa piété, dans sa constante conquête de l'amour et de l'humilité.

Alors, régulièrement, bien qu'il n'eût pas avancé d'un pouce dans l'aboutissement de sa mission, le printemps revenant en profusion de senteurs nouvelles et de chants d'oiseaux, Druon était repris par l'attirance magnétique de sa passion. Dame Élisabeth Haire faisait irruption dans ses rêves nocturnes : elle le prenait par la main, elle lui peignait et parfumait chevelure et barbe, elle lui soulevait la chemise, elle posait ses lèvres sur son nombril enflammé et ruisselant ; tout le mal du corps et de l'âme se dissipait, la jeunesse reverdissait dans ses membres et dans son esprit.

Quand il se réveillait, Druon s'appliquait d'abord à chasser de ses sens l'impression puissante que sa visiteuse avait laissée. Il frappait sa carcasse, il serrait sa haire, il mangeait son pain moisi. Il se recueillait ensuite, dans le vide de pensées et de sentiments qui était sa manière à lui de se présenter au Seigneur, en une action de grâces de pur silence – offrande sans réserve de son être que le désir avait ravagé, que le renoncement avait ruiné, que l'extrême fatigue de la vie menaçait d'anéantir. Son consentement à la déchéance de son corps était si grand qu'il ne cherchait pas à panser ses plaies. Ce qui était entamé restait à vif, ce qui suppurait continuait de s'écouler, ce qui avait enflé grossissait encore. Parmi les mendiants qui tendaient la main à l'entrée des églises, il paraissait le plus vil, le plus mal traité par la nature, le plus répugnant d'allure et d'odeur. En vérité, il n'avait pour lui que l'immensité sereine et compatissante de ses yeux bleus, toujours plus vaste et plus transparente à mesure que la souffrance progressait en lui.

Or Druon restait bien ce qu'il avait toujours été : le divisé, le désuni, le partagé. C'était la même passion qui le poussait à l'effacement et au sacrifice et qui le projetait dans son rêve très fou de servitude amoureuse et de régénérante rencontre de son cœur avec sa Dame. La même passion, mais contradictoire et déchirée. Après vingt années d'un pèlerinage incessant, il aspirait encore, contre toute raison et toute religion, à l'union en lui-même, vivante, transcendante, rayonnante, du charnel et du spirituel. Il continuait de croire que Dame Élisabeth Haire, bien que pécheresse notoire, et peut-être parce que pécheresse, pouvait lui dispenser l'énormité charnelle de l'amour, tout en l'établissant dans une pureté sans ombre ni faille. Assurément, cette divagation du cœur était pure fantaisie de jeune homme et poétique aberration. Rien, dans la tradition chrétienne de la sainteté, n'abondait en cette direction.

Cette année-là, donc, la vingtième depuis son premier départ, par un printemps de la plus haute beauté, au milieu des formes jaillissantes et des exubérantes puissances de la nature, comme les jardins de Rome s'exaltaient de l'abondance de leurs fleurs et de la profusion de leurs fontaines, Druon se sentit comme arraché du sol où il reposait pesamment et soudain transporté de cœur vers les horizons de son pays : ce canton du Hainaut tout entier voué à la plaine et dominé, au-dessus de tous ses horizons, par l'altière et fascinante figure de la Mère, amante et gente Dame Élisabeth Haire de Sebourg. Il ramassa sa besace et son bâton, couvrit ses épaules du reste de son manteau et traversa toute la Ville éternelle, encore sommeillante, en direction du nord. Rien n'aurait pu le faire reculer face à l'immensité.

Ce fut un long voyage – ou plus justement, un très lent retour au pays, aux origines et au commencement. Non seulement Druon n'avait plus la vigueur ni l'endurance d'autrefois, ses étapes étaient souvent plus rapprochées et donc plus nombreuses et il s'y attardait plus longuement, mais aussi il prenait le loisir de multiplier les détours du chemin et de donner en de pieuses excursions vers des sanctuaires obscurs ou des pèlerinages à renommée réduite. Cette année-là, 1156, le printemps fut merveilleusement beau et fut suivi d'un été tempéré tel que chaque jour s'offrait comme un appel au bonheur de vivre. Notre Druon, comme reconquis par la beauté du monde après tant de mois passés dans l'enfermement minéral de la cité romaine, inventa le plus méandreux de ses itinéraires, considérant que le temps du retour était si précieux qu'il convenait surtout de le faire durer, afin que son but arrêté fût le point de mire d'un désir illimité, cultivé dans le secret de la ferveur, sans qu'il y eût jamais rien de précipité. Ainsi donc, plus il s'avançait, par petites journées, plus sa pensée s'attachait à sa Dame d'amour et de grâce. Et le projet de la rejoindre, de la retrouver et de demeurer en sa proximité, qui n'avait été, au moment de son départ, qu'une idée encore incertaine et chancelante, gagnait de la force en lui-même, prenait de l'assurance, s'installait. À la fin de l'été, comme il traversait la Lorraine et faisait ses dévotions à Notre-Dame-de-Benoiste-Vaux, nettoyant son nombril avec l'eau miraculeuse de sa fontaine, sa décision était fermement prise : il irait à Sebourg, il se présenterait à Dame Élisabeth Haire, il lui avouerait sa totale incapacité à remplir sa mission, il lui rendrait compte de ses échecs successifs et s'en remettrait à son bon vouloir. Qu'elle fasse de lui selon sa sagesse ou selon son désir, il était là, elle disposerait de lui. Au demeurant, n'était-ce pas ce qui avait lieu, depuis vingt ans ? Elle l'avait envoyé sur les routes lointaines, jusqu'à Rome. Elle avait régné sur son temps, sur ses occupations, sur la marche de son esprit, sur la rumination de ses sentiments, sur les puissances de son corps et même, et par-dessus tout – Dieu pardonne au pécheur ! – sur les antres inexprimables de sa chair désirante, obstinée, inassouvie. Il avait été comme une chose entre les mains de sa Dame, premièrement – ou du moins comme quelque chose s'approchant de l'état de chose – et secondairement, comme une âme navrée entre les mains de Dieu, apparemment indifférentes. À présent, il rentrait. Il revenait à son point de départ. Dans le lieu intérieur où s'élaborent les sentiments, qui sont à peu près toute la lumière de la vie, rien n'avait changé. L'expérience acquise n'avait en rien modifié ses attaches ni son attachement, ses racines ni son enracinement. Simplement le temps avait passé. Vingt années s'étaient écoulées. Il pouvait observer son visage et son corps dans le miroir d'eau de la fontaine lorraine : tordu et voûté par les rhumatismes, affaissé, épaissi, cagneux, boiteux, il voyait son image comme le tronc d'un vieux saule – arbre, jadis, de ses rêveuses prédilections des bords de la Scarpe ou de l'Escaut. Il était, à près de quarante ans, presque un vieil homme, tout noué à sa matière de chair – un brave et benoît épouvantail pour la joie des enfants et des simples.

Et il se demandait : Comment me regardera-t-elle lorsque je me tiendrai devant elle ? J'étais le plus jeune de ses bergers, son jouvenceau, son pucelet, presque son poète, son bachelier sans diplôme, son chevalier sans autre titre que celui de servant et de platonique amant – un hochet de cocagne pour sa fantaisie, et tenu entièrement entre ses mains. Cette surface de jeunesse et de charme s'est annihilée. La vie l'a corrodée, l'a élimée, l'a abolie. Retourne à tes moutons, me dira-t-elle, occupe-toi de mes cochons. J'irai. Sa volonté sera la mienne. Je la regarderai comme celle de Dieu dont les façons d'amour sont indicibles. Heureux Druon de répondre au désir de celle qui te rapta, au commencement, corps et âme.

Bizarrement – trait d'un esprit inconséquent – Druon ne se demandait pas quelle allure pouvait avoir, à présent Dame Élisabeth Haire. Il ne l'imaginait pas vieillie de vingt années. Il ne se la représentait pas autrement que dans la splendeur de sa féminité – dame si belle que, depuis les jours si brefs et si lointains de leur rencontre, il n'avait jamais posé, sur aucune femme, un regard de désir amoureux. Il avait cultivé sans relâche une vision de rêve. Il ne s'en était jamais détaché. En dehors de son Élisabeth, c'était comme si la gent féminine n'existait pas, de même que, en dehors du Bégard, la place des hommes était déserte.

Dans les premiers jours d'octobre, Druon arriva devant Sebourg. Toute son angoisse de déplaire avait disparu. Il était sûr, au fond de son cœur, que sa Dame le reconnaîtrait au premier regard, qu'elle l'accepterait pour ce qu'il était, qu'elle lui donnerait le baiser de paix avant celui de l'amitié et de l'amour. Elle ne lui ferait pas reproche de n'avoir pas rapporté ce qu'elle l'avait envoyé quérir. Il n'avait pas failli à sa mission, cela elle le comprendrait d'emblée ; simplement, il y avait une réalité sans rapport avec les désirs humains, l'entreprise de Dame Élisabeth et de Druon s'était brisée là-contre, cela elle l'entendrait aussi. Druon pouvait donc s'avancer, il pouvait se montrer dans son entier dénuement, dans l'épuisement de son corps, dans la pauvreté de son savoir et de sa sagesse. Comme un homme ivre qui aurait parcouru le monde en un jour, il arrivait avec, retenue dans les eaux profondes de son regard, une somme incohérente de paysages – drus, virides, intenses – dont il offrirait bientôt à sa maîtresse le souvenir, comme un bouquet de fête. De tant d'années de prière, de méditation, de contemplation au centre de la chrétienté, mais aussi d'enfoncement dans la multitude des terroirs humains, c'était tout ce qu'il rapportait : une gerbe de sensations dans sa mémoire vivace. Quand la femme le souhaiterait, il tresserait pour elle des guirlandes de mots.

Il se tint un moment devant le portail fermé. Un chien aboya rudement sans reprendre son souffle. Puis un homme sortit de la maison, un grand rustre de forte carrure qui demanda, depuis le seuil : Qui es-tu ? Et Druon répondit : Je suis Druon. L'autre reprit : D'où viens-tu ? – J'arrive de Rome. – Et que veux-tu faire ici ? – Je suis venu pour saluer dame Élisabeth Haire et lui rendre compte de mon voyage. – Dame Élisabeth Haire ? – Oui. – Eh bien prie Dieu pour son âme et va-t'en, car elle est morte depuis plus d'un an.

L'homme referma la porte. Le chien continua de gronder.

LES ANNÉES RECLUSES

Or voici très exactement ce que l'on peut lire chez les Petits Bollandistes, dans la notice du 16 avril, consacrée à saint Drogon ou Druon, reclus, patron des bergers : « Quand ses infirmités ne lui permirent plus de vivre en pèlerin, il résolut de vivre en solitaire. Il se fit donc bâtir une petite cellule contre l'église, et s'y enferma pour n'en plus sortir le reste de ses jours. Comme il pouvait entendre de là les divins offices, il y assistait avec une dévotion angélique. Son manger n'était qu'un peu de pain d'orge, son boire, de l'eau pure. Si on lui donnait quelque chose, il le distribuait aux pauvres, content de la seule possession de Dieu. » Et quelques lignes plus loin, il est dit qu'il passa quarante ans dans sa cellule.

Ainsi pour le mythobiographe, se trouvent campés l'espace et la durée de la dernière tranche de vie et ultime longueur d'errance de saint Druon – errance désormais immobile entre quatre murs, et, si l'on veut, purement spirituelle, ou, si l'on préfère, simplement mentale, imaginaire, vaguant entre son pôle charnel et son pôle mystique. Quarante ans, plus de la moitié de sa vie, enfermé volontaire dans une prison construite de ses mains, voilà Druon tel qu'il reste à l'entendre. J'avoue que, dans la première lecture que je fis de sa légende, ce fut cet achèvement qui me conquit : la plénitude statique d'une longue fin ; après tant d'années d'un incessant voyage, ce repos choisi et élaboré comme la préfiguration de la paix éternelle. Il y avait là un modèle d'existence, en tout cas une leçon à méditer. Je trouvais admirable cette architecture de toute une vie : meurtrier de sa mère avant même d'être venu au monde, Druon assimile en hâte les ruptures et les incohérences de sa première éducation : parvenu alors au seuil de l'adolescence et ayant pris conscience de l'abîme de culpabilité qui s'ouvre en lui, il s'exile, il renonce à l'avenir aristocratique qui lui était préparé et cherche à s'effacer dans l'humble condition de berger; la tentation amoureuse l'arrache à ses moutons, le précipite sur les routes et le jette dans le tohu-bohu de la Ville éternelle; et pour finir il s'enferme et ne bouge plus. Je voyais à ma façon ce cheminement existentiel comme un long mouvement de retour, l'accomplissement laborieux, à travers une suite d'étapes initiatiques, d'une vocation à l'enfermement, à la plénitude solitaire, à l'illumination par consentement sans réserve à la ténèbre intérieure. Un tel itinéraire n'avait qu'un rapport d'analogie lointaine avec ma propre vie. Cependant il ne m'était pas étranger. Il me révélait, sur le mode majeur de la légende, du mythe et du rêve, les aspirations confuses que nourrissait, en son obscurité, ma banalité d'homme moderne.

À présent, parvenu à ce point décisif du récit où Druon ne pourra que s'enfoncer davantage dans son épaisseur de secret pour finalement me proscrire et m'abandonner dans mon désert – dans la vacuité de ma conscience religieuse, la vanité de mes rêveries mystiques et l'inopérance de mes travaux d'écriture (car enfin, ce n'est pas d'écrire un livre qui fera de moi un saint, ni même un juste) – je suis tenté de lâcher la partie, assuré de mon insuffisance à me représenter quarante années de claustration purement contemplative et à leur donner forme de texte.

Ce serait, de ma part, non seulement de l'outrecuidance mais, plus encore, aujourd'hui, de la bouffonnerie que de prétendre rejoindre l'esprit de Druon en lui prêtant des contenus d'oraison et de méditation inspirés de la littérature monastique de son temps. Je m'interdis de projeter dans l'intimité spirituelle de Druon des réminiscences de mes propres lectures de Bernard de Clairvaux, de Guigues le Chartreux, de Guillaume de Saint-Thierry, d'Aelred de Rievaulx. Les pages constamment superbes de ces auteurs sont trop étrangères à mon expérience pour me permettre de les revisiter comme si elles avaient valeur, pour moi, de paroles de vie et que je puisse donc les transférer à l'âme de Druon afin de lui donner une apparence de conformité, en quelque sorte archéologique, avec les sublimités mystiques des grands maîtres spirituels du XIIe siècle. En vérité, tous les discours de ces saints contemplatifs sont, dans l'inertie de mon cœur ci-devant religieux, lettre morte ou, au mieux, confirmation d'absence. Je ne puis rien en retenir, sauf à les parodier par vanité et illusion d'érudition, pour affubler d'oripeaux historiques le petit être druonique que je viens de laisser tout seul devant la porte refermée et définitivement close de Dame Élisabeth Haire. Au fil du récit, en marge, à l'arrière-plan, Druon qui m'était d'abord plutôt extérieur s'est tellement associé à ma sensibilité, à ma sensualité, à ma sentimentalité que je ne puis poursuivre ma route à ses côtés que s'il persévère à penser à ma place comme je persiste à penser à la sienne, étant entendu que dans mon vocabulaire penser est à peu près synonyme de sentir. Dans sa cellule de reclus, pour la durée de cette fiction, Druon ne pourra que penser ou sentir ce que je pense ou sens lorsque mon imagination associant mon histoire à sa légende se projette en son lieu, que j'approche en le construisant, en sa personne, auréolée de passions terrestres et de gloire céleste, que je reconstitue en me l'appropriant. Cet horizon fusionnel vers lequel convergent le mythobiographe et son héros s'est laissé entrevoir au long de ce récit; au point où nous en sommes, il se rapproche tout à coup, toute dispersion en anecdotes étant condamnée, et l'intention biographique se resserrant sur le seul terrain de l'intériorité.

Toutefois, comme pour retarder le moment où la fascination par l'abstraction n'aurait plus de retenue, il convient de rapporter d'abord comment Druon obtint de construire son reclusage et de quoi celui-ci était fait. Là-dessus, les Petits Bollandistes laissent ouvertes maintes questions plutôt qu'ils ne satisfont la curiosité. En l'absence de tout renseignement puisé à la seule source biographique dont il dispose, le rêveur druonien, au grand soulagement de sa conscience, pour lors irresponsable, est bien obligé de substituer au savoir qui fait défaut, son imagination inventive et sympathique, toujours prête à s'enfoncer dans les failles,

les interstices, les vides, et à coloniser le non-dit, sans vergogne, à des fins de jouissance plutôt que de connaissance.

On sait qu'au siècle de Druon les réclusoirs d'hommes ou
de femmes se sont développés essentiellement dans la
dépendance des monastères. La règle édictée par le VIIᵉ
Concile de Tolède, au VIIᵉ siècle, exigeait que le candidat à
cette forme particulière de vie érémitique – l'enfermement
dans une maisonnette murée, attenante à un lieu de culte
– se préparât par une sorte de noviciat sous la direction
d'un prêtre ou d'un religieux lui-même expérimenté dans
la pratique de la solitude contemplative. Pendant toute
cette période qui pouvait durer plusieurs années, le postu-
lant était invité à réfléchir non seulement aux fins dernières
de l'existence humaine et à la destinée du chrétien mais
aussi aux raisons profondes de sa vocation à la vie érémitique. Il est vrai que l'engagement dans cette voie n'était
pas irrévocable, mais l'exigence était si grande tant du côté
du candidat que de ses initiateurs, et le cérémonial d'intronisation en solitude était si impressionnant que les sensibilités en étaient durablement affectées. Rendu à lui-
même, enclosé dans sa cellule, coupé du monde, inhumé
dans la profondeur du silence intérieur et extérieur, n'ayant
que son corps pour point d'appui à sa conscience du réel,
le nouvel ermite accède à un espace et à un temps dont l'in-
humanité le séduit, inépuisablement, le captive, le presse
à persévérer dans l'expérience jusqu'à son dernier souffle
– tenu dans un état dont la seule modulation est d'ordre
intérieur, spirituel. Celui qui se prépare à franchir le pas
qui l'arrache aussi radicalement à la vie commune doit
d'abord examiner très attentivement et à la lumière de
l'oraison, de la méditation et de la confession, l'origine et
le développement de ce désir, en lui-même, qui le pousse
et l'entraîne sur le chemin du parfait dépouillement. Car
chacun sait que le démon peut inspirer de fausses conversions et des simagrées de vertus, assurant ainsi le triomphe
de l'orgueil et de l'hypocrisie. Il faut donc que l'aspirant à
la vie de reclus prenne le temps de voir clair en son âme et
aussi qu'il approfondisse ses connaissances en matière de

doctrine chrétienne et d'Écriture sainte. Il ne franchira le seuil de son cachot qu'après avoir rempli son cœur de la Parole de Dieu en sorte que celle-ci ne cesse de nourrir sa pensée, de susciter le jaillissement de l'adoration et la grande coulée immobile de la contemplation. Installé dans ses murs comme dans l'utérus céleste où s'élabora la création du premier homme, le reclus n'a d'autre raison d'être que la communion symbiotique avec le Dieu porteur.

Or donc, dans les jours qui suivirent son retour à Sebourg et après que la porte de la demeure de Dame Élisabeth Haire lui fut définitivement fermée, Druon erra dans la campagne et parmi les hameaux qu'il connaissait bien mais où personne ne le reconnut d'abord. Il avait disparu de ces horizons depuis vingt ans, son aspect extérieur s'était considérablement modifié. Sa chevelure grisonnante lui tombait sur les épaules, il portait une barbe broussailleuse, la belle tenue de pèlerin avec laquelle il était parti était moins qu'une loque. C'était à présent une ruine d'étoffe déchirée, délavée, élimée, mal enveloppée et mal serrée sur son corps de quasi-vieillard décharné, tremblant, traînant la patte avec l'appui de son drôle de bâton à la tête empaquetée comme un greffon. Il allait en mendiant, en vagabond, satisfait d'un croûton de pain ou d'une pomme. Quand on lui demandait d'où il venait, il tendait son bras au hasard vers un point de l'espace et disait : De loin... Et si l'on voulait savoir où il allait, il répondait : Très loin... Il ne cherchait pas à entrer en conversation. Il avait besoin de silence et de solitude. La nuit, il couchait sur la paille, auprès des bêtes. En dehors des prières vocales, psaumes de la pénitence et rosaire, qu'il récitait chaque soir, il se perdait en longues songeries introspectives – qui l'amenaient infailliblement au constat d'échec de la mission pour laquelle il avait tellement peiné. Il restait partagé entre le regret de s'être interdit de revoir Dame Élisabeth Haire, chaque fois qu'il était revenu au pays, et le sentiment obscur que, ce faisant, il n'avait fait que consentir à son destin voulu par Dieu. Cependant, il était conscient que dans son acte de renoncement à retrouver la femme aimée, l'orgueil le poussait plus souvent que la prudence ou l'abnégation. Il n'avait pas cherché à se protéger de la tentation : cette femme n'avait jamais cessé d'occuper son cœur, il sentait sa présence plus fortement depuis qu'il avait appris sa mort. Elle rayonnait paisiblement à ce point de profondeur de l'être dont personne ne peut dire s'il appartient à la chair ou à l'esprit. Chaque fois qu'il s'était approché de Sebourg, au retour d'un pèlerinage, il avait éprouvé toute la véhémence de son désir de la rejoindre. Simplement, dans sa suffisance de chevalier servant, il voulait que les retrouvailles fussent une fête sans réserve, ce qui ne pouvait avoir lieu qu'après que sa mission fut couronnée de succès. Quant au détachement, il lui apparaissait, pour ce qu'il pouvait juger en lui-même, moins comme une vertu conquise par conversion de la volonté, que comme un aveu de sa fatigue, de l'âge qui venait, des infirmités qui commençaient leur œuvre de destruction. Peu à peu, il avait renoncé à toute chance de possession, il avait épuisé l'égoïsme du désir et s'était engagé sur la voie du sacrifice en même temps que pesanteur et lenteur d'être s'installaient dans son corps et modéraient les fantaisies de son imagination. Lorsque, à la fin de son dernier séjour à Rome, il s'était décidé à revenir à Sebourg afin d'y rencontrer sa Dame, il savait qu'il avait fait le vide de toutes vanités et superfluités d'amour et qu'il s'approchait de l'immobilité dans la vacance reconnue du temps.

Brusquement, brutalement, l'annonce de la mort de Dame Élisabeth Haire le mettait face à l'inévitable question de savoir ce qu'il devait faire de sa vie, pour l'avenir que la bonté de Dieu lui octroyait. Il pouvait continuer de mendier, de village en village, jusqu'au jour où la fatigue et les infirmités auraient raison de lui et le laisseraient dans un fossé. Peut-être aussi pourrait-il s'engager, quelque part, comme moutonnier. Ou encore, se faire recevoir comme frère lai dans un monastère. Toutes ces perspectives présentaient l'inconvénient de le maintenir en relation avec un plus ou moins grand nombre de gens, de parler aux uns et aux autres, de se disperser dans les démarches et obligations du jour. Or notre Druon sentait s'affirmer en lui un désir qui lui paraissait aussi vieux que lui-même et enraciné dans l'épaisseur de tous les âges de sa vie, mais qui prenait à présent la force d'une exigence exclusive : volonté de retrait, abandon de soi-même à la solitude de l'isolement et du constant silence, délaissement des conventions et modérations imposées par la présence des autres, affirmation à l'extrême de la seule passion de contemplation et d'immobilité. Il avait le sentiment d'avoir jusqu'à présent, et depuis le commencement, tâtonné sur la voie du retour à la plénitude du temps des origines. Lorsque, dans l'obscurité, il se tenait en état d'absence au monde ; lorsqu'il s'appliquait à s'immerger dans la chaleur et les odeurs du troupeau jusqu'à dissolution de sa conscience du réel ; lorsqu'il s'était égaré dans la nuit qui devait le verser dans les bras de sa Dame ; lorsqu'il s'était enfoncé, sans pensée, sans images, dans la seule oraison de son cœur et dans l'immensité vacante de la présence divine – il avait, une fois revenu à lui-même, éprouvé, comme une lumineuse certitude dégagée de la gangue des savoirs ordinaires et des expériences communes, l'assurance d'avoir approché au plus près le pôle de vérité dont dépendait entièrement l'unité de son être : n'étant plus, lui-même, que d'être dans la fascination du non-être. Et c'était alors, qu'il avait ressenti le plus pleinement ce qu'est la joie, quand il n'y a plus ni formes ni limites.

Cependant la saison s'avançait dans les brouillards tenaces et les premières neiges. Le corps de Druon, tout aguerri qu'il fût aux intempéries, n'en pouvait plus. Si vraiment il y avait une chance de vie nouvelle pour notre berger-pèlerin, il fallait que celui-ci reprît son souffle, qu'il suspendît son errance, qu'il s'arrêtât seulement de bouger, qu'il se ressaisît lui-même, qu'il s'approchât du noyau d'obscurité qu'il portait en lui car il était clair que, de cette part opaque, devait jaillir, lumineusement, ce qu'il attendait de révélation quant au sens de sa présence ici-bas. Il comprit qu'au long de ses années de pèlerinage, il avait trop accordé à la fantaisie éparpillée de ses désirs, humant le vent, fixant sa curiosité sur le spectacle mobile du monde et des êtres, changeant de lieu inlassablement dans le déroulement du temps, se hâtant lentement mais incessamment vers de nouveaux horizons, agitant son cœur dans les eaux confuses de ses sentiments et de ses souvenirs. Désormais, il lui fallait se retrancher, se recueillir, s'isoler en vue de s'unifier et, à défaut de hautes vertus, offrir à Dieu pour le salut de l'âme des deux femmes qu'il avait aimées, son entier renoncement à la diversité et à l'extériorité et son application à la simplicité des mots dans le repos de la prière. Il se voyait donc vivre en ermite, si Dieu le voulait bien, jusqu'à la fin de ses jours.

La réalisation d'une telle décision n'allait pas de soi. Elle devait passer nécessairement par la reconnaissance de l'autorité ecclésiastique. Seule l'Église avait pouvoir de ratifier l'engagement, de contrôler le déroulement orthodoxe de la vie solitaire, d'en faire accepter par le peuple des fidèles le caractère de vocation exceptionnelle et enfin d'assurer au reclus protection, subsistance et secours selon ses besoins. Aussi lorsque Druon se sentit suffisamment résolu dans son projet, il amorça son mouvement de retour définitif à Sebourg. Il s'installa, pour mendier, sous le porche de l'église. Il se tenait agenouillé sur les talons, le visage dans les plis de sa capuce, les bras le long de son corps, les mains simplement ouvertes, non pas tendues pour recevoir des biens matériels, mais les paumes offertes en une attitude de soumission, d'adoration, de réceptivité totale aux grâces qui lui seraient accordées. Il murmurait, dans la broussaille de sa barbe grise, les paroles du psaume *Miserere mei, Deus, secundum magnam misericordiam tuam.*

Un matin de grande froidure, comme Druon recroquevillé tremblait de tout son corps, le curé s'approcha de lui et le fit entrer dans l'église. Druon était tellement transi qu'il pouvait à peine parler. Alors le prêtre le prit par l'épaule et le conduisit jusqu'au presbytère. La servante, jeune et grande femme au beau visage, fit chauffer du lait et lui en servit une écuelle, accompagné d'un morceau de pain. Alors, tout rempli d'un rare bien-être, Druon put répondre aux questions du curé. Ce fut, par bribes décousues, quelquefois hésitantes et confuses, une approche de confession générale de sa vie. Le prêtre Ghilbert, installé depuis quelques années à Sebourg, avait entendu parler de Druon. On le lui avait décrit comme un berger qui aimait mieux parler à ses moutons qu'aux humains, mais qui n'en répandait pas moins autour de lui une aura de douceur, de bonté et de paix qui réconfortait tous ceux qui l'approchaient. On lui avait dit, bien évidemment, comment il avait, un jour, revêtu l'habit de pèlerin et était parti pour Rome. Lors de sa prestation de serment, il avait déclaré qu'il désirait se rendre au tombeau des Saints-Apôtres pour demander le pardon de ses propres péchés et des fautes commises par les êtres qui lui étaient le plus chers. Il s'en était donc allé, mais il n'était jamais revenu et personne n'avait plus entendu parler de lui. On pensait qu'il était mort en chemin. Mais le prêtre Ghilbert avait assisté Dame Élisabeth Haire dans les derniers jours de sa vie. Elle lui avait tenu d'étranges propos, lui confiant que c'était elle-même et personne d'autre qui avait envoyé Druon à Rome. Elle était persuadée que son messager auprès du Saint-Père était vivant et qu'il reviendrait porteur de l'absolution pontificale et muni de quelque relique pour l'église de Sebourg. S'il était resté si longtemps sans jamais réapparaître ni donner de ses nouvelles, c'était, assurément, parce qu'elle avait beaucoup péché dans sa vie et que la négociation auprès du pape devait être fort ardue. Mais elle n'avait jamais perdu espoir de voir le retour de son émissaire. Le prêtre Ghilbert ajouta, sans que Druon lui eût rien demandé, que Dame Élisabeth Haire s'était éteinte paisiblement, manifestant ses sentiments chrétiens de foi et de résignation.

C'était le temps de l'Avent – des journées les plus courtes, du recueillement dans l'attente, de la transmutation du désir en soupir, de la veille ardente dans l'enténèbrement du monde. Druon passait de longs moments au fond de l'église. Il se jugeait très indigne de s'approcher du tabernacle. Il contemplait de loin la minuscule flamme du cierge qui signalait la présence réelle de Dieu. Aux heures des offices, il se trouvait pris dans la petite foule des fidèles, chantant, avec un sentiment de nostalgie qui semblait prendre naissance dans les abysses du corps et du souffle, l'*Attende, Domine, et miserere.* Et ensuite, quand tout le monde était sorti et qu'il se retrouvait tout seul dans l'épaisse pénombre du lieu, Druon reprenait le chant, à mi-voix, laissant les notes et les mots tantôt fluer tantôt racler dans le fond de sa gorge, entre exhalaison d'amour et sanglot. Il préparait son cœur, il réparait ses forces, son esprit se désembuait de tant de fantasmagories si longtemps savourées. Il se remettait à la lecture et à l'écriture. Le prêtre Ghilbert possédait quelques livres. Dans la pensée qu'il s'enfermerait bientôt définitivement et qu'il aurait besoin d'un support de textes pour nourrir sa méditation et remplir le creux du temps, Druon entreprit de recopier de longs passages de la Bible – Isaïe, Jérémie, l'Écclésiaste, le IVe évangile et les épitres de saint Jean. Ce fut pour lui, au début, une tâche très difficile. Il n'avait pas tenu un livre entre les mains, il n'avait pas touché une plume depuis l'heureuse époque où il avait étudié sous le regard du Bégard. Ses doigts étaient malhabiles, sa main manquait de souplesse, il lisait lentement et il ajustait mal sa vue quand il passait du texte écrit à sa page blanche. Sa copie était pleine de fautes, de lapsus, de lacunes, mais il travaillait sans se laisser rebuter, à longueur de jour et de nuit, à la lumière de chandelles que le prêtre Ghilbert lui fournissait généreusement. Quand il n'en pouvait plus de fatigue, au milieu de la nuit, quand ses yeux se fermaient, il prenait encore le temps de réciter le rosaire avant de s'allonger sur son grabat installé près de son écritoire, dans une petite salle basse que le curé de Sebourg avait mise à sa disposition.

Ce curé était un brave homme, d'une espèce toute différente de notre Druon. Haut de taille, corpulent, le visage rougeaud, la voix bruyante, il aimait la bonne chère, la bière forte, le genièvre, les histoires plaisantes. Avec sa servante, Katje, ramenée d'une paroisse de Flandre, il vivait en concubinage notoire, comme beaucoup de curés de cam-

pagne. Il menait une vie simple, saine, dénuée d'inquiétude religieuse et d'angoisse métaphysique. Ses journées
se déroulaient au rythme des saisons et dans le respect des
obligations liturgiques. En hiver, couché dès que la nuit
était tombée, il pouvait se consacrer longuement à sa maîtresse. Druon les entendait rire et ahaner tandis qu'il s'appliquait à ses pages d'écriture. Quand la distraction était
trop forte, quand elle commençait à disperser son esprit et
à émoustiller sa chair, il frottait sa haire contre ses reins et
cinglait ses épaules et ses cuisses à grands coups de ceinture. Mais le remède n'était pas d'une efficacité radicale.
S'il faisait fléchir la tension physique du désir, il n'élimi-
nait pas la tentation qui s'insinuait alors ou irruptait même
carrément dans l'esprit de Druon : celle d'abandonner, pour
un moment, le texte austère qu'il recopiait, et de se plonger dans la lecture du Cantique des cantiques. Il en avait
déchiffré quelques versets dans l'un des folios qui, par
hasard, semblait s'être ouvert tout seul sous ses yeux,
comme si cette page-là, avait été lue plus souvent que tant
d'autres : *Quam pulchræ sunt mammæ tuæ soror mea
sponsa! pulchriora sunt ubera tua vino, et odor unguento-
rum tuorum super omnia aromata...* « Que vos mamelles
sont belles, ma sœur, mon épouse ! Vos mamelles sont plus
belles que le vin, et l'odeur de vos parfums passe celle de tous
les aromates. » Quand il s'était arraché, par un sursaut violent, au vertige de sa lecture, sa chair était en émoi et il
avait saisi, d'un coup d'œil intérieur, à quel point, depuis
plus de vingt ans, rien d'essentiel n'avait changé, en lui,
dans la disposition de son désir. Les images suggérées par
le texte agissaient sur son souffle et sur son sang comme s'il
était resté, sous les apparences de son corps ruiné, le jeune
homme dont la semence trop vive avait jailli malgré lui. Et
donc, à présent, il s'interdisait de revenir sur les strophes
amoureuses du grand Salomon. Mais il lui semblait parfois qu'elles irriguaient en secret le livre tout entier comme
le réseau des veines en charroi de puissance. Et il s'attendait toujours à trouver, de page en page, un indice de passion, un accent de charnalité. Et comme il ne découvrait

rien de tel, il était fort soulagé et, en même temps, un peu déçu. Il portait en lui-même une plaie d'amour inassouvi qu'un seul mot suffisait à raviver. Et il se disait qu'avec une telle instance de douleur ouverte dans son cœur, dans sa chair et dans son esprit, la clôture dans laquelle il se préparait à entrer pourrait bien être un champ de bataille avant de se muer en terrasse de contemplation dégagée de la mémoire des sens, et suspendue comme un coin de pur désert tout au-dessus de la Babylone charnelle où ont été pétris les enfants des hommes promis à devenir enfants de Dieu.

C'était un bonhomme, le prêtre Ghilbert. Épicurien par nature, il ne poussait pas sa foi évangélique vers les renoncements de la chair, mais il donnait beaucoup de lui-même à son prochain. Il aimait à partager avec les autres ses modestes biens et son art de goûter les bonheurs simples et limpides. Il avait littéralement recueilli Druon et ne se lassait pas de sa compagnie. Chaque jour les deux hommes se retrouvaient, dehors le plus souvent, sur les sentiers qui se perdaient dans les champs, et se livraient à de longues conversations. Au début, Druon hésitait à parler de lui-même mais peu à peu il se livra avec une entière confiance à l'attention sympathique du curé. Il lui apprit, sous la promesse du secret, tout ce qu'il savait de ses origines et lui rapporta maints souvenirs de son enfance et de sa première jeunesse. Il évoqua la haute présence du Bégard qui l'avait si profondément éveillé à la connaissance de soi. Emporté par l'élan de son cœur, tout ravi de se découvrir un confident, il se mit, un jour, à lui réciter d'une traite, sans hésitation, la IVe églogue de Virgile. Et c'était un plaisir pour l'un et l'autre de se laisser aller à la radieuse solarité du poème dans le froid humide et sous le ciel bas du pays de Sebourg. À un autre moment, Druon vint à parler de sa rencontre avec Dame Élisabeth Haire, s'efforçant de lui faire comprendre comment, dès le premier regard, lorsqu'elle l'avait fait entrer dans sa maison et ensuite lorsqu'elle lui avait montré à tirer le lait des brebis, la grâce de la beauté s'était plantée dans son cœur, et comment, plus tard, étant devenu homme, il avait pu sentir la transformation foudroyante du ravissement d'innocence en impérieux désir de la chair. Il lui raconta quelle fascination avait exercée sur ses sens le spectacle des accouplements animaux et comment, dès lors, n'en pouvant plus de l'amoureuse tension qui le possédait, il était parti à la conquête de sa Dame, et tout ce qui s'en était suivi. Ghilbert pouvait entendre quelle place éminente et décisive la femme occupait dans la vie de Druon : sous l'espèce de la mère et de l'amante, elle en constituait à peu près l'unique ressort et l'horizon le plus manifeste, selon une évidence tellement grandiose que notre Druon, en pleine maturité d'âge, paraissait, au regard de son interlocuteur, mû par une toute-puissance d'enfance et d'adolescence qui le tenait en immuable jeunesse de cœur. Et le prêtre luxurieux, sur le péché duquel fermaient les yeux aussi bien ses ouailles que son évêque, était alors ravi de fréquenter une âme pure qui avait su garder, en toute innocence, la force de désir et l'ardente fascination d'amour qui s'étaient émoussées en lui-même dans la succession de rencontres charnelles sans lendemain et que sa liaison avec Katje revivifiait sans pouvoir lui rendre l'intensité de fraîcheur et d'idéalité propre à l'inassouvissement consenti par attachement à l'idéal de perfection chrétienne et soumission extasiée à l'interdit. Pour tout dire, Druon représentait un exemple d'homme qu'il n'avait jamais rencontré. Et le curé de Sebourg se trouvait poussé à se confier à ce tout pauvre et tout obscur dont la pureté rayonnait, alors que Druon, pour sa part, recherchait l'écoute de ce prêtre-là dont la bonté et la miséricorde s'enracinaient dans une profonde expérience de la faute. Au pécheur invétéré, Druon avouait la toute-puissance magnétique de la femme au milieu de toutes les tensions de son âme. Au cœur resté vierge et virginal du berger-pèlerin, le prêtre impur et sacrilège confiait toute la pesanteur de ses attaches sensuelles et la fuite en avant dans laquelle il se hâtait de s'enfoncer au point que la jouissance devenait la respiration de son être. Chacun sur son propre versant, les deux hommes paraissaient nés pour se rencontrer.

Druon disait la faute irrémissible, encore que jamais consentie ; Ghilbert, l'évacuation de la conscience coupable afin d'aller jusqu'au bout du désir. En l'un et l'autre demeurait un soupçon d'espérance – en l'infinie bonté de Dieu condescendante jusqu'à la pitié. Le prêtre pécheur et l'innocent fidèle priaient, chacun en soi-même, pour que la main du Très-Haut s'abattît sur eux, non pour les foudroyer et les précipiter en enfer, mais pour les arracher à leur mirage et leur indiquer la voie, sans obscurité, sans ambiguïté, et substituer à la faillite de leur volonté l'irruption de la grâce qui les sauverait d'eux-mêmes contre eux-mêmes. Il importait, selon le prêtre, de cultiver en soi la plus grande passivité, jusqu'à ce que le cœur s'éveillât à une autre vie, sans violence, sans conflit, sans rupture, comme l'aube succède à la nuit, par le mouvement même de la ténèbre en mal de lumière. Pour Druon, l'appel de Dieu était déjà donné dans la passion. Il fallait s'appliquer à aimer plus justement, au plus près, dans le dépouillement de la mémoire et la dénudation du cœur.

Cependant, comme on arrivait à la vigile de Noël, Druon demanda à Ghilbert de le confesser et, s'il le jugeait digne, de lui accorder l'absolution. Il était revenu du préjugé de grandeur qui l'avait fait entrer dans les vues de Dame Élisabeth Haire pour considérer dans le pape uniquement le maître de la grâce et de la condamnation. Il pensait à présent que le plus modeste prêtre détenait entièrement le pouvoir des clefs qui ouvrent ou ferment les portes du paradis – et plus fortement encore que ce prêtre-là, ce Ghilbert, parce que grand pécheur sous le ciel, et apparemment démuni de tout prestige de spiritualité, était le plus apte à lui administrer le sacrement qui devait soulager son âme. Il lui semblait qu'à pouvoir égal, le vrai pécheur, prêtre comme tout autre selon l'ordre de Melchisédech, pouvait mieux que personne intervenir auprès de Dieu pour réhabiliter le pauvre Druon. Tout de suite après le grand saint, c'était le grand pécheur, pensait-il, qui occupait la meilleure place, proche le trône divin, par mérite de honte et de souffrance.

Druon, à genoux sur la dalle glacée de l'église, se laissa couler dans une longue et lente confession chuchotée à l'oreille du prêtre. Celui-ci était assis sur un coin de banc et, plus d'une fois, au cours du monologue de ses aveux, il arriva que Druon posa son front sur les genoux de Ghilbert, comme si la détresse de son innocence et le désarroi de son expérience devaient passer dans les membres et dans le corps entier du sacerdote envahi et emporté par la confidence. Au rappel de tant d'errances en rêveries, fantasmagories et insensés désirs noués jadis et à présent dénoués autour de ce moyeu d'horreur et de solitude qui lui tenait le cœur dans la conscience de son péché d'origine – disant d'une voix égarée dans son souffle : Je m'accuse d'avoir causé la mort de ma mère et, par là, de l'avoir privée de la rémission de ses péchés et précipitée dans la géhenne de Satan – Druon sanglotait, secouant ses phrases dans sa bouche et noyant les mots dans ses larmes, cependant que le prêtre pleurait silencieusement non sur les fautes imaginaires ou anodines du pénitent, son ami, mais sur l'écart et sur la déchirure que ses propres péchés avaient gravés en lui-même, indélébilement. À la fin, cependant, Ghilbert s'agenouilla face à Druon, et dans un grand signe de croix tracé de la main sur le visage du plorant, il prononça les mots de délivrance et de salut : *Ego te absolvo.*

Le geste et la parole, la présence et le moment – ce fut pour Druon, dans l'instant mais aussi pour longtemps, abondance d'allégresse, impression sensible d'allégement et de libération, surprise du renouveau, comme d'un printemps précoce, inespéré. À quarante ans, pour la première fois de sa vie, il éprouva, en une sensation de réalité inouïe, que son âme dansait dans l'habitacle charnel de son corps, mue par une jubilation qu'elle n'avait plus le pouvoir de contrôler et qui la balayait, hors d'elle-même, sans poids, sans épaisseur, sans résistance. Une telle légèreté d'être, en dépit et en oubli de la pesanteur de l'expérience, si elle venait à durer, ne pouvait être nommée autrement que : bonheur ! Druon sentait physiquement la délivrance d'une énorme pression d'angoisse qu'il traînait au fond de son cœur depuis qu'il avait eu la révélation de son crime d'avant-naissance. Il lui semblait, pour son ravissement, respirer comme jamais : sans obstacle ni restriction, sans limites ni retenue, et saisir en cette dilatation de son être le commencement d'une nouvelle prière. Son souffle montait et descendait avec une ampleur jamais connue, condition, se disait-il, de la plénière rencontre à laquelle il se préparait : de Dieu dans le temps et dans l'éternité, de la Vierge Mère dans la proximité de l'espace, de la Mort consolante et unifiante. Ici, déjà, tandis que le prêtre Ghilbert prolongeait son accolade, serrant de toutes ses forces Druon dans le creux de son épaule, la pénombre dans laquelle se trouvaient les deux hommes ouvrait l'accès, pouvaient-ils penser ensemble, à un avenir transfiguré en lumière, en grâce et en foi. Les sentiments de Druon, non seulement religieux mais tout simplement humains, s'accordaient en exaltation avec l'esprit de la fête qui commençait.

C'était Noël. La liturgie mêlait nuit et lumière, achèvement d'un cycle de l'histoire et avènement d'une ère inédite. Le temps qui n'avait été qu'un long crépuscule d'exil depuis la chute originelle rompait avec lui-même, s'arrachait à sa douleur, ressuscitait la promesse des origines. Au déclin et à la mort sans espoir succédait l'aventure du renouveau, tendue vers la certitude du salut. Le mot qui revenait comme la note majeure du chant et de la joyeuse prière d'action de grâces, c'était *Hodie* « Aujourd'hui », marquant par là le caractère absolu du commencement, contenu dans la Bonne Nouvelle. L'âme illuminée qui naissait à elle-même n'était plus empêtrée dans le passé. Il n'y avait plus d'*autrefois*. Seul s'imposait le *présent* sans fin, *hodie*. Le chœur des croyants chantait avec une vigueur de joie qui confinait à la folie : *Hodie nobis cœlorum Rex de Virgine nasci dignatus est... Hodie nobis de cœlo pax vera descendit... Hodie per totum mundum melliflui facti sunt cœli... Hodie illuxit nobis dies redemptionis novæ... Hodie genuit Salvatorem sæculi... Hodie ego genui te... Hodie Christus natus est; hodie Salvator apperuit; hodie in terra canunt Angeli, lætantur Archangeli; hodie exultant justi.* « Aujourd'hui, le Roi des cieux a daigné naître pour nous d'une vierge... Aujourd'hui, la paix véritable est descendue du ciel sur nous... Aujourd'hui par tout l'univers les cieux ont distillé le miel... Aujourd'hui a brillé pour nous le jour de la rédemption nouvelle... Aujourd'hui, elle (la Vierge) a enfanté le Sauveur du monde... Aujourd'hui, je t'ai enfanté... Aujourd'hui, le Christ est né; aujourd'hui est apparu le Sauveur; aujourd'hui sur terre chantent les Anges, se réjouissent les Archanges; aujourd'hui exultent les justes. » (Matines de Noël.) Druon chantait *Hodie*. Quand il ne chantait pas, il murmurait en lui-même *Hodie*. Il respirait, son souffle s'exaltait, *Hodie*. Il pouvait fixer jusqu'à l'hébétude ce mot nouveau inscrit dans son cœur : *Hodie*. De verset en verset, c'était toujours *Hodie* qui revenait, qui donnait le ton, le rythme et l'appui. *Hodie* le pénétrait jusqu'à la racine de sa voix et envahissait son corps et poignait ses entrailles et s'effusait dans la chaleur tranquille du sexe que ne troublait aucun désir. L'homme qui chantait, au plus haut des notes, *Hodie*, était innocent. Sans orgueil, sans ombre de vanité, n'ayant jamais rien mérité pour cela, il se disait, adorant, berger parmi les bergers, l'Enfant dans sa crèche : *Hodie*, Aujourd'hui enfin, je suis conçu de nouveau et sans péché. L'enfant vient de naître en moi, lavé de son enfance de mal et de faute. Il était une fois un vieux Druon d'errance et d'angoisse. Il est mort à confesse, la veille du Jour saint. Voici Druonovus – Druon-le-Neuf – le fils qu'il portait en lui muré dans son péché. Votre Parole d'absolution l'a délivré et l'a fait naître à la lumière. Il est ici pour vous rendre grâce et vous servir, vous seul, o mon Dieu. Prenez-le, gardez-le ; faites-en votre chose – votre chose priante et souffrante, si vous le voulez bien.

Ainsi Druon se préparait-il à communier. Il était comme l'aveugle-né rendu au jour. Il s'avança jusqu'à la sainte table. Le prêtre Ghilbert déposa l'hostie dans sa bouche. Plus tard, après que l'*Ite, missa est* eut été prononcé, les deux hommes sortirent ensemble de l'église. Druon tenait à la main son bâton à tête de phalle empaquetée : Je n'en ai plus besoin, dit-il, je vais mieux et bientôt je n'aurai plus à marcher par les chemins. Allons ensemble le jeter dans le ruisseau.

Or il avait neigé en abondance. Le petit cours d'eau déjà pris en glace disparaissait, inatteignable à travers la couche blanche. Ils rentrèrent donc au presbytère et joignirent le bâton aux bûches qui crépitaient dans l'âtre. La hampe s'enflamma. Le capuchon de toile se consuma en produisant une âcre fumée. Mais la tête phalloïde roula hors du foyer, par-dessus les chenêts, ce qui fit rire Katje bruyamment. Elle la poussa dans un coin de la cheminée et, lorsque les modestes agapes de la nuit furent achevées et que le prêtre Ghilbert eut récité les grâces, elle la ramassa prestement et la mit dans sa poche, sans façon. Le Diable n'avait pas dit son dernier mot. L'histoire n'était pas près de finir.

Hiver et printemps s'écoulèrent dans l'allégresse de la grâce retrouvée, sensiblement. La vocation de Druon s'affirmait dans son cœur. Il communiait chaque jour. Il confessait ses fautes qui n'en étaient guère et ses imperfections que personne n'eût devinées, à l'oreille du prêtre Ghilbert. Il passait de longues heures, jour et nuit, à copier le Petit Office de la Sainte Vierge et aussi les *Soliloques* de saint Augustin dont Ghilbert possédait un bel exemplaire qu'il avait reçu lors de son ordination et qu'il n'avait jamais lu. Son habileté au travail de copiste s'était beaucoup développée. S'il écrivait lentement, ce n'était pas par rusticité de main, mais parce qu'il prenait plaisir à tracer de beaux caractères, parfaitement lisibles, à tirer des lignes harmonieusement remplies, mais encore parce qu'il prenait le temps de relire à voix basse chaque page du texte et de méditer les saintes paroles qu'il venait d'inscrire sur sa feuille: *Cum igitur fui sine te, non fui; quia nihil fui...* « Tant que j'ai été sans vous, je n'existais pas, puisque j'étais dans le néant. Semblable aux idoles, j'étais privé de la vue, de l'ouïe et de toute sensibilité. Je ne pouvais distinguer le bien ni fuir le mal, ni sentir la douleur de mes blessures, ni voir même que j'étais plongé dans les ténèbres, parce que j'étais sans vous, ô vraie lumière, qui éclairez tout homme venant au monde. Malheur à moi, j'étais couvert de plaies et je n'en éprouvais aucune douleur. Les passions m'entraînaient, et je ne les sentais point, parce que je n'étais rien, parce que j'étais sans la vie, qui est le Verbe par qui tout a été créé. » (*Soliloques*, chap. VI.) Druon discernait mal la longue suite des états de son âme dans la pénombre de sa mémoire. Il ne reconnaissait pas qu'il avait péché surtout par les émotions de son cœur et les fantaisies de son imagination. Il accordait à des sentiments effilochés en rêverie la gravité même des actes. Il s'alourdissait d'une pesanteur de faute sans commune mesure avec la simplicité et la quasi-innocence de sa vie réelle, et par là, il s'approchait, jusqu'à se l'approprier, du noyau de culpabilité du grand Augustin. Il se cherchait une âme de grand pécheur et il ne cessait de la découvrir, de l'explorer, de la sonder. Il plaçait au fondement de cette petite chose d'humanité qui pouvait passer pour son être, le meurtre de sa mère avant sa naissance. Venait ensuite sa curiosité pour les ébats sexuels des animaux. Enfin le triomphe du mal s'imposait dans la commotion de tous ses sens éprouvée au seul toucher de Dame Élisabeth Haire. Il y avait là trois points d'appui sur lesquels reposait solidement son âme pécheresse. Certes la nuit de Noël, avec sa clameur d'*Hodie*, avait secoué le vieil édifice à la façon d'un séisme de grâce et de salut. Druon sentait encore, jusque dans les reculées physiques de son esprit, l'impression de délivrance qui l'avait propulsé par-delà l'énorme accablement de sa mémoire d'enfant perdu. Il se tenait à sa joie nouvelle comme le carillonneur légendaire accroché aux cordes de ses cloches qui l'emportaient dans le ciel. Il n'en avait pas moins la certitude aussi modeste et désolante que froidement incontestable que le mal perdurait en lui-même dans toutes les dimensions de sa sensibilité physique et morale,

et qu'il ne lui restait donc pas d'autre perspective de vie
que l'expiation dans la solitude, la privation et la prière.

Il trouvait confirmation de sa nature coupable dans la
désertion de son Ange gardien. Que celui-ci se fût enfui,
voilà plus de vingt ans, au moment où l'adolescent, captivé
par le vertige de sa sensualité, allait jusqu'à décourager la
providence divine qui lui avait commis, comme à chacun,
un esprit protecteur, Druon le comprenait fort bien et ne
pouvait s'en prendre qu'à lui-même d'avoir lassé la patience
de son Ange. Mais après l'illumination de la nuit de Noël,
pourquoi celui-ci n'avait-il pas repris sa place à ses côtés?
À présent que le pauvre Druon avait l'âme purifiée et que
toute transparence lui était rendue, en son cœur inhabité
de ses vieilles hantises de présences trop humaines, il méritait bien que l'Ange lui tînt la main, comme autrefois, afin
de neutraliser les prestiges du Malin. Mais il n'en était rien.
Druon n'avait pour se tenir sur la droite voie que les ressources de sa bonne volonté, sans aucune assurance de
vaincre la tentation. Sans doute avait-il été spécialement
privilégié tout au long de sa première jeunesse d'avoir vécu
en compagnie d'un esprit céleste qui le couvrait de sa
lumière et le faisait aller sans faille ni hésitation, côtoyant
sans frémir, et les tenant pour nuls, les abîmes de la concupiscence où tant d'âmes se perdaient. Jusqu'au jour où son
cœur s'était mis à danser devant le spectacle des bêtes en
rut, il avait connu innocence et insouciance de chair, sans
jamais chercher à voir entre les doigts de l'Ange qui lui bou-
chaient les yeux. Heureux temps!

Heureux temps que l'éternel passé, put-il songer lorsqu'il
finit par prendre conscience du trouble que générait en lui
la douce, ondoyante et sensuelle présence de Katje. Ce
n'était pas que celle-ci cherchât jamais à le séduire. À quarante ans, épuisé par l'incessant vagabondage de ses années
pèlerines, il en paraissait soixante. Il se traînait comme un
vieillard déconfit, ne laissant pas même imaginer à cette
femme que son prêtre servait si bien, ce que pouvaient être
ses vestiges de virilité. Le malaise qu'il éprouvait, aussi
bienheureux que torturant, à mesure que se prolongeait

son séjour au presbytère de Sebourg, n'était pas imputable
à la nature perverse et prétendument diabolique de la
femme, mais seulement à l'immensité réceptive et nostal-
gique du désir, chez Druon, et à l'enfermement contenu et
contendu d'une ardeur d'appétit sans issue vers l'extérieur,
vers la réalité des êtres et du monde. Katje ne voulait rien,
ne demandait rien, ne visait à rien. Elle témoignait à Druon
une déférence réservée, mais naturellement gracieuse,
comme à un homme riche en sagesse, en expérience et en
savoir et occupé uniquement aux matières de la vie spirituelle. Elle remplissait son service comme auprès d'un
supérieur – un homme de Dieu assurément – sans jamais
se dépenser en familiarité. Simplement, elle s'en tenait à
être ce qu'elle était, que Druon fût là ou non, qu'il fût attentif ou non à sa présence. Du reste, en réalité, c'était le plus
souvent en l'absence de Katje que l'impression sensible de
la femme – rayonnant mystère d'obscurité, d'intériorité et
de sensualité – faisait irruption, de la plus intempestive et
de la plus pressante façon, dans la conscience recueillie de
Druon. Alors notre solitaire copiste pouvait découvrir en
lui-même à quel point il avait été subjugué par les formes
de la jeune compagne de Ghilbert, et par le rythme de sa
démarche et de ses gestes, et par la tendresse enveloppante
de son corps tout entier. Cette femme était si pleine d'elle-
même en sa beauté que Druon n'eût jamais pu condamner
le couple du prêtre et de sa servante pour son ardeur à forniquer. Il arrivait que, tout à son application à copier des
pages de saint Augustin, notre homme se trouvait soudain
envahi par le souvenir des gémissements amoureux per-
çus, dans la nuit, depuis l'autre bout de la maison. L'imagination du souffle et du râle des amants traversait les
bruissantes effusions des *Soliloques*:*Aperuisti mihi ocu-
los, lux; et excitasti et illuminavit me*... « Vous m'avez
ouvert les yeux, ô divine Lumière, vous avez illuminé mon
âme de vos célestes clartés, et j'ai vu que la vie de l'homme
sur la terre n'était que tentation, que toute chair ne pouvait
se glorifier devant vous, ni aucun être vivant se croire juste
en votre présence, parce que tout bien, grand ou petit, est

un don de vous, ô Seigneur, et que tout mal vient de nous seuls... » (*Soliloques*, chap. xv.) La rumeur d'amour dont la mémoire de Druon débordait venait à l'appui de la sombre doctrine du maître d'Hippone, mais c'était aussitôt, par un retournement qui eût scandalisé n'importe quel honnête chrétien, pour emporter la pensée du copiste vers d'autres sommets de vérité : si tant de beauté exalte la chair, songeait Druon, alors celle-ci est purifiée en même temps qu'elle jouit. Cette évidence au fond de son âme, Druon la dédiait à Katje et à Ghilbert. Cette vérité, pensait-il encore, n'a cours que pour ces deux-là. Je suis exclu de cette grâce comme je suis exclu de la fête. Assurément, Druon était dans l'ignorance des amours de Marie d'Épinoy et du prêtre phallophore. S'il en avait connu seulement le premier mot, il eût compris pourquoi son affection pour le couple sacrilège de ses hôtes passait toute loi et toute juste économie de salut ; et pourquoi, quelles que fussent son application et son obstination à marcher vers la sainteté, il lui était impossible de réprouver l'expression charnelle de la beauté et du désir. S'il avait disposé du pouvoir des clefs, jamais il n'aurait eu la pensée de jeter l'anathème sur la femme. Il lui aurait bien plutôt accordé la bénédiction des formes, traçant le signe de la croix sur la perfection de sa croupe et de sa gorge, sur la délicatesse de son visage, sur la puissance ténébreuse de tout ce qui restait secret sous la robe et qu'il ne pouvait même pas se représenter selon la réalité. Il n'aurait condamné ni la saveur qu'il ignorait, ni l'odeur que Katje dispensait à profusion quand elle s'approchait, quand elle remuait, quand elle brassait l'air dans l'immobilité du temps. Et il n'aurait pas dénoncé l'offense du toucher, dont il savait si peu mais dont la seule imagination, si vague qu'elle fût, faisait chavirer en lui prudence et mesure. Ainsi, s'efforçant d'unifier en son esprit, l'émotion qu'il éprouvait quand la beauté de Katje le frappait au visage, et sa hauteur de conviction religieuse selon laquelle tout ce qui est donné à la créature est œuvre de grâce divine, il célébrait la pure générosité de Dieu dans la forme des corps et dans les inventions de l'amour. Lui-même, cependant, en vertu d'un destin exceptionnel qui l'avait posé, avant l'histoire, en meurtrier de la beauté, il ne lui restait qu'à continuer d'expier son indignité. Alors, il saisissait la ceinture de cuir qui lui servait de fouet et, comme il avait vu opérer le Bégard dans ses moments d'excès et de transe, il meurtrissait son corps entier, prenant sur lui-même la douleur comme si, par là, la joie des autres pouvait s'élever encore plus haut et s'approcher de l'esprit. À la différence de tant de grands saints dont il connaissait l'histoire, il ne recourait pas à la flagellation dans le désir de partager les souffrances du Christ, mais dans la volonté de confirmer son exclusion de la joyeuse troupe des élus de Dieu. Il avait lu dans la Lettre de saint Jean que ceux qui aiment sont nés de Dieu. Ils seraient donc sauvés par amour de l'amour. Mais lui, pauvre Druon, avait commis le meurtre de l'amour. Jamais il ne pourrait aimer jusqu'au point de perfection de ce qu'il avait perdu. Il ne lui restait qu'à se frapper les reins en témoignage de sa faute. Il avait renoncé à tous les bonheurs du sexe non par idéal de sainteté mais par deuil d'impossible amour. Assurément, il était très loin de la sainteté. Il n'avait rien de commun avec les martyrs et les confesseurs de l'Église du Christ. Il ne serait jamais un modèle de vertu, ni le consolateur des affligés, ni le visionnaire des secrets de Dieu. Il s'avançait tout seul, sur une marge singulière, en marge même de toutes les marges, ayant charge, outre son péché, des péchés de Marie, d'Élisabeth et de Katje. Il n'obtiendrait son salut qu'après avoir expié, dans sa propre chair, la luxure de ces trois femmes. Il n'avait pas d'autre mission.

Or il arriva, cette année-là, que l'évêque Godefroy de Malines visita, au temps de Pâques, quelques paroisses du Hainaut afin d'administrer la confirmation à ceux qui la demanderaient. Ainsi vint-il jusqu'à Saint-Amand. Autour du curé Ghilbert, une petite troupe de fidèles de Sebourg et de divers hameaux s'était réunie et avait fait marche jusqu'à la ville. Druon s'y était joint. Comme un vieil oiseau migrateur longtemps égaré, longtemps exilé et dissipé, sans toutefois s'être jamais éloigné de lui-même, sans jamais avoir cessé de se tenir aussi près que possible de son propre centre, il revenait à l'espace et renouait avec le temps où, s'étant enfui du château d'Épinoy, ayant tranché dans le vif de son enfance et de ses attaches humaines, il avait erré en territoire inconnu, tout seul – non pas tout seul, car son Ange le tenait par la main – en tout cas innocent quant à la nature et au sens des désirs au-devant desquels il s'avançait. Il avait bu l'eau des rivières, il avait mangé les baies des buissons et les fruits sauvages, il avait couché dans la tendresse molle des prairies, fluant, lui-même, se souvenait-il encore, entre la terre épaisse et la clarté lunaire, et tout hanté de rêves en la continuité des jours et des nuits. Et il avait tendu sa main de petit mendiant à l'entrée de la basilique de Saint-Amand, émerveillé de devenir ce qu'il pensait que Dieu voulait qu'il fût, détaché, disponible et fervent. Et maintenant, à trente ans de ces commencements, il longeait la rive de l'Escaut, il humait la fraîcheur des eaux sombres et silencieuses qui l'avaient, avec Ange et mouton, conduit jusqu'à Sebourg où Dame Élisabeth Haire lui avait ouvert la porte de sa maison. Aujourd'hui, toutefois, il souffrait de n'être pas seul à refaire le chemin. Il était pris dans un groupe agité, rieur, turbulent, d'enfants, de jouvenceaux et jouvencelles tout excités de découvrir les horizons au-delà de leur village. Il les flanquait comme un vieux chien venu d'ailleurs, suivant péniblement le mouvement plutôt que lui donnant l'impulsion. Le cœur plus gros de rêverie que de prière, il recueillait des bribes de son enfance et, s'il s'interrogeait, c'était moins pour savoir ce qu'il avait fait des promesses latentes de son passé, que pour relier, désormais, avec les possibilités de l'avenir qui s'ouvrait encore devant lui, les inspirations de sa jeunesse à la charge d'expérience acquise au long des ans – les relier, passé et présent, afin de les unifier en une seule et même coulée, enveloppées d'acceptation et d'offrande comme dans le mystère d'une robe sans couture en laquelle chaque pli du temps retient le temps tout entier, homogène et ondoyant.

Le grand saint Amand s'avoua une fois de plus comme le protecteur efficace du pauvre Druon. Comme la cérémonie des confirmations avait pris fin en son jaillissement d'invocations au septiforme Esprit-Saint – *Emitte... Spiritum sapientiæ et intellectus, Spiritum consilii et fortitudinis, Spiritum scientiæ et pietatis* – le prêtre Ghilbert et son humble compagnon s'avancèrent jusqu'au trône de l'évêque, s'inclinèrent et, genou à terre, demandèrent la bénédiction du prélat. En suite de quoi, Ghilbert prit la parole : Je suis Ghilbert, curé de Sebourg, et cet homme, à mes côtés, se nomme Druon. C'est un pénitent qui a fait neuf fois le pèlerinage à Rome. Ses infirmités ne lui permettent plus de repartir là-bas. Il est venu pour solliciter de votre grandeur la permission de vivre en ermite jusqu'à son dernier souffle, aussi longtemps que Dieu voudra. Je le connais bien. Je le confesse et lui administre la sainte communion très régulièrement. Il lit et copie assidûment l'Écriture sainte et les œuvres des Pères. Il est instruit de toutes les règles qui régissent la vie solitaire dans le sein de l'Église. Il en connaît les difficultés. Il a sondé le fond de son âme et il est prêt à s'engager dans cette vocation qui lui vient de Dieu seul. Je réponds de lui en témoin rigoureux de sa droiture, de la pureté de son cœur et de la richesse de sa vie spirituelle – aussi, je vous prie, monseigneur, de l'autoriser à construire sa cellule à même les murs de l'église de Sebourg et d'y vivre désormais en reclus, sous votre patronage et sous ma responsabilité ou celle des prêtres qui me succèderont, selon la volonté de Dieu.

L'évêque Godefroy de Malines posa quelques questions à Druon, donna à l'un de ses assistants les indications nécessaires pour rédiger un acte conforme à la requête du demandeur, puis il bénit les deux hommes et leur présenta son anneau à baiser.

Ensuite, tandis que Ghilbert battait le rappel de ses ouailles, Druon alla s'agenouiller devant l'image de saint Amand et s'absorba en actions de grâces. À la sortie, il n'y avait pas de mouton pour le guider. Le soleil tressaillait dans un étroit vitrail d'où tant de lumière bleue et rouge s'effusait que Druon put croire, avec raison, au retour de son Ange. Toute la troupe rentra à Sebourg, alternant dans ses chants, hymnes, psaumes, cantiques, chansons de toile, chansons de bouteille et chansons d'amour. Les voix des garçons et des filles s'entremêlaient gaîment et Druon que son indulgence pour les réalités présentes mettait en harmonie avec toute espèce de beauté, mesurait en esprit l'écart qui le séparait de son enfance, à Épinoy, là où les fortes passions du Bégard avaient si vigoureusement séparé les sexes et banni les simples joies de la vie.

Dans les semaines qui suivirent, et tandis que le printemps se déployait en bourgeonnement, en verdure et floraison, Ghilbert et Druon, aidés de quelques hommes, entreprirent de construire le réclusoir. Ce n'était pas une maisonnette comme on devait en édifier, un siècle plus tard, à l'usage des béguines, mais une modeste hutte aux murs de torchis tenus par des solives, et protégée par un toit de chaume. Elle était littéralement collée contre l'église en un coin du parvis où s'ouvrait une porte secondaire, désormais condamnée. Elle comportait deux petites pièces. Celle qui regardait vers le dehors était éclairée par une étroite fenêtre. Elle était prévue pour servir de chambre, de lieu de travail et d'espace de vie matérielle. Elle contenait une paillasse serrée dans un chassis, une table installée sous la fenestrelle et complétée par un tabouret en escabeau, un petit lutrin et une lampe à huile. Dans un coin était construit un âtre rudimentaire formé de quelques gros galets. Une provision de bois, un seau d'eau et quelques écuelles reposaient sur le sol. Dans l'angle opposé se trouvait un baquet qui devait recevoir les excréments de l'ermite. L'autre pièce était tournée vers le dedans, c'est-à-dire vers la nef de l'église. La partie supérieure de la porte avait été coupée et remplacée par quelques barreaux de fer à travers lesquels Druon avait vue directement sur le chœur et le tabernacle. La pièce elle-même, étroite et sombre, était nue. Son seul ornement était une grande croix de bois, sans effigie, dressée contre le mur qui était le mur même de l'église, en grossière pierre de taille. Debout, Druon pouvait suivre l'office dans l'intervalle des barreaux. À genoux sur la terre battue, il ne pouvait voir que la voûte de l'édifice, arrondie en arc de cercle. Le curé de Sebourg était seul à détenir la clé de la porte par laquelle, uniquement, il était possible de pénétrer dans la cellule. Par la fenestrelle serait déposée, une fois par jour, de la nourriture apportée par l'un ou l'autre paroissien ou paroissienne. Et c'est par cette voie également que serait évacué le récipient des déjections. Par là aussi que serait fourni le matériel pour le travail auquel Druon entendait bien s'appliquer, soit la copie de livres, soit le cardage des laines, car chacun sait que le diable est prompt à hanter les heures vacantes et les mains inoccupées. La fenêtre ouvrait une issue vers le monde des humains. C'était un passage possible pour les échanges et les contacts. Mais les règles à l'usage des reclus, rédigées dans des monastères, étaient formelles : le solitaire se devait de protéger sa solitude. Ses relations avec l'extérieur obéissaient, en nombre et en durée, au seul principe de nécessité matérielle ou spirituelle. Si quelqu'un demandait à voir le reclus pour lui demander conseil dans la conduite de sa vie ou réclamer son intercession auprès de Dieu, le solitaire ne pouvait se refuser. Mais à lui de juger de quelle manière et jusqu'à quel point il pouvait accorder son temps et son intérêt à de telles sollicitations. Il devait surtout prendre garde à la qualité de ses relations avec les femmes. Celles-ci, beaucoup plus et beaucoup mieux que les hommes, savaient marquer leur sentiment pour les réalités d'ordre spirituel. Peut-être parce qu'elles étaient, elles-mêmes, plus proches de leur corps et de leurs sens, et par là, plus profondément enracinées dans les matières de désir et d'amour, qui sont aussi matières du divin, elles affectionnaient de livrer leurs états d'âme et leurs soucis – dont le souci de bien faire, afin de demeurer dignes dans leur être, était le plus essentiel. Elles se plaisaient à se confier à l'homme de Dieu parce que celui-ci n'avait pas la lourdeur et l'étroitesse d'esprit des maris et des pères et qu'il incarnait, par-delà le minuscule canton terrestre qu'il occupait, l'exigence du spirituel et la présence même du surnaturel. Et l'ermite ou le reclus, plus que n'importe quel autre ! car il figurait l'unicité, la singularité, l'étrangeté, dans la distance à toutes choses et à tous les êtres, et il capitalisait, avec intensité, dans sa personne, toute l'énergie du désir et toute la sublimité du renoncement en sorte que la femme, s'offrant, se donnant de cœur et de pensée, mais n'étant jamais possédée, n'étant jamais retenue ni arrêtée, poursuivant sans fin son cheminement d'idéale ascension vers la perfection, ne cessait jamais d'aimer, ne cessait jamais de revenir et d'insister, de resserrer le lien et de vouloir occuper le cœur tout entier. Aussi la règle prescrivait-elle de se tenir à l'écart des femmes et de ne leur apporter que la portion la plus congrue de l'attention et de la parole. *Mulier aut diabolus*, la femme, autrement dit le démon, les expressions ne manquaient pas pour rapprocher les filles d'Ève de la gent infernale. L'homme qui avait choisi la solitude pour patrie était plus menacé que tout autre par le charme propre de la féminité. Car la femme, humiliée, dévalorisée, tenue à l'écart des prestiges de l'esprit et des honneurs du siècle, appelait la compassion. Sa beauté même demandait merci. L'esprit de charité imposait donc à l'homme de Dieu de se tenir accueillant à la race des mères, sœurs, pécheresses, servantes du Seigneur ou esclaves de Satan. Mais la vertu de prudence exigeait une économie rigoureuse de la parole, du temps et de l'attention accordés aux femmes. Oui, Druon connaissait bien la règle. Oui, il savait les mots et l'ordre des mots dans les phrases, et la valeur du discours.

Oui, il connaissait les paroles de ténèbres et de feu qui jugent et qui condamnent. Mais contre le tranchant du verbe dans la bouche des docteurs, des prophètes et des saints, il évoquait sa petite poignée de certitudes irréductibles : l'ombre fascinante de son amoureuse mère, Marie d'Épinoy ; la beauté généreuse de Dame Élisabeth Haire ; la jeunesse toute radieuse de chair soumise mais triomphante de la très douce et très silencieuse Katje. Chaque femme ainsi rencontrée, et par là établie dans l'extrême proximité du cœur et du désir et de la rêverie sur le cœur et sur le désir, exaltait, dans la grâce de ses formes, le pouvoir de séduction du péché – comme si le reflet de la seule menace de damnation éternelle entrait dans la composition de la

beauté féminine – mais en même temps imposait, de toute
évidence, l'image de la douleur : rupture, blessure, angoisse,
solitude, soumission et résignation, en sorte qu'il y avait
grande pitié dans la forme d'amour toute particulière que
Druon portait à de telles figures. Et puisqu'il se sentait désigné pour leur salut, il ne pouvait que les emporter avec lui,
dans sa mémoire et dans son ardeur de dévotion. Que
d'autres, des inconnues, viennent parfois frapper à sa
fenestrelle, quémandeuses d'une parole ou d'un geste, il
leur répondrait sans chercher à les retenir.

Oui, se préparant à entrer en définitive clôture, il se
reconnaissait débordant d'amour pour quelques créatures
et il se disait que, dans le terreau de ce lien qui unissait sa
nature à celle de la femme, s'enracinerait son application à
l'amour de Dieu. À mesure que passaient les jours qui s'al-
longeaient avec la saison, à mesure que la maisonnette se
construisait, toute serrée contre la pierre maternelle de
l'église de Sebourg, Druon pouvait sentir monter en lui-
même, à l'instar du printemps charriant toutes les sèves
du monde et toutes les promesses d'éclosion, le flux divinement léger et transparent de la joie spirituelle. Il était
dominé par la certitude intime que sa voie d'accomplissement, qui se resserrait de jour en jour, allait se refermer
sur lui et le tenir enfin immobile et plein – immobile et
vacant, immobile et nul – pure offrande, ou rêve d'offrande
ou souvenir, à peine : absence. Sa vieille peau frémissait sur
ses vieux os, ses vieilles jambes dansaient sans remuer, sa
vieille âme rajeunissait.

À la vigile de la Pentecôte, le prêtre Ghilbert fit longtemps
sonner les cloches, à toutes volées. À l'heure de la messe,
Druon, vêtu d'une longue bure serrée par une corde, pieds
nus, crâne rasé vint s'agenouiller face à l'autel et prononça
les vœux qui l'engageaient dans sa nouvelle vie. Il énonça
clairement les formules rituelles qui le vouaient, au regard
de l'Église catholique romaine tout entière, et d'abord à son
prochain – petit peuple fidèle de Sebourg qui n'en avait
jamais vu autant et qui déjà considérait le reclus, berger
du pays, comme un saint, peut-être un thaumaturge – à la

pauvreté apostolique, à la chasteté angélique, à l'obéissance filiale. Druon, humblement, amoureusement et pour ainsi dire poétiquement, déversait son cœur dans chaque mot qu'il prononçait : il n'avait rien d'autre en propre, que le sentiment qui le submergeait, par-delà les affluents de sa mémoire.

Ensuite, Ghilbert prit la parole. Il résuma en quelques phrases ce qu'il pouvait dire de l'histoire de Druon jusqu'à ce jour, puis il se lança dans un commentaire plutôt prolixe et embrouillé de quelques versets du Sermon sur la montagne, qu'il ponctuait tantôt de *mon Druon* ! à l'adresse de l'impétrant, tantôt de *mes bien chers frères*, comme une pause pour permettre à son discours de reprendre son vol.

Après qu'il eut reçu la communion et comme l'office allait s'achever, Druon s'agenouilla de nouveau devant l'autel. Le prêtre lui remit la cuculle noire, symbole de pénitence, dont le reclus recouvrit sa tête et ses épaules aussitôt. Il lui donna ensuite un petit crucifix de bois ainsi qu'un rosaire à gros grains que Druon passa à son cou comme un collier. Alors la procession se forma dans les fumées d'encens et les flammes des cierges. Elle fit trois fois le tour de l'église et vint se ranger en demi-cercle autour du parvis, devant la maisonnette. Le prêtre bénit les murs puis, à travers la fenestrelle ouverte pour la circonstance, l'intérieur de la cellule. Après quoi, il donna l'accolade à Druon, non dans un geste de convention, mais le serrant affectueusement dans ses bras, avec un vrai baiser de paix et d'amitié. Alors les deux hommes rentrèrent dans l'église. Druon pénétra seul dans son logis dont Ghilbert ferma la porte à double tour. Et pour clore la cérémonie, Druon se montra à sa fenêtre, fit sur lui-même un long signe de croix. Puis il ferma la croisée et tira son rideau, tandis que le peuple des fidèles battait des mains, criant avec bonheur : Noël ! Noël ! Alleluia ! Alleluia !

En vérité, c'est ici le point où le mythobiographe est rattrapé par son récit et mis au pied du mur et de son audace et de son insuffisance. Le voici avec son Druon, à partager jusqu'au bout quarante années de claustration solitaire et d'expérience essentiellement spirituelle. Le projet est démesuré pour le traceur de mots et fauteur de texte conscient de son indigence à pénétrer les sublimités de l'esprit, seul en présence de Dieu. Assurément il peut encore, comme les gratteurs d'étincelles des temps sauvages, frotter et triturer sa mémoire jusqu'à ce qu'éclatent en petites flammes disparates, quelques souvenirs de son enfance très chrétienne et presque mystique – souvenirs auxquels il s'adresse, en toute désolation, chaque fois qu'ils ressurgissent, pour restaurer et ranimer sa certitude d'avoir été, comme s'il se disait : C'est bien moi qui suis, aujourd'hui, c'est moi, le même, en absence, que celui que je fus, en présence ; c'est bien moi, en mal d'adoration, qui garde le silence, le même que celui que le silence gardait, en son adoration. Si j'ai quelque chance de pouvoir me tenir auprès de Druon pendant ses quarante années de vie contemplative et de le suivre dans le déroulement de sa prière du cœur, je ne le dois qu'à l'obstination de ma mémoire à me rappeler que moi aussi, au commencement, je connus une conscience du temps qui ne se distinguait pas de ma concience d'être en prière. Et le temps se faisait léger, tout rempli de joie attentive et d'espérance, lorsque j'avais le sentiment d'être entendu – d'être regardé et compris ; il se faisait accablant, de vacuité compacte et sans issue, dans les moments où mon âme ne percevait aucune écoute divine et où rien ne bronchait, pas même une ombre dans la lumière au-dedans, pour me laisser croire que le lien était vivant et qu'il se poursuivait. L'impression d'abandon avait alors toute la lourdeur – et la cruauté – d'une chute. Et effectivement, je tombais, j'étais tombé. Cette interminable, inlassable, inépuisable succession de chutes et de rétablissements, cette intermittence incessamment renouvelée de grâce et de défaillance, de légèreté et de pesanteur, c'était, véritablement, l'histoire – le fond, l'axe et la matière de l'histoire – en face de quoi les événements de la vie, personnelle et collective, comptaient pour moins que rien. En ce sens, enfant que j'étais, dans ma ville, je me trouvais, comme Druon dans son réclusoir, à l'écart, hors, enclos dans ma solitude d'être. De toute ma minuscule hauteur et de mon infime épaisseur, je voyais Dieu face à face, j'étais seul avec lui, je me tenais tout entier, pour la douleur comme pour la joie, dans notre rapport de bouche à oreille. Beaucoup plus tard, après le déluge, on me fit entendre et je crus comprendre que cette relation n'en était pas une et que j'étais seul à parler, jetant mes phrases, questions et réponses, depuis mon âme incertaine, par-dessus bord, dans le vide. À partir de là, l'angoisse de la faute fut recouverte par l'angoisse de la perte. À partir de là, également, se découvrit le projet de fréquenter les histoires, légendes et mythes, de la sainteté et de la mystique comme si, tout à l'écart que je fusse, en m'approchant sympathiquement du lien éternellement vivant et actif établi entre les autres – quelques-uns – et Dieu, j'avais chance de retrouver, par-delà la réminiscence de mes propres émois, la foi simple et sans raison. J'engageais donc, d'abord dans ma curiosité de lecteur puis dans le texte même, à mesure que je l'écrivais, ma nostalgie du sacré et mon désir de ramener au vif l'expérience religieuse restée en suspens. Et sans doute m'objectera-t-on que de tels sentiments n'apportent aucune compétence pour traiter de la matière hagiographique. Ils risquent bien plutôt de pervertir la démarche et de la priver de tous résultats autres que la grandiloquence pathognomonique, l'illusion de sens, les eaux troubles de la dérision et du scandale.

Saint Druon, apprenez-moi à prier.

Voilà je retrouve la formule des livres pieux dont la lecture nourissait ma vie spirituelle d'enfant et d'adolescent. Mais l'esprit n'y est plus. L'invocation est inutile. La supplication, absurde. Aucun saint et saint Druon pas plus qu'un autre ne saurait m'apprendre à prier, ne saurait disposer à l'oraison le cœur dénoué du lien religieux et, par lui-même, exclu. Depuis le début, Druon est entré dans mon ombre ou plutôt, s'il s'en est élevé, il n'en est jamais sorti. Il n'existe nulle part ailleurs que dans le songe de mon désir de communion fusionnelle et de mon angoisse de perdition. Aussi bien n'est-ce pas lui qui me placera en situation de prier, mais c'est moi seul, avec ma mémoire délitée, mes aspirations confuses et mon âme restée charnelle, qui vais le camper dans son existence cellulaire et le tenir à genoux. Je ne suis pas un Bollandiste. Je ne travaille pas sur les documents mais sur les lacunes. Là où les preuves font défaut, la phrase a quelque chance de respirer.

Ainsi donc, pendant les quarante dernières années de sa vie, Druon, pas une seule fois ne sortit de son ermitage. De l'intérieur du petit réduit qui lui servait d'oratoire, il pouvait, chaque matin, assister à la messe. Au moment voulu, le prêtre venait lui apporter la communion, traversant pour cela toute la nef, ouvrant la porte, un instant, la refermant aussitôt après. Druon se tenait à genoux. Souvent, il avait passé, dans cette position, la nuit entière. Très rapidement, il avait perdu le sentiment des dimensions du temps selon les articulations imposées par les activités humaines. Il était en proie au flux illimité et homogène d'une durée entièrement rythmée par son souffle, par les martèlements de son cœur, par l'énergie de son âme appliquée à la méditation. Il est vrai que cette dernière, qu'aucune méthode n'avait jamais réglée, avait tous les caractères de la rêverie, mêlée quelquefois de ruminations obsédantes jusqu'au vertige et à l'hébétude. C'était, assurément, très en deçà de l'extase, mais aussi Druon ne visait-il rien de suréminent dans l'ordre de l'esprit. Il subissait sa nature, il l'acceptait, il en faisait à Dieu l'offrande avec confiance et humilité. Il récitait par cœur, à mi-voix, de longues suites de psaumes, assez rapidement pour éviter les vagabondages de son imagination. Dans ces moments-là, il ne s'arrêtait pas au sens des mots. Il priait comme un moulin. Il ne doutait pas que Dieu entendait avec bienveillance le déroulement de sa petite mécanique de souffle et de verbe, et qu'il accordait à son serviteur retranché du monde le droit d'être, autant que possible, une chose – n'importe quoi plutôt que Druon, une simple voix anonyme, sans entrailles ni pensées, exercée seulement par le texte qu'elle récitait. Et c'était d'un bienfait incroyable pour notre homme, d'être si peu, d'adhérer strictement à sa fonction de véhicule d'une parole infiniment antérieure qu'il ne lui appartenait ni de juger selon la vérité ni même de comprendre selon toutes les implications de sens – ânonnant à quarante ans, à cinquante ans, à soixante ans, comme le petit écolier qu'il avait d'abord été sous la férule du Bégard. Rien ne le reposait davantage de toute sa fatigue d'exister que ces heures vouées à la répétition sans fin, et presque sans conscience, des mêmes textes aussi neutres et inertes que l'air confiné dans lequel prier et respirer ne faisaient qu'un.

À d'autres moments, il était pris d'un désir superbe et irrésistible : il voulait offrir à Dieu ce qu'il savait et partageait de plus beau. Il avait d'abord examiné au fond de lui-même, en toute conscience, ce qu'il pouvait considérer comme tel : ce ne pouvait pas être quelque chose qui fît partie de lui-même, comme une noble pensée ou un élan amoureux monté du cœur de son cœur, ou un bien matériel qu'il possédât en propre. Il ne possédait rien. Et de son propre cru rien de supérieurement beau – d'uniquement beau – ne pouvait sortir. Le pécheur d'avant-naître qu'il était resté était voué à ne produire, en pensée ou en action, que des œuvres foncièrement manquées, insuffisantes, indignes. Il ne pourrait donc présenter à Dieu, en hommage à son infinie grandeur, qu'une chose venue d'ailleurs, reçue par lui-même comme un pur cadeau de la vie et comme la part de réalité humaine la plus parfaitement belle qu'il eût jamais connue. Au terme de cet examen de son être et de ses ressources, il se leva, se campa devant la croix fixée au mur et se mit à réciter à haute voix, avec le plus grand respect de la qualité de rythme et de musique du texte, la IVe églogue de Virgile. Ce poème lui appartenait depuis sa tendre jeunesse et sa mémoire l'avait gardé intact. Druon l'avait autrefois récité aux moutons de Sebourg et il l'avait emmené avec lui, presque à fleur de bouche en toutes ses pérégrinations. Rien au monde n'égalait, à son oreille et à son esprit, pareille perfection dans l'accord du sens et de la forme. C'était bien là ce qu'il possédait de plus digne pour l'offrande qu'il voulait en faire. D'innombrables fois, au cours de ses quarante années de réclusion, il prononça toujours avec la même inlassable ferveur d'admiration, le vers inaugural : *Sicelides Musæ, paulo majora canamus.* « Muses de Sicile, chantons d'un sujet un peu plus élevé. » Une telle oblation de verbe n'avait rien d'incongru. Cela se passait entièrement depuis la poétique nostalgie d'enfance pour se perdre dans le silence de Dieu. La croix servait de relais à la mellifluence des mots que la pire douleur n'aurait pu corrompre. Dans la solitude toute peuplée de ses inspirations et de ses souvenirs, Druon s'approchait lentement de sa vérité essentielle. Le sens supérieur de la beauté en faisait partie, recouvrant même jusqu'à son goût pour l'abjection. Cette dualité, aussi sombre que lumineuse, dont le cœur était le fruit, rendait gloire à Dieu.

Alors Druon se prenait à chanter, toujours debout devant la croix. Et, suivant la saison liturgique, c'était le *Rorate cœli desuper*, l'*Attende Domine*, l'*Adeste fideles*, les Lamentations de Jérémie, l'*Isti sunt agni novelli*... et tant d'autres sommets du chant grégorien. Il y allait de tout son cœur et d'abord de son souffle et de ses entrailles obscures et même des frissons de sa peau lorsque le chant tournait à la plainte, à la déchirure ou à l'extase. Rien ne pouvait mieux que ces monodies liturgiques donner voix et expression à ses sentiments de participation à l'épaisseur des émotions chrétiennes véhiculées par le culte. D'une certaine façon, le chant – dont la vérité de rythme précédait toujours la vérité de parole – le délivrait de sa trop étroite intériorité personnelle. Il le tenait comme greffé sur une tige collective enracinée dans la nuit des temps bibliques et évangéliques. Par là, la très modeste histoire de sa vie avec son petit appareil de sentiments personnels, s'absorbait entièrement dans une prière des lointains et presque d'éternité, qui était la prière du peuple de Dieu et de la sainte Église – inépuisable débordement et englobement de foi et de ferveur, sphère spirituelle infinie, en quelque sorte cosmique, dans laquelle s'abolissait l'individualité. Celle-ci toutefois ne sombrait pas complètement, elle se ressaisissait dans la conscience que le chant lui donnait d'une plénière unité de corps et d'âme. Tandis que sa voix montait et descendait la ligne sinueuse des neumes, Druon pouvait approcher, en un bref éclair d'intuition, l'accord profond, dans l'instant, de la chair et de l'esprit. Le rythme était une création du corps mais les paroles chantées engageaient l'âme du croyant. À présent, à soixante ans, à soixante-dix ans, dans les notes hautes comme dans les basses, notre solitaire présentait à Dieu toute l'étendue de son être. Le chant accomplissait, pour lui, une oblation intemporelle dans laquelle l'enfance entière et l'adolescence, entière également, et chaque âge de la vie et chaque blessure ouverte dans la destinée rejoignaient le chœur des pécheurs et des élus, commencé depuis la chute d'Adam et Ève et repris sur les hauteurs du Golgotha, à même le sang du Fils.

Et aussi, dès qu'il s'était établi dans sa claustration, Druon s'était mis à psalmodier chaque jour, suivant le déroulement des heures canoniales, le Petit Office de la Sainte Vierge. C'était une autre aventure du cœur qui se jouait alors dans la répétition sans variantes, de cette espèce de messe *ad vitam femineam* – agencement subtil, équilibré et puissant d'hymnes et de psaumes, de lectures et d'antiennes, exaltant le corps de la femme, en son mystère, et l'alliance inouïe de la virginité et de la maternité. Druon connaissait par cœur tous les textes et tous les chants. Il n'avait pas besoin d'avoir sous les yeux et sous la main les pages qu'il avait recopiées chez le prêtre Ghilbert. Il pouvait disposer librement de son corps en postures et expressions de prière et se laisser posséder par ses émotions. Debout derrière les barreaux de sa porte, il pouvait, quand la lumière du jour le permettait, distinguer la statue de la Vierge qui trônait dans une niche, derrière l'autel, exactement dans l'axe de la nef et dans la direction de son regard. C'était une statue de bois noir, une Vierge de gloire, droite, debout pour affronter toutes les menaces. Elle était habillée d'une chape toute parsemée de fils d'or. Elle joignait les mains comme si, depuis la place où elle se tenait, elle contemplait Dieu même en son immuable Trinité. Elle portait un diadème rutilant de gemmes. Et c'était donc à elle que Druon adressait son chant et sa prière, et non à une entité abstraite. Au reste, quand il ne récitait pas son Petit Office, il lui arrivait de passer de très longs moments à contempler cette sainte figure. Alors, laissant monter de son cœur passif le flux de ses souvenirs, sans dire un mot, il confiait à la Mère de Dieu son tourment quant au salut des trois femmes dont il avait charge et qui ramassaient en lui toutes ses puissances d'amour et toutes ses aspirations à une existence plus pleine, plus complète, plus unifiée. Il sentait que Marie, Élisabeth et Katje portaient en elles-mêmes un principe ou essence de leur être qui les liait fondamentalement à l'intimité très obscure de la Vierge, comme il en est, pour l'éternité, d'EVA transformée en AVE – ainsi qu'il chantait chaque jour : *Sumens illud Ave/ Mutans Evæ nomen*. « Saisissant cet Avé/pour transformer le nom d'Éva. » (Hymne des vêpres de la Vierge.) – et comme si la Vierge Mère assurait d'abord le salut des femmes avant celui de l'humanité. Et quant à lui, Druon, il ne redoutait pas d'être exclu ou oublié pourvu que les trois femmes de son cœur fussent intronisées en éternelle vie, sous la droite de Dieu.

Errant, égaré dans sa rêveuse contemplation, il mesurait l'étrangeté et tout à la fois la force et la ténuité du lien qui l'attachait à son amoureuse trinité de femmes. Marie d'Épinoy n'avait jamais été que la figure inaccessible d'un songe d'enfant. Élisabeth Haire ne l'avait serré dans ses bras que pour le repousser aussitôt et le jeter sur les routes. Et Katje restait une apparition de beauté et de sensualité, une ombre troublante qui traversait ses insomnies, un désir sans objet. Il avait croisé dans sa vie et surtout dans ses années pèlerines un nombre incalculable de femmes. Il avait toujours salué en elles la beauté et il avait salué aussi leur misère, leur souffrance, leur humiliation, demandant à Dieu de leur accorder miséricorde, comme il l'avait fait, jadis, pour ses brebis et ses agneaux. Il avait passé son chemin, il s'était avancé dans l'espace et dans le temps comme s'il était seul au monde, comme si le monde n'existait pas. Il n'avait eu de pensée assidue, de préoccupation obsédante, de dialogue au fond de lui-même qu'avec Marie, la morte et l'inconnue, et Élisabeth, la toute lointaine. Katje, très tard venue, avait rejoint les deux premières, pour lui rappeler sans cesse qu'il était un homme, que le feu n'était pas éteint, qu'il était encore temps de disposer la nappe et les couverts et de fleurir la table. À présent, comme il l'avait fait à Rome et pouvait le faire, désormais, sans autre limitation que la force et la résistance de son corps, il se tenait en prière et en méditation devant l'image de la Vierge, aux genoux de laquelle il déposait toute l'abondance de son fardeau féminin, remettant à la Mère tout ce qu'il avait glané de pensées, de soucis, de tentations, de vaines espérances dans l'application de son cœur à trois femmes par-dessus toutes. Sa pratique quotidienne de l'Office de la Bienheureuse Vierge Marie canalisait toute sa puissance d'intérêt pour ce qu'il considérait comme le mystère ou le secret de la féminité, sans qu'il pût jamais nommer ce qu'il cherchait éperdument. Cette ferveur où se mêlaient intentions pieuses et réminiscences personnelles ne devait jamais s'affaiblir en lui à mesure que les années passaient. Parvenu à un âge réellement avancé et alors que toute son espérance se concentrait en attente de la fin, il œuvrait, au fond de lui-même, à transvaluer les figures qui le hantaient, en signes d'adoration et de réconciliation. Sa prière, sa méditation, sa contemplation, continuaient de brasser souvenirs, désirs, aspirations du cœur à la paix et au repos. Son être était comme saturé de féminité, cependant que le vieil homme, en sa perdurable innocence, s'obstinait à voir en la Vierge Marie l'assomption des trois femmes qui avaient régné sur sa vie – trois qui, par grâce, ne feraient plus qu'une seule dans l'abyssale présence de la Mère de Dieu.

Dans les tout premiers temps de son reclusage, Druon traversa une épreuve difficile. Il avait été convenu que, par roulement, quelques gens de Sebourg se chargeraient de lui apporter sa nourriture. Mais comme, le plus souvent, il en résultait surabondance d'aliments et excès de gâteries, Druon dut se plaindre auprès de Ghilbert, son confesseur, et exiger que la matière de ses repas lui fût fournie une fois par semaine seulement et qu'elle ne consistât qu'en une paire de pains secs et une provision d'eau, pas davantage. Ghilbert acquiesça. Il savait que les ermites se contentent de très peu et que la grâce de Dieu les fortifie dans le jeûne et l'abstinence. Mais en quelque sorte pour simplifier et unifier le service, il chargea Katje d'apporter à Druon, chaque dimanche après la messe, les maigres subsistances dont il avait besoin. Ainsi, pendant une dizaine d'années, ce fut elle qui vint régulièrement approvisionner l'*homme de Dieu* (selon l'expression des hagiographes).

Elle frappait quelques coups à la fenestrelle dont le rideau était fermé. Druon ouvrait. Il n'y avait pas un mot échangé entre eux. Katje glissait sa main le long du tissu et déposait ses pains ainsi qu'une cruche remplie d'eau fraîche. Druon emportait cette pitance. Il revenait, l'instant d'après, et dégageait le rideau. Il avait mis sa capuce et la tenait enfoncée jusqu'aux yeux. Aussi longtemps que Katje remplit sa besogne, elle ne le vit jamais autrement mis. Druon, de son côté, détournait la tête afin de ne pas voir la femme. En cela il ne faisait que suivre la règle des reclus. Mais la nécessité lui imposait un geste humiliant. Il lui fallait en effet remettre à Katje le baquet qui contenait tous ses excréments de la semaine, afin qu'elle aille le vider. Il n'était pas dans son esprit d'imposer à une femme une tâche répugnante simplement parce qu'elle était une femme, mais il n'avait pas d'autre moyen de se débarrasser de ses saletés.

Aussi, en manière d'excuse pour cette corvée, il disait : Sœur Katje, emporte cette merde qui vaut mieux que moi, et que Dieu te bénisse ! – Katje remplissait son office avec dignité. Elle revenait ensuite, rendait la baquet par la fenêtre, prenait la cruche vide de la semaine précédente qu'elle rapporterait la prochaine fois, et disait, en guise de salut final : Prie pour moi, frère Druon, mon âme en a grand besoin.

Ce contact utilitaire et dénué de bavardage était l'un des rares moments où Druon ouvrait sa fenêtre sur le monde. Mais tel qu'il était, dans sa simplicité et son efficacité, ce rituel d'échange était loin d'être anodin. Même s'il ne cherchait jamais à voir le visage de Katje ni à toucher sa main, la proximité de cette femme dont il connaissait la beauté et l'humeur gaillarde agissait sur lui comme un fluide perturbateur. Au milieu de la nuit, sitôt qu'il s'était allongé sur sa paillasse pour dormir, une démone surgissait à ses côtés et occupait tout l'horizon. Elle avait un visage animal plein de distinction, celui d'une licorne ou d'une hermine. Elle tendait vers la virilité du malheureux Druon une main fiévreuse. La concupiscence allongeait ses lèvres et les faisait siffler, mais cette susurration serpentine n'était que le prélude à la montée du souffle et à sa prodigieuse expansion de rythme, de plainte et de râle. Ce que Druon avait entendu naguère, de loin, à travers les murs de la maison du prêtre Ghilbert, s'imposait en force et sans distance dans sa cellule. L'ombre nue de Katje, lourde de reliefs de chair et prolongée par une folle chevelure toute gonflée de tempête, ne laissait aucune issue pour la fuite. Le reclus était d'abord terrassé, gisant dans l'angoisse du péché et de la mort. Il avait beau fermer les yeux, il voyait partout la femme dans tous ses états, et éprouvait la violence du désir qui lui donnait des proportions monstrueuses. Alors son âme, soudain, se divisait en deux entités hostiles et contradictoires. Une voix montait en lui-même, venue du fond du fond, et lui disait : Regarde, Druon, regarde bien le sexe de la femme, et tu seras sauvé. – Mais aussitôt il entendait l'autre message : Druon, mon ami, ne regarde surtout pas le sexe de la femme, tu serais perdu. – Et il ne savait laquelle de ces deux voix il devait écouter. Il comprenait seulement que la question du salut – et donc de l'éternité – se posait, pour lui, à propos de la fabuleuse entaille de la femme, de la voir ou de ne pas la voir, de l'accepter ou de la refuser. De cette incertitude, de cette ambiguïté, de son impossibilité à se décider naissait alors un sursaut de sa volonté, qui était peut-être, entièrement, l'éclat percutant de la grâce divine : Druon faisait un grand signe de croix, et la forme de Katje s'effaçait aussitôt, en une ultime suffocation de jouissance. Ensuite, il jetait de l'eau bénite sur sa paillasse et, à genoux, ne gardant sur son corps que la haire qui lui meurtrissait les reins, il se donnait longtemps la discipline jusqu'à ce que, hébété, halluciné par le vide grandissant qui envahissait ses facultés, il s'écroulât sur le sol, pelotonné dans sa nudité sanglante et hirsute comme une bête sacrifiée.

Cependant, aux premières heures canoniales, revêtu de la même bure en toutes saisons, il était à genoux ou debout, récitant et chantant matines et laudes à l'adresse de la Vierge Marie – la célébrant pour la transcendante beauté de son intégrité, invoquant sa miséricorde pour les femmes de son cœur, tout spécialement pour cette malheureuse forniqueuse de Katje. Il l'avait, pour sa part, en grande pitié et haute estime. Si la démone venait le tourmenter, la nuit, ce n'était pas la faute de la maîtresse du prêtre – la pauvre n'y était pour rien. C'était sa faute, à lui. C'était le prix et l'expression même de sa sensualité, de sa sentimentalité rêveuse, de son outrecuidance de reclus. En dépit de toute sa bouillonnante ténèbre de chair féminine luxurieuse, Katje était beaucoup plus digne que lui de se tenir aux côtés de Notre-Dame en compagnie de Marie d'Épinoy et d'Élisabeth Haire. Lui, Druon, n'avait place mieux venue que celle du Serpent, sous les pieds de la Vierge. Au reste, toute sa vie, il avait considéré les femmes comme des êtres supérieurs et s'était estimé, lui-même, et tous les hommes, tout juste bon à les servir. À présent, ayant renoncé à l'extériorité, s'étant retiré dans sa terre intérieure, sachant que la femme n'aurait consistance, pour lui, que de songe de sa mémoire charnelle – car sa vie s'était arrêtée dans le temps immobile de la solitude et du silence – il pouvait tenir en vénération l'insatiable et très perdue Katje et la porter, dans sa prière, jusqu'au giron de la Mère immaculée : il pensait, avec une force de conviction qui avait tous les traits d'une passion, que la Vierge aussi avait sa part obscure, limbique et labyrinthique, dans laquelle Jésus ne s'était peut-être jamais aventuré, mais où toute pécheresse, pour peu qu'elle fût humble et dolente, pouvait trouver sa place, son lieu de salut et de résurrection. La Vierge portait un grand manteau, elle avait beaucoup à cacher.

Cela faisait une dizaine d'années que Druon menait sa vie de reclus lorsque mourut le prêtre Ghilbert. Katje vint le jour même annoncer la nouvelle à Druon. Elle allait frapper à la fenestrelle, mais déjà l'ermite l'avait ouverte, il avait écarté le rideau et, sa cuculle renversée sur les épaules, il se tenait face à la femme – *mulier dolorosa*, haletante et sanglotante – et il lui disait : Je sais, Katje, il est tombé sur le seuil de la maison, la mort lui a saisi le cœur, elle a frappé la meilleure part de lui-même. J'ai vu Ghilbert s'écrouler au moment où je priais pour lui. À présent, calme-toi. Ghilbert était un excellent homme, Dieu ne peut pas refuser son âme. Il sera pardonné parce qu'il a beaucoup aimé – et il t'a beaucoup aimée, Katje, ta beauté qui le perdait est aussi celle qui le sauvera, au Jugement. Aie confiance et prions pour lui. – Ils récitèrent ensemble le *De profundis* et le psaume *Miserere mei, Deus*. Katje continua de servir Druon quelque temps, puis un nouveau prêtre arriva à Sebourg. C'était Fulbert. Et Katje disparut. Elle avait pris la direction du nord d'où elle était venue.

Les successeurs de Ghilbert, d'abord Fulbert et, plus tard, Cuthbert ne modifièrent en rien le régime de vie de Druon. Il resta reclus dans sa cellule, au pain et à l'eau. Il assistait à la messe et recevait chaque jour la sainte communion. Il priait tantôt à haute voix tantôt en silence. Il chantait l'Office de la Bienheureuse Vierge Marie et récitait Virgile à son Ange gardien. Ghilbert lui avait donné une bible à recopier. Ses successeurs continuèrent de fournir le parchemin, l'encre et les calames nécessaires à ce travail. Au printemps, il cardait la laine des moutons que lui apportaient par grands paniers les jeunes bergers de Sebourg. Il y eut toujours des femmes qui le servirent. Il ne s'endormit jamais sans s'être d'abord infligé la discipline. L'épanchement du sang sur son dos et le long de ses membres le rassurait quant à son identité de pécheur et quant à sa capacité de souffrir pour tout le mal qu'il n'avait pas fait mais qu'il aurait pu commettre s'il avait seulement été un peu plus fort à exister. Mais quant à lui, sa vertu n'avait place et quelque valeur que par défaut : depuis le commencement, il s'était toujours trouvé tellement seul qu'il avait dû mettre beaucoup d'application auprès des autres et des réalités de ce monde pour gagner un peu de reconnaissance – grâce à quoi il pouvait passer pour meilleur qu'il n'était. Son enfermement dans son réclusoir lui permettait, seul avec lui-même, seul avec Dieu et sa sainte Mère, de se dépouiller au moins des illusions de sainteté que son contact avec le monde avait entretenues. Ainsi avait-il quelque chance de progresser vers une plus rigoureuse nudité intérieure et vers davantage de vérité, au fond de lui-même.

Chaque samedi, le prêtre venait le confesser et lui apporter le réconfort et la juste parole de la direction spirituelle. Avec Ghilbert, l'échange était d'amitié fraternelle et l'on n'eût pu dire lequel confessait l'autre, lequel inventait les mots qui permettent de croire au salut. En chacun d'eux, Katje se tenait présente – chez Ghilbert comme une source de tous les sens, dont il était certain qu'il ne se détacherait jamais ; chez Druon comme le foyer actuel de ses réminiscences féminines amoureuses dans lesquelles il trouvait le fil identitaire de sa propre personne, hors de quoi il n'était rien. Le prêtre concubinaire et l'ermite mûri dans sa virginité découvraient dans leur compagnie une complicité d'esprit qui les liait, chacun d'eux représentant et incarnant dans sa vie ce que l'autre n'avait pas réussi à accomplir et, par là, avait manqué à être. Druon avait toujours rêvé d'union avec la femme comme de la seule voie vers la plénitude et la perfection, et jamais il n'avait touché son but. Ghilbert, enfoncé et perdu dans une expérience charnelle démesurée, aspirait, dans les soubresauts de sa conscience de prêtre, à retrouver la paix de Dieu, mais il ne pouvait se détacher de Katje, pas plus qu'un homme ne peut se défaire de son propre corps sur le bord du chemin. Aussi chacun apparaissait-il comme le complément de l'autre, chacun figurait comme ce que l'autre aurait pu devenir si la grâce de Dieu, combinée au destin, avait agi plus efficacement. Dans ces conditions, la confession de Druon pouvait passer pour inutile, d'autant plus que le nom de Katje ne s'y mêlait pas, et qu'elle ne pouvait porter que sur des imperfections impondérables. Quant à la direction spirituelle, elle consistait dans le duo des cœurs et des âmes, et sa teneur, toute de nostalgie et de mélancolie, n'apportait aucun gage d'avancement vers la sainteté.

Il en fut tout autrement avec Fulbert et, dans les dernières années, avec Cuthbert. L'un et l'autre étaient des prêtres parfaitement réguliers et convenables, assurés en doctrine, exemplaires quant aux mœurs et plus occupés de Dieu et du culte que des choses humaines. Une intuition que l'on pouvait croire inspirée les portait à se méfier de Druon et à flairer l'hérésie dans sa vocation au reclusage. Son intimité avec un prêtre scandaleux le rendait suspect auprès des promoteurs de la rigueur morale. Cependant, le petit peuple de Sebourg était si fier de son ermite et lui manifestait, en paroles, tant de respect et d'affection que ni Fulbert ni Cuthbert n'osèrent le déloger. Ils se contentèrent de supporter sa présence avec distance et froide indifférence. La confession hebdomadaire suivie de l'entretien spirituel fut, pour Druon, jusqu'au bout une longue et suppliante épreuve. Il sentait qu'il n'était pas entendu, qu'il n'était ni compris ni estimé. Sa solitude extérieure se doubla d'une solitude intérieure contre l'emprise destructrice de laquelle il ne pouvait lutter que par davantage de ferveur et un surcroît de bizarreries. Sa méditation – ou rêverie contemplative – sur la féminité de la Vierge Marie, toujours associée à l'imagerie des femmes aimées, occupait la plus grande part de sa vie intérieure. Il inventait, en latin barbare mêlé de thiois, des cantiques sur des airs de son cru – des invocations enthousiastes ou douloureuses ou propitiatoires adressées aux diverses parties du corps de la Mère de Dieu : il y avait des strophes pour le visage et, dans cet ordre de réalité (pour ne s'en tenir qu'à celui-là), des strophes pour la chevelure, pour le front, pour les oreilles, pour le nez, pour la bouche et l'intérieur de la bouche... Enfoncé, et l'âme fluante, en un temps sans limite, presque sans repères, il s'appliquait à isoler, pour ainsi dire, des portions ou parcelles du saint corps de la Vierge et à les envelopper de son verbe adorateur comme pour en composer un nouvel office, celui de la Chair de la Bienheureuse Vierge Marie. Mais de cette œuvre de mots, d'émotions, d'élans du cœur, il ne pouvait parler à personne et cependant c'était la seule confession de son âme qu'il eût voulu confier à un prêtre – à un serviteur de Dieu selon le désir qu'il en avait.

Dans l'immobilité toute close en laquelle il se tenait, il connaissait les instants d'intuition éblouissante, et des moments, distendus jusqu'à épuisement, de sécheresse intérieure, d'absence à soi-même comme à Dieu – et alors, il se voyait comme un étranger, il assistait au déploiement de ses gestes et postures sans comprendre de quoi il s'agissait, ce qu'il faisait, ce qu'il était. Dans le chant, la mélodie planait très haut, très loin, sans attaches avec la chair, et il se demandait si ce n'était pas tout bonnement son Ange qui priait, à voix haute, derrière le rideau de ses ailes, sans s'occuper de lui, Druon le creusé, le vidé, le vacant. Il lui arrivait aussi d'exprimer, à l'adresse des autres, une singulière prescience. Il sentait surtout survenir les décès chez les habitants du village et il se mettait aussitôt à prier pour l'âme du défunt qu'il semblait suivre dans son parcours hors du corps et du temps. Et lorsque, le dimanche, la servante lui apportait son pain, il la chargeait de quelques paroles consolantes, pour la famille, et surtout de dire aux gens qu'ils ne devaient jamais désespérer de la bonté de Dieu.

Quant à lui, sa santé, déjà fort précaire quand il s'était enfermé dans son réclusoir, ne cessait de se dégrader. Son nombril suppurait abondamment et dégageait une odeur violente de chair avariée et fermentée. Un nid de vermine prospérait dans la béance des tissus – de petits vers à tête noire dont quelques-uns, échappés de leur gîte, rampaient le long de son ventre jusque dans les parties poilues. Une maladie de la peau avait attaqué ses pieds et ses jambes provoquant une multitude de plaies coruscantes et purulentes. Des crises de démangeaison le saisissaient et, comme il se refusait à se gratter, ses membres se prenaient à trembler, lui rendant impraticables les mouvements utiles. Les rhumatismes lui broyaient les reins. Il ne pouvait, à la fin, changer de position, se pencher, s'agenouiller qu'avec une lenteur infinie, tout son corps vrillé et cisaillé de douleurs. Il lui aurait fallu un peu de chaleur, brûler quelques bûches dans l'âtre par les jours de grande froidure. Mais il se l'interdisait. Sa provision de bois était restée intacte, telle qu'au jour de son entrée en reclusage. Une fois seulement, comme il était terrassé par la fièvre, la servante, accompagnée par le prêtre Fulbert, pénétra dans l'ermitage. Elle apportait du bouillon de choux. Elle alluma le feu et fit chauffer la marmite. Mais quand elle fut partie, Druon recueillit la cendre et la mélangea à la soupe qu'il laissa refroidir. Il ne la mangea pas autrement. Au cours d'une immense saison où automne, hiver et printemps ne formèrent qu'une même vastitude de froidure et d'humidité, Druon fut assailli de névralgies dans les mâchoires, les oreilles, la face et le crâne. Une vrille folle, un poinçon tenace se déplaçaient partout dans sa tête. Ses gencives saignèrent puis se remplirent de pus et s'ouvrirent. Toutes ses dents tombèrent les unes après les autres. Sa langue trempait dans la pourriture de sa bouche. Une saumure faisandée coulait dans sa gorge et lui soulevait l'estomac. Souvent, il était pris de coliques fulgurantes et, curieusement chez un homme qui se nourrissait si peu, il lâchait une diarrhée abondante et tenace, corrosive jusqu'au sang. Il se soulageait dans le baquet, lequel ne serait vidé qu'après plus ou moins de jours. Une odeur infecte se répandait dans la cellule. En été, un essaim de mouches vertes tourbillonnait sans arrêt au-dessus des immondices. Dans les dernières années de sa vie, alors qu'il ne pouvait presque plus bouger, des hémorroïdes crevèrent, son anus boursouflé et crevassé s'enflamma, des giclées de sang maculèrent le bas de son corps que ses mains tremblantes n'avaient plus la force de nettoyer. Toutes ces infirmités ici énumérées s'étalèrent sur près d'une quarantaine d'années, avec des moments de rémission et d'autres moments où tous les maux paraissaient s'accumuler, de révoltante et désespérante façon. Mais, pour parler comme les vrais hagiographes, au milieu de toutes ses misères et souffrances, l'homme de Dieu gardait son humeur égale et son âme constante dans sa prière. Il offrait au Très-Haut le sacrifice de son corps pour le rachat des pécheresses qu'il avait aimées et de toutes les pécheresses en ce bas monde.

Une affection très singulière lui survint tout à la fin de sa vie. Ne s'étant jamais ni coiffé ni rasé au cours de toutes ses années closes, il arborait une prodigieuse chevelure qui aurait dû être blanche comme neige si elle avait été entretenue, mais elle était seulement grise de son épaisseur de crasse. Et la barbe de même, qui lui descendait jusqu'au milieu de la poitrine. Or sur son corps complètement dénutri une vigoureuse pelade se mit à prospérer. Cheveux et barbe séchèrent, s'effrangèrent, tombèrent par larges plaques. Les cils et les sourcils aussi, et le pubis également. En quelques mois, Druon se trouva dépouillé de toute sa pilosité. Il eut alors, pour visage un masque ovoïde, parfaitement lisse, supérieurement et mystérieusement infantile, nanti d'un nez presque obscène dans tant de nudité et de lèvres trop charnues pour celles d'un ascète. En même temps, il ne put s'empêcher d'éprouver, dans l'abjection de sa chair génitale, toute une confusion de sensations troublantes, annonciatrices d'une métamorphose. Il n'eut pas à regarder, à observer. Le minimum de toucher nécessaire pour uriner lui fit comprendre que son sexe amorçait un retrait et se retirait au-dedans tandis qu'une épaisseur de repli, dans laquelle disparaissaient ses maigres ballottes, se formait autour de son membre de plus en plus vestigial, à la manière de lèvres boursouflées et gluantes, en sorte que, finalement, ce qui avait été un phalle évoquait plutôt un gros bourgeon féminin – encore que Druon ne connût rien de pareil. Nu comme un ver, tremblant comme un rameau, érupté en laves putrides par l'ombilic et par l'anus, Druon commençait à ressembler à quelque chose qu'il avait imaginé, parfois, dans les églises de Rome où tant d'images du Crucifié, le bas-ventre ceint du périzonium, s'offraient à la vénération des fidèles : qu'il était, lui, Druon, ou qu'il lui restait à devenir, l'excrément chu, sur le sol, dans les épines et les chardons, des entrailles du Fils de Dieu. C'était une vision à sa hauteur, infiniment consolante par la justesse de son symbole. Mais en réalité, ce qui lui arrivait à présent : le renversement de tout son être dans la sphère de l'enfance et de la féminité, lui signifiait, avec une forte évidence, que la mort venait à sa rencontre et que ses jours étaient comptés. Sans rechercher un effet, sans même avoir la possibilité de surprendre son visage dans un miroir, il laissait se parfaire ses traits en une telle absence d'expression, en une telle assomption de forme hors du temps et du monde, qu'il devenait expressif au suprême degré et d'une luisance et d'une patine de vieil ivoire ou de vieille porcelaine suggérant à quel point l'intemporalité de surface est, en réalité, chargée d'un poids énorme d'histoire et de destin.

Or voici ce qu'il advint, ce sont les Bollandistes qui l'écrivent. On peut donc compter que l'anecdote est véridique : « Le feu ayant pris à l'église, et ensuite à sa cabane, il demeura au milieu des flammes sans en recevoir la moindre atteinte ; Dieu renouvelant en sa faveur la merveille des trois enfants dans la fournaise de Babylone. »

Pour tout dire, selon la nécessité du récit mythobiographique, il s'agissait bien de Babylone et la fournaise était en place déjà, dans la chair et dans le cœur de Druon, avant que la foudre d'avril ne provoquât l'incendie. Le corps de Druon s'était mis à brûler d'un désir immodéré, insensé, tout-puissant. Une chaleur interne, telle que notre reclus ne l'avait jamais éprouvée, ardait dans le fond de sa gorge, dans sa poitrine, dans son ventre, dans tous ses membres et jusque dans cette part sexuelle indécise ouverte comme d'un coup de pioche en son obscure féminité, et toutefois tendue et poussée à saillir et à jaillir. Et, la dernière nuit, l'impression de combustion totale était si intense que sans le vouloir, sans même s'en rendre compte, Druon se dépouilla de tous ses vêtements, comme pour une flagellation majeure, ne gardant sur son corps que sa haire, laquelle augmentait de son piquant la sensation de brûlure. Alors l'orage se déclara, le tonnerre se mit à gronder. De grands éclairs illuminaient par instants l'intérieur de l'église. Debout derrière la porte à barreaux qui le séparait de la nef, Druon pouvait voir clairement, derrière l'autel, la statue de la Vierge Marie. Il lui semblait qu'elle grandissait, qu'elle était en train d'occuper tout l'espace jusqu'à la voûte. Et il pouvait observer que sa robe et son manteau, pris dans la tempête du Ciel, commençaient à frémir et qu'ils claqueraient bientôt à l'instar de la bannière conjuratrice des intempéries qu'il avait vue autrefois promenée dans les processions d'Épinoy. Et soudain la foudre éclata en violence de flamme éblouissante et tremblement de la terre et de tous les murs. L'incendie se mit immédiatement à crépiter. Cependant Druon se pressait contre sa porte. Son visage se tenait juste à hauteur de la grille. Sa vue plongeait dans le chœur de l'église embrasée, et tandis que le feu faisait rage, il était tout à la contemplation d'une scène inouïe, préparée de toute éternité pour lui seul par la Toute-Puissance d'En Haut.

Car, en même temps qu'elle avait frappé l'autel, au plein de son tabernacle, faisant fondre les vases sacrés et pulvérisant le crucifix, la foudre avait littéralement arraché le vêtement de la Vierge, la tiare, le manteau constellé, la robe chatoyante. À présent, sous le regard de Druon, la Très Sainte Mère était nue, comme peut être nue toute femme rendue à elle-même, avec ses seins gonflés et son ventre toisonné. Et lui, avec son cœur d'enfant, avec son désir d'adolescent, avec sa curiosité d'homme et de vieillard mais aussi sa grande pudeur adoratrice, il se préparait, en immobilité et en silence, et sans aucune angoisse de destruction imminente des lieux, à recevoir celle qui venait à lui. En effet, à travers le rideau mouvant des flammes et de la fumée, la Vierge s'avançait vers son fils, lui apportant avec son maternel sourire, la splendeur de son nu de majesté. À présent, l'incendie semblait la suivre et obéir à ses ordres. Il ne se précipitait pas, il ne rugissait pas comme font les incendies vulgaires. Les flammes étaient hautes et claires et détruisaient sans bruit tout ce qu'elles abordaient, palpant et léchant les choses avant de les attaquer. La Femme marchait devant, toute triomphante d'être aussi parfaitement nue avec la seule parure de son immense chevelure et de son pubis. Elle s'arrêta devant la porte de la cellule, posa la main sur la serrure, et la porte s'ouvrit. Druon se tenait à genoux, les mains jointes, le visage à hauteur du Santo Pilo : o mère, murmura-t-il, o Marie, o Marie de moi, pauvre Druon. Cependant le feu contournant le couple maternel-filial sans l'incommoder, avec une détermination incisive mais sans précipitation, attaqua les murs du réclusoir.

À l'aube, toute la communauté villageoise, le prêtre Cuthbert à sa tête, se trouva rassemblée devant les ruines de l'église. Tous ces gens s'étonnaient car tous avaient rêvé qu'un orage terrible s'était abattu sur Sebourg et que l'église avait flambé comme une meule de paille, mais personne ne s'était levé, chacun s'était enfoncé dans le sommeil. Et à présent, ils pouvaient constater ce qu'il en était et s'étonner d'avoir, peut-être pour la première fois de leur vie, assisté en songe à des événements dont ils étaient absents et qui se déroulaient à côté de chez eux. Cependant, l'essentiel de la scène avait échappé à leurs yeux de rêveurs et ils voyaient maintenant, à portée de main, au milieu des décombres tout fumerollants, ce que personne n'aurait pu imaginer du fond le plus inconscient de leurs facultés phantasmatiques : au centre d'une aire circulaire, restée à l'abri du ravage, leur ermite à genoux, manifestement mort ou évadé de son corps, et enveloppé d'un grand manteau blanc, parfaitement immaculé, d'une coupe si réussie et d'un tissu si riche que l'on pouvait croire qu'il avait été apporté du ciel par un ange. Et entre les bras de Druon, à hauteur de son cœur, que pouvait-on voir? La vénérable statue de la Vierge sauvée du feu. Le prêtre Cuthbert, à l'adresse de ses ouailles agenouillées à la lisière du miracle, déclara, pour son propre étonnement et pour la satisfaction de tous, que Druon était un grand saint, qu'il avait toujours donné l'exemple de toutes les vertus, et que, grâce à son courage, la tutélaire statue de Notre-Dame de Sebourg avait été sauvée de la destruction. – Alors tous s'agenouillèrent et, les bras tendus vers le ciel, chantèrent *Alleluia, Gloria in excelsis Deo, Veni Creator* et bien d'autres cantiques en latin et en thiois. Ils ne priaient pas pour l'âme de Druon, mais pour leur propre salut, afin que le berger et reclus de Sebourg intercédât pour eux auprès de la Vierge et de son Fils, ainsi qu'ont toujours fait les saints du Paradis. Druon était leur saint, à eux, comme si la terre de Sebourg l'avait enfanté. Ils le suppliaient de les aider dans leur vie de chaque jour, dans leurs travaux et leurs souffrances et de leur dispenser, de sa main, les miracles dont ils avaient besoin.

Quant à moi, le mythobiographe, aspiré par la spirale des songes, souvenirs et désirs, je n'ai pas fini d'interroger les derniers moments de Druon. J'ai, sur les Bollandistes, le privilège d'assister à la scène alors que, pour leur part, ils devaient se contenter de sources orales ou manuscrites officiellement reconnues et donc susceptibles de distorsions conventionnelles et d'interprétations bien-pensantes.

Moi seul ai la chance de voir Druon tel qu'en lui-même, tel qu'en moi-même, sans souci de légitimité. Je sais qu'un immense désir de fusion amoureuse-incestueuse avait dominé son cheminement vers une certaine sainteté, qui était surtout faite de la préoccupation de se détacher du monde afin de se concentrer sur l'unité de sa ferveur : par-delà la maigreur de sa virilité, accéder à l'immensité de la féminité, intérieure et extérieure, et se dissoudre dans la vastitude infinie de la chair maternelle enfin reconnue et réconciliée. Et donc, cette nuit de foudre et d'incendie,

Marie – celle du Ciel assimilée à celle d'Épinoy – s'était déliée de sa propre statue pour forcer la porte du solitaire, le rejoindre jusqu'à la racine de son attente et l'épouser, symboliquement et mystiquement. Elle s'était présentée sans fard, dans sa nudité que renforçait sa sacralité, ses seins et son sexe au-devant d'elle-même – fruits de son être et promesses de communion. Autour des amants que sanctifiait l'absolu du désir, l'incendie virevoltait, pour les isoler et les magnifier, avec une application silencieuse et pleine de lenteur. Le vieux Druon plongeait dans son enfance, à une vitesse vertigineuse en son immédiateté. Sa cellule jusqu'alors dure, anguleuse, impitoyable, se transformait autour de lui en une chambre tiède, toute de douceur, d'épaisseur molle et de senteur charnelle – habitacle aussi paradisiaque que terrestre au contact duquel le corps du vieillard, dans l'instant, se raffermissait pour s'attendrir, se rajeunissait pour se réduire, en toute jubilation et saltation interne des origines retrouvées. Et comme l'incendie, culminait en fleurs de flammes exaltées et enamourées et que la lumière rougeoyante soutenait les ultimes inspirations de la divine folie, la Mère de Dieu comme de Druon s'avança d'un dernier pas, s'ouvrit par le bas et offrit au dernier de ses fils, sa somptueuse *cougne* virginale, maternelle, cosmique, théogonique, chrétienne et universelle, pour son baiser de mort et de résurrection. Alors la petite âme bergeronnette put s'envoler au Ciel en murmurant : Mère, pourquoi t'avais-je abandonnée ? – ajoutant : J'ai encore soif – et puis : Tout est consommé, tout va recommencer.

C'est fort de cette dernière parole que moi, le mythobiographe, j'ai pris ma plume afin de réinventer le récit.

Appendice

Je tiens beaucoup à rendre aux Petits Bollandistes le privilège du texte pour en finir avec l'histoire de Druon. Ils m'ont fourni les éléments qui ont alimenté mes divagations. Je leur laisse l'espace de la conclusion. On ne saurait se passer d'eux – et ils suffisent – pour connaître tout ce que l'on peut savoir sur les événements qui suivirent la mort de saint Druon.

« Le Saint reclus rendit son âme à Dieu le 16 avril 1189, environ la soixante et onzième année de son âge[1], s'étant retiré de la maison paternelle âgé de seize ans, ayant gardé les troupeaux six ans, passé neuf ans dans ses pèlerinages, et quarante dans sa cellule [2].

Les parents [3] de saint Druon ayant appris sa mort, demandèrent son corps aux habitants de Sebourg ; mais il leur fut impossible de le transporter hors du pays ; quand le chariot, sur lequel on l'avait mis fut sur les limites du territoire de Sebourg [4], il devint immobile et le corps si pesant, qu'ils furent obligés de le reporter à l'église et de l'inhumer dans le sépulcre qu'on lui avait préparé [5].

Au commencement du XIIIe siècle, on fut obligé par la crainte des profanations [6], de transporter les reliques de

[1] Très exactement l'âge du mythobiographe lorsqu'il entreprit d'écrire ce livre en 2003.
[2] Le mythobiographe qui a en horreur l'exactitude des chiffres a jugé bon de les modifier.
[3] Ce qui restait, à cette date, de sa féodale famille, personne n'en sait rien. Ces gens-là ne s'étaient jamais manifestés, une fois Druon installé à Sebourg.
[4] C'est une petite hauteur que l'on nomme encore aujourd'hui, en mémoire de ce miracle, le *Mont-joie-saint-Druon* (note des Petits Bollandistes).
[5] Ce tombeau (que l'on voit encore aujourd'hui), fut bâti au milieu de la grande nef ; on plaça dessus les saints fonts du baptême (note des Petits Bollandistes).
[6] Les hérétiques bégards, proches des vaudois, commirent nombre de

saint Druon à Binche ; mais comme elles n'y firent point de miracles, pendant l'espace de neuf ans, on les rapporta à Sebourg, le 14 juin 1227. Le concours des peuples fut immense à cette translation ; de sorte que les blés qui étaient déjà grands, furent foulés aux pieds. On croyait les moissons perdues, mais le lendemain on les vit redressées et magnifiques. En mémoire de cette translation et de ce miracle, aujourd'hui encore, le dimanche de la Trinité, on porte solennellement en procession les reliques du Saint. On peut voir, au second tome d'avril, dans les Bollandistes, combien de guérisons miraculeuses, surtout pour les ruptures[7], les descentes intérieures[8], et la cruelle maladie de la pierre, ont été obtenues par l'intercession de saint Druon[9].

Sauvés des profanations de 1793, les précieux restes du Saint reposent au-dessus du tombeau dont nous avons parlé[10]. »

déprédations et actes sacrilèges dans les églises du Nord au cours du XIIIᵉ siècle.

[7] C'est-à-dire les fractures.

[8] Les hernies. Druon avait un goût morbide pour tout ce qui descendait.

[9] Les Petits Bollandistes ne nous apprennent pas pourquoi Druon fut vénéré comme patron des bergers. Sa carrière de berger fut très brève dans sa longue vie. On se souvient cependant que son Ange gardait le troupeau pour permettre au jeune pâtre d'assister à la messe. C'est peut-être là ce qui le fit placer sur l'autel des bergeries dans tout le Nord de la France. Le mythobiographe avance une autre explication. Un jour, un berger apporta sur le tombeau du saint une brebis qui était pleine mais qui était aussi malade et dont la progéniture paraissait condamnée. Saint Druon entendit la supplication de l'homme et probablement aussi celle de la bête. La brebis fut aussitôt guérie. Elle mit au monde deux agneaux, un mâle et une femelle, dont les yeux avait exactement la couleur bleue, transparente, des yeux de Druon. En outre, il s'avéra que leur toison était deux fois plus fournie que celle des moutons ordinaires. Ce couple d'ovins fut à l'origine de la race des Bleus de Sebourg qui fit la fortune des moutonniers du Hainaut.

[10] *Les Petits Bollandistes*, Paris, 1866, tome IV, p. 298-299.

TABLE

ACHEVÉ D'IMPRIMER
EN JUIN 2 0 0 5
PAR L'IMPRIMERIE
DE LA MANUTENTION
A MAYENNE
FRANCE

Dépôt légal : 2ᵉ trimestre 2005